최상위 3%를 위한 책

산부인과 FINAL EXAM

모의고사

OBSTETRICS AND GYNECOLOGY

최원규 지음

산부인과
FINAL EXAM | 모의고사

첫째판 1쇄 인쇄 | 2022년 5월 9일
첫째판 1쇄 발행 | 2022년 5월 20일
첫째판 2쇄 발행 | 2023년 9월 1일

지 은 이 최원규
발 행 인 장주연
출 판 기 획 최준호
편집디자인 최정미
표지디자인 김재욱
발 행 처 군자출판사(주)
등록 제 4-139호(1991. 6. 24)
본사 (10881) **파주출판단지** 경기도 파주시 회동길 338(서패동 474-1)
전화 (031) 943-1888 팩스 (031) 955-9545
홈페이지 | www.koonja.co.kr

ISBN 979-11-5955-881-8
979-11-5955-877-1 (세트)

정가 40,000원

Contents

산부인과 FINAL EXAM | 모의고사

Final Exam 01 모의고사 1회 1
Final Exam 02 모의고사 2회 31
Final Exam 03 모의고사 3회 73
Final Exam 04 모의고사 4회 103
Final Exam 05 모의고사 5회 147
Final Exam 06 모의고사 6회 187
Final Exam 07 모의고사 7회 229
Final Exam 08 모의고사 8회 269

산부인과
FINAL EXAM

모의고사

OBSTETRICS AND GYNECOLOGY

Final Exam 01

모의고사 1회

01

임신 39주 초산모가 태동 감소를 주소로 내원하였다. 시행한 검사 상 태아 예상 체중은 2.2 kg 정도이고 양수는 거의 없는 상태이다. 이 시점에서 가장 옳은 다음 단계의 처치는 무엇인가?

① 자궁의 수축 정도를 파악한다

② 자궁 안에 생리식염수를 주입한다

③ 일주일 후 정기 산전검사 시행한다

④ 초음파로 생물리학적계수(BPP)를 측정하여 태아 상태 파악한다

⑤ 내진으로 Bishop score를 측정하여 유도 분만 방법을 결정한다

02

월경이 불규칙적인 경산모가 초음파 결과 임신 8주였다. 다음의 계측치 중 분만 예정일을 예측하는데 가장 적합한 것은 무엇인가?

① Double ring

② 난황의 크기

③ 임신낭의 크기

④ 머리-엉덩 길이(CRL, crown-rump length)의 길이

⑤ 양 두정골 길이(BPD, biparietal diameter)의 길이

03

임신 39주인 초산모가 진통이 있어 분만실에 입원하였다. 진찰 결과 경부는 3 cm 개대, 40% 소실되고 부드러웠다. 태아전자감시 결과 자궁 수축은 4~5분 간격으로 약하게 있었다. 2시간 후 수축 강도가 변하지 않아서 옥시토신을 투여하였고 30분 후에 아래와 같은 소견이 나타났다. 진단과 처치로 맞는 것을 고르시오.

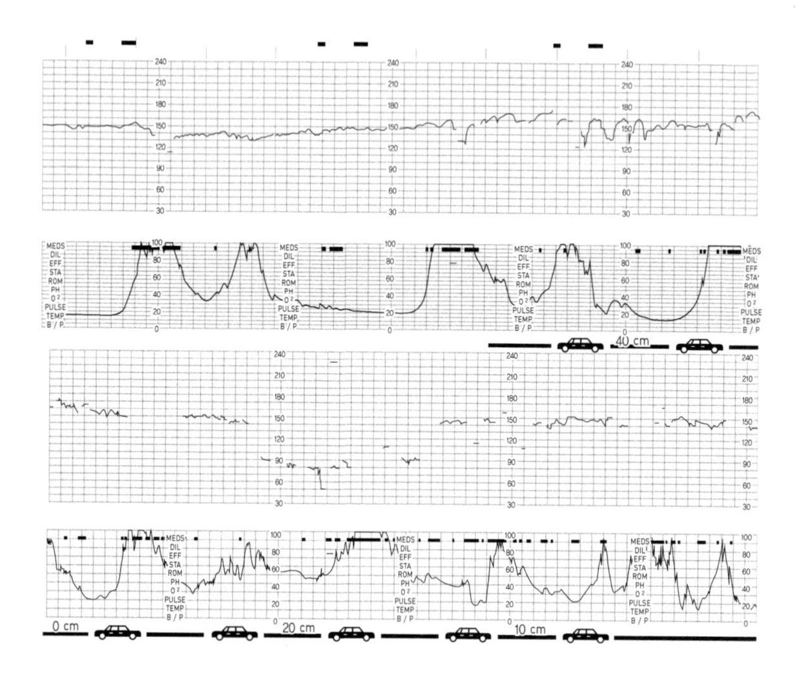

① Tachysystole – 옥시토신을 끊는다

② Hypertonus – 옥시토신 용량을 줄인다

③ Hyperstimulation syndrome – 옥시토신을 끊는다

④ Hypertonic uterine dysfunction – 옥시토신 용량을 줄인다

⑤ Hyperstimulation syndrome – 응급으로 제왕절개술 시행한다

04

36세 임신 38주 경산모가 분만 진행 중이다. 태아의 예상 체중은 3.7 kg이고 두위이다. 자궁경부가 3 cm 개대 되었을 때 경막외 마취를 시행하였다. 현재 경부는 9 cm 개대, 완전 소실, 하강도는 +2, 양수는 30분전에 파막 되었고, 아두의 태향은 LOA이다. 2시간 동안의 밀어내기 힘(pushing)으로 산모는 지쳐 있다. 흡인 분만을 하려 할 때 적응증이 아닌 것은 무엇인가?

① 경막외 마취

② 경부 개대 9 cm

③ 30분전의 양수 파막

④ 태아 아두의 태향 LOA

⑤ 태아 아두의 하강도 +2

05

다음은 진통 1기의 절정기(maximum slope)에 관한 설명이다. 옳지 않은 것을 고르시오.

① 자궁 수축의 강도는 200 MU 정도이다

② 초산모에서 경부는 시간당 1.2 cm 개대 된다

③ 경부가 4 cm 에서 9 cm 까지 개대 되는 시기이다

④ 전도 마취나 과도한 진정제에 영향 받지 않고 진행된다

⑤ 태아 아두의 중요 운동(cardinal movement)가 일어나는 시기이다

06

임신 38주 초산모가 양수 과소로 유도 분만 시행 중이다. 내진 결과 자궁경부는 4 cm 개대, 50% 소실, 하강도는 −2에서 −1 사이이다. 이 시점에 통증을 줄여주는 가장 적당한 방법을 고르시오.

① 국소 마취(local anesthesia)

② 척수 마취(spinal anesthesia)

③ 전신 마취(general anesthesia)

④ 경막외 마취(epidural anesthesia)

⑤ 음부신경 차단(pudendal nerve block)

07

임신력 G3P0인 32세 임신 20주 여성이 물 같은 분비물이 있어 내원하였다. 검사 상 하복통과 질 출혈은 없었다. 첫 번째 임신은 계류유산으로 임신 11주에 D&C 시행하였고, 두번째 임신은 임신 15주에 인공유산을 하였다. 질 분비물 검사를 위해 질경을 삽입했더니 아래와 같았다. 자궁경부는 약간 열려 있으나 양막은 탈출되지 않은 상태이다. 이 시점에서 가장 적당한 방법은 무엇인가?

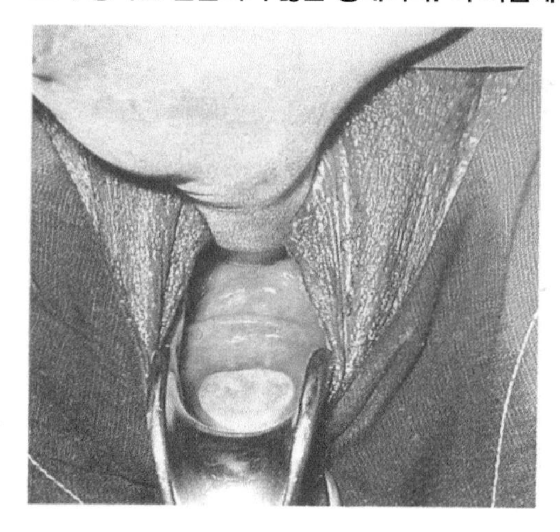

① 양막을 터트리고 임신을 종결한다

② 예방적으로 항생제를 투여한다

③ 응급으로 자궁경부 봉축술을 시행한다

④ 태아 폐성숙을 위해 베타메타손을 투여한다

⑤ 산모의 다리를 올리고 머리를 내린 자세를 취하게 하고 절대 안정시킨다

08

임신 38주 경산모가 태아 머리 출현(crowning)된 후 분만실로 옮겨졌다. 회음부가 넓고 얇게 형성되어 중앙으로 회음절개를 시행하였다. 이 시술의 단점은 무엇인가?

① 출혈이 적다

② 봉합하기 쉽다

③ 염증이 적게 생긴다

④ 분만 후 성교통이 적다

⑤ 회음부의 4도 열상의 빈도가 증가한다

09

다음은 분만 중에 시행하는 어떤 수기이다. 옳은 설명은?

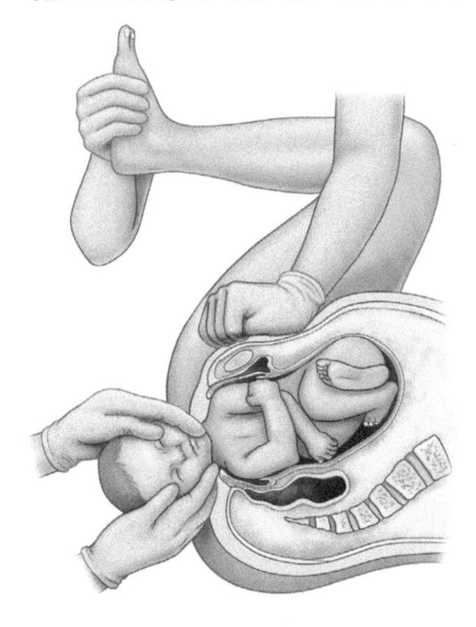

① 골반의 용적을 넓게 해주는 수기이다
② 태아 아두의 신전을 도와주는 수기이다
③ 견갑 난산 시 앞쪽 어깨를 자유롭게 해준다
④ 전방 후두위를 후방 후두위로 회전시키기 위한 수기이다
⑤ 아두 만출 시 산모가 밀어내기 힘을 주기 좋은 자세이다

10

임신 36주인 28세 경산모가 물 같은 분비물이 있어 내원하였다. 내진 결과 자궁경부는 3 cm 개대, 30~50% 소실, 하강도는 −1, 양막이 파열 되었다. 초음파 결과 양수는 거의 없고, 태아 예상 체중은 2.45 kg 이었다. 자궁 수축이 미약하여 옥시토신으로 통증을 증강시켰다. 2시간 후에 태아심박동자궁수축 전자감시(1칸이 10초)는 아래와 같았다. 원인으로 가장 가능성이 있는 것은 무엇인가?

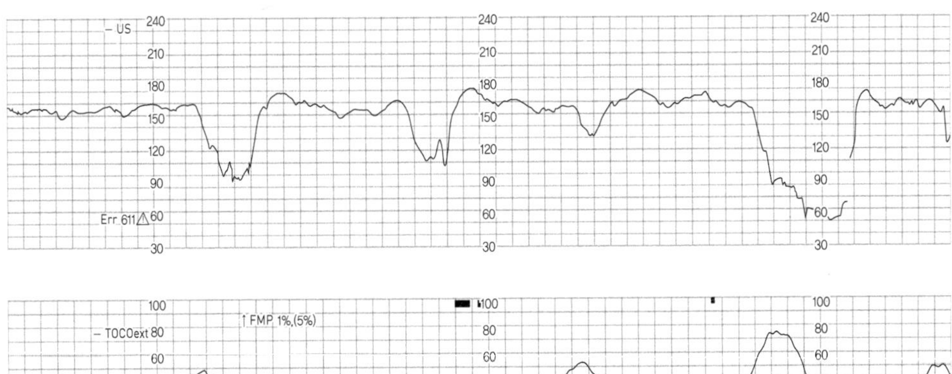

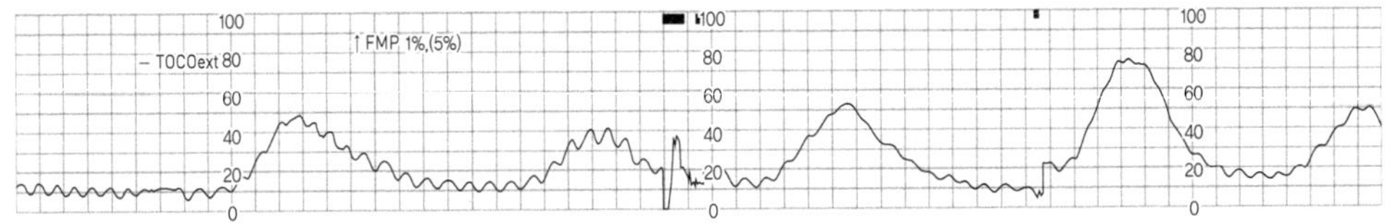

① 제대 탈출
② 제대 압박
③ 태아 아두 압박
④ 태반 조기 박리
⑤ 자궁–태반 혈류의 감소

11

임신 41주 경산모가 진통으로 입원하였다. 첫 번째 임신은 자연질식분만을 하였다고 했다. 입원 시 자궁경부는 3 cm 개대, 약간 소실되고 아두는 떠 있었다. 2시간 후에 자궁경부는 7 cm 개대, 50~60% 소실되고 아두 하강도는 0이었다. 그 후 2시간 뒤 자궁경부 7 cm 개대, 하강도는 +1, 70~80% 소실되었고, 자궁 수축의 강도는 250 MU 이었다. 태아심박동 전자감시는 정상이었다면 이 시점에서 진단은 무엇인가?

① 활성기의 정지

② 활성기의 지연

③ 아두 하강의 정지

④ 고긴장 자궁수축 기능장애

⑤ 자궁경부 개대의 이차적인 정지

12

양수 파막된지 30시간 정도 후 분만진행장애로 응급 제왕절개술을 시행한 산모에게서 진통 중 열이 있었고 분만 후 자궁에 압통이 있었다. 융모양막염을 의심하여 ampicillin과 gentamicin을 투여하였다. 수술 후 계속 항생제를 투여하였으나 수술 3일째 열(38.5℃)이 있으며 자궁의 압통이 심해졌고 분비물에서 냄새가 났다. 진찰 결과 골반에 만져지는 종물은 없었다. 현재 모유 수유 중이고 유방은 정상이다. 이 시점에서 더 적당한 항생제는 무엇인가?

① Polymyxin

② Vancomycin

③ Clindamycin

④ Cephalothin

⑤ Levofloxacin

13

32세 G2P1인 임신 39주 산모가 진통으로 입원하였다. 자궁경부는 5 cm 개대, 90% 소실, 하강도는 +1, 태아심박동 전자감시는 이상이 없었고 자궁 수축은 2~3분 간격이었다. 첫 번째 임신은 분만진행부전으로 2년 전 제왕절개술을 시행하였다. 2시간 후에 진찰 시 하강도는 +2이고 나머지는 변화 없으며 자궁 수축은 5~7분 간격으로 늘어져서 수축 증강을 위하여 옥시토신을 투여하였다. 1시간 후 갑작스런 심한 하복통이 있고 수축이 사라졌다. 이 때 자궁경부는 8 cm 개대, 태아 아두는 쉽게 만져지지 않았다. 태아심박동 전자감시(1칸이 10초)가 아래와 같았다면 이 시점에서 가장 적당한 처치는 무엇인가?

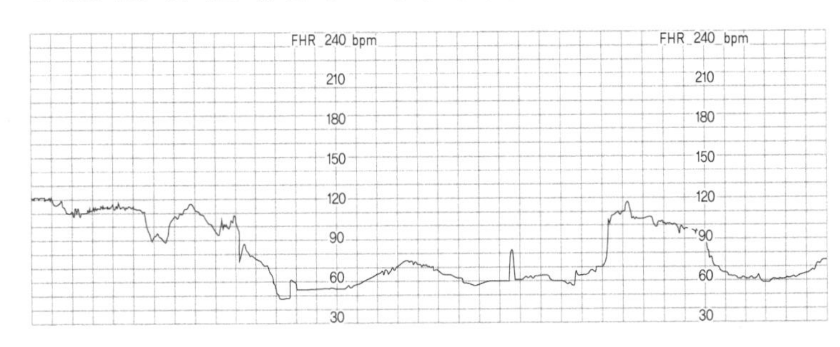

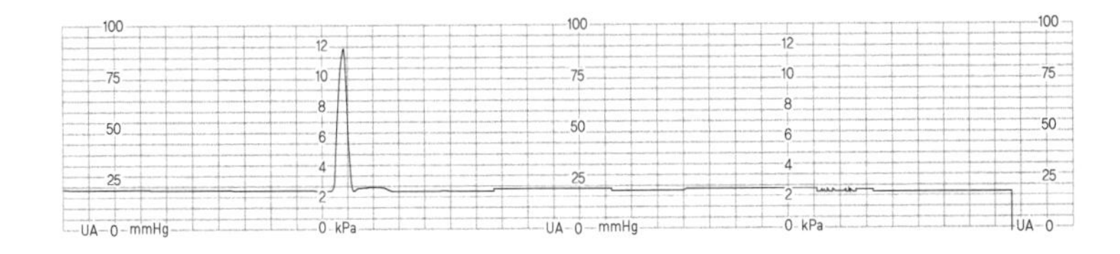

① 기다리며 관찰한다

② Forcep delivery 시행한다

③ 응급 제왕절개술을 시행한다

④ 사용하던 옥시토신을 끊는다

⑤ 태아 두피혈에서 산도를 측정한다

14

자연 분만 1개월 후에 정기 검진을 위해 내원하였다. 다음 중 정상적인 소견이 아닌 것은 무엇인가?

① 질 분비물은 백색이다

② 자궁 경부는 열려 있다

③ 질은 빨갛게 발적되어 있다

④ Symphysis pubis가 분리되어 있다

⑤ 자궁은 퇴축되어 거의 정상 크기로 줄어든다

15

다음은 산모의 정기 진찰 소견 또는 검사 소견 이다. 정상 소견이 아닌 것은 무엇인가?

① 임신 25주, 횡위

② 임신 초기, Hb : 13.2, Hct : 37.6

③ 임신 37주, 자궁저의 높이(HOF) 40 cm

④ 임신 36주, 뇨당 양성, 공복시 혈당 86 mg/dL

⑤ 정상 체질량의 산모 임신 말기, 10 kg의 몸무게 증가

16

임신 9주 5일인 초산모가 시행한 초음파 결과 목덜미 투명대가 5 mm로 증가하여 융모막융모 생검을 시행하려 한다. 다음 중 채취해야 하는 곳은 어디인가?

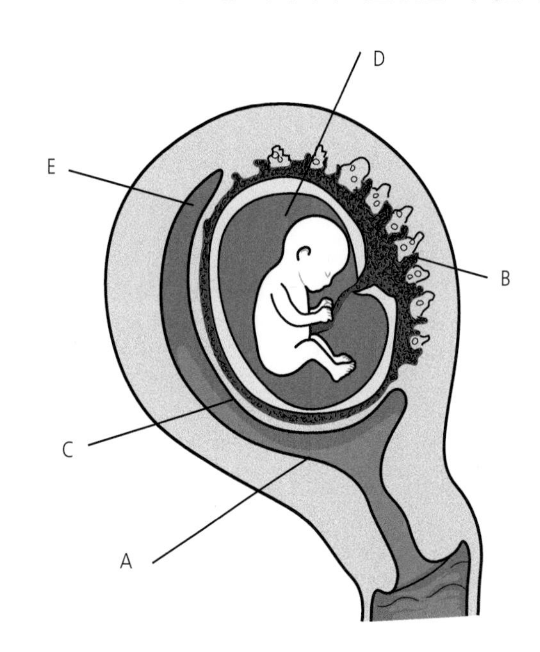

① A
② B
③ C
④ D
⑤ E

17

태아 기형의 가장 흔한 원인은 무엇인가?

① 유전적 요인
② 다인자 또는 미상
③ 산모의 약물 복용
④ 모체의 만성 또는 급성 질환
⑤ 태아의 감염

18

다음 그림과 같은 시술에 대한 설명으로 옳지 않은 것은 무엇인가?

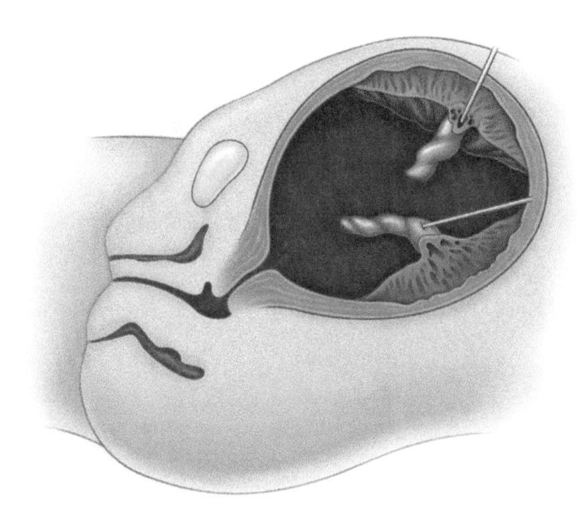

① 비면역성 태아 수종의 진단에 사용된다
② 제대를 통해 혈액 채취 또는 치료하는 방법이다
③ 태아 염색체 검사 방법 중 한가지이다
④ 시술 중 제대 출혈이나 혈종이 생기게 되면 임신 유지가 어려워 유산의 적응증이 된다
⑤ 유산율은 2.7% 정도이다

19

29세 초산모가 임신 27주에 선별 검사로 시행한 50 g 경구 당부하 검사(OGTT)에서 1시간 후 혈당이 180 mg/mL였다. 이 시점에서 가장 적절한 처치는 무엇인가?

① 식이 조절

② 운동 요법

③ 2주 후 정기 검진 시행

④ 한달 후 정기 검진 시행

⑤ 100 g 경구 당부하 검사를 시행

20

임신 중 초음파 검사에서 다음과 같은 영상이 관찰되었다. 이와 같은 태아 기형의 발생 위험이 증가하는 경우를 모두 고르시오.

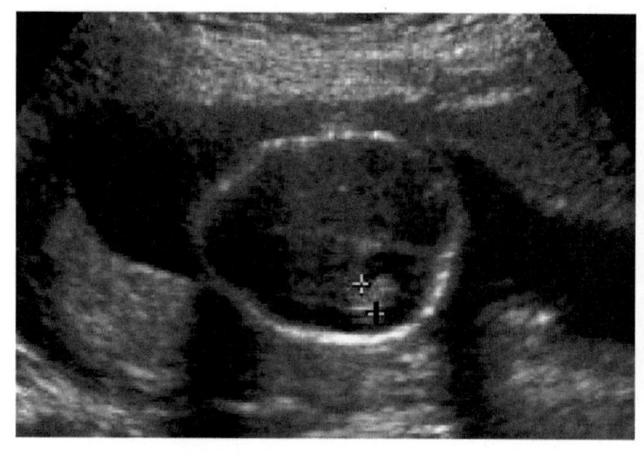

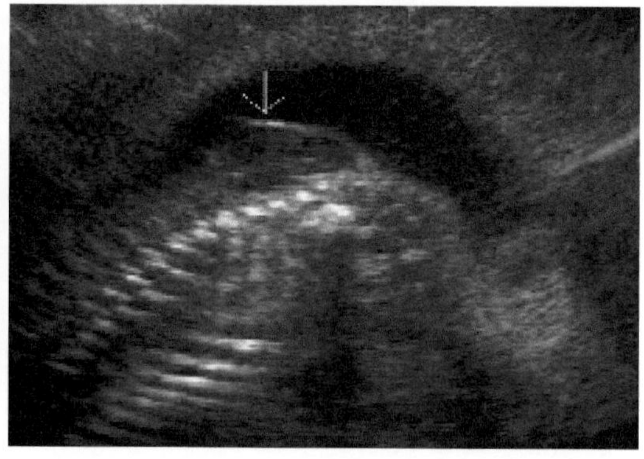

(가) 산모의 당뇨병

(나) 임신 초기에 고체온에 노출되었던 경우

(다) 항엽산 수용체(anti-folate receptor antibody)의 생산

(라) 항경련제의 복용

① 가, 나, 다

② 가, 다

③ 나, 라

④ 라

⑤ 가, 나, 다, 라

21

과거 임신 10주에 인공유산을 한 경험이 있는 임신 16주 임산부가 산전 진찰 검사를 한 결과 혈액형이 AB형 Rh (−)로 나왔다. 가장 우선 해야 할 검사는 무엇인가?

① 모체 직접 쿰스 검사

② 모체 간접 쿰스 검사

③ 양수검사 및 양수 내 빌리루빈 농도

④ 모체 혈청 빌리루빈 농도

⑤ 제대천자 및 태아 혈색소 농도

22

임신 23주의 초산모가 초음파 검사에서 다음과 같은 영상이 관찰 되었다. 이와 같은 경우에 대한 설명으로 옳지 않은 것은?

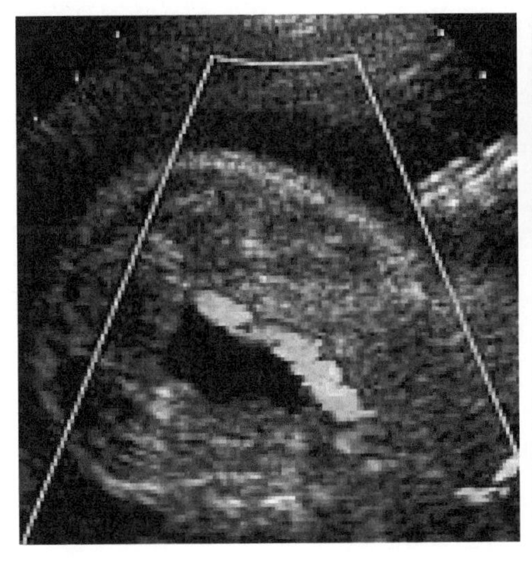

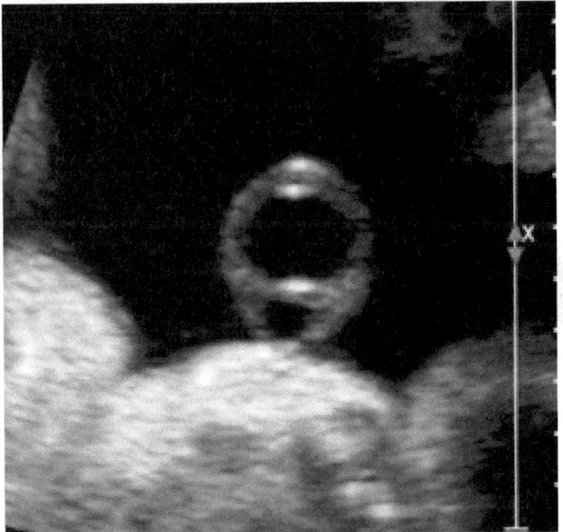

① 다태아에서 더 자주 나타난다

② 조산의 가능성이 증가한다

③ 양수과다 또는 양수과소증이 있는 산모에서 빈도가 증가한다

④ 선천성 기형의 빈도가 증가한다

⑤ 당뇨병을 가진 산모에서 증가한다

23

45세 초산모가 태아 홀배수체(aneuploidy)의 위험 때문에 양수천자를 시행하려 한다. 시행 전 산모는 FISH(fluorescent in situ hybridization)에 대한 정보를 원한다. 이 검사의 가장 중요한 장점은 무엇인가?

① 결과를 빨리 얻을 수 있다

② 검사 결과가 정확하게 나온다

③ 전형적인 염색체분석을 대신한다

④ 모든 balanced translocation이 발견된다

⑤ 염색체의 banding pattern을 빨리 얻을 수 있다

24

쌍태아 임신 36주인 28세 초산모가 내원하였다. 산모는 2주 만에 몸무게가 4 kg 정도 증가하였고 함요부종이 심하였다. 소변 단백이 ++, 혈압은 150/100 mmHg, 다른 특이증상은 동반되지 않았다. 초음파 결과 태아 예상 체중은 선둥이는 두위로 2,400 g, 후둥이는 횡위로 2,300 g 이었다. 이 산모에서 생길 수 있는 합병증을 모두 고르시오.

(가) 폐부종　(나) 산후 출혈　(다) 태반 조기박리　(라) 수술 부위 감염

① 가, 나, 다　② 가, 다　③ 나, 라

④ 라　⑤ 가, 나, 다, 라

25

전자간증의 치료에 있어서 $MgSO_4$의 혈중 적정 농도(mEq/L)는 얼마인가?

① 2~3 mEq/L　② 3~4 mEq/L　③ 4~7 mEq/L

④ 7~10 mEq/L　⑤ >10 mEq/L

26

2번의 인공유산의 기왕력이 있는 32세 임신 27주 산모가 며칠 전부터 시작된 하복부 불편감과 태아가 아래로 내려 앉는 느낌으로 내원하였다. 자궁저고 28 cm, 복부둘레 89 cm, 골반 진찰 결과 자궁경부는 1 cm 개대, 80% 소실되었고, 자궁수축 태아심박동 전자감시는 아래와 같았다. 이 환자에게 투여해야 할 적합한 약제를 고르시오.

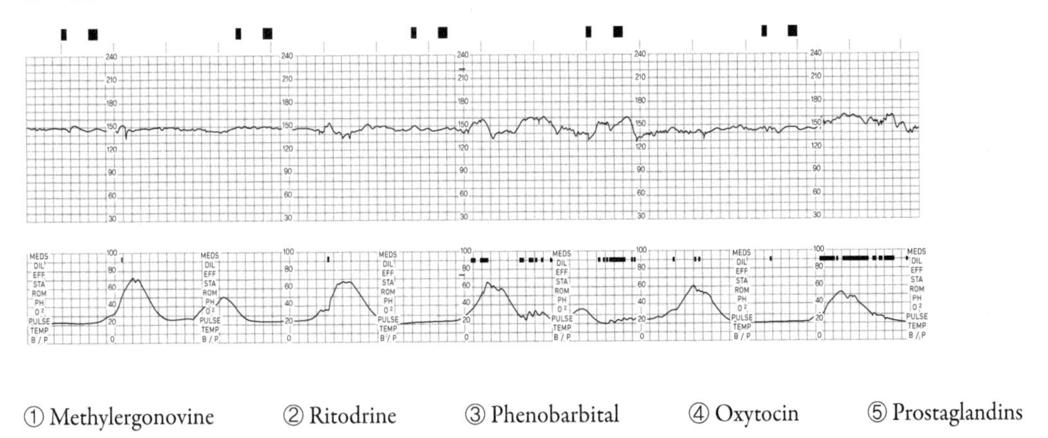

① Methylergonovine ② Ritodrine ③ Phenobarbital ④ Oxytocin ⑤ Prostaglandins

27

38세 gravida 1인 임신 34주 산모가 만성고혈압으로 혈압 하강제(Ca channel blocker)를 복용하고 있다. 초음파 결과 태아 예상 체중은 1.8 kg정도이고, 태아 움직임이 없고, 호흡이 없고, tone 정상, 양수지수는 8 cm, 비수축검사는 20분 시행 시 아래와 같은 양상이 반복되었다(화살표는 태동). 이 시점에서 가장 적당한 다음 처치는 무엇인가?

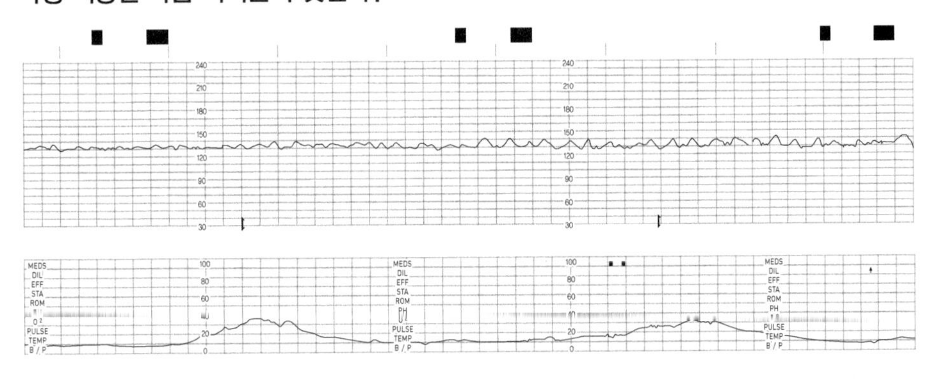

① 즉시 분만
② 24시간 내에 BPP를 재검
③ Corticosteroid 투여 후 48시간 내에 분만
④ 태아 폐성숙을 파악하기 위해 양수천자 시행
⑤ Doppler 초음파를 이용하여 제대동맥을 관찰

28

36세의 산모가 만삭 임신으로 진통이 시작되어 입원하였으나 분만이 진행되지 않아 제왕절개술로 4,600 g의 아기를 낳았다. 이러한 아이를 분만하는 경우에 관계된 인자를 모두 고르시오.

(가) 다임부 (나) 산모의 체중 (다) 산모의 나이 (라) 태아의 성별

① 가, 나, 다 ② 가, 다 ③ 나, 라 ④ 라 ⑤ 가, 나, 다, 라

29

31세의 경산부가 임신 38주, 쌍태임신으로 입원하여 제왕절개술로 남아 3.0 kg, 남아 2.9 kg을 분만하였다. 분만 후에 태만과 막을 살펴본 결과 다음과 같았다면 이 쌍태아의 접합성(zygosity)에 대하여 옳은 것을 고르시오.

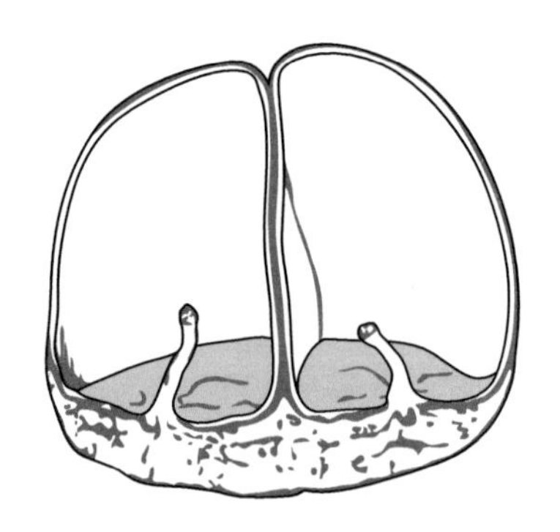

① 일란성이다
② 이란성이다
③ 일란성일 가능성도 있으나 이란성일 가능성이 더 많다
④ 이란성일 가능성도 있으나 일란성일 가능성이 더 많다
⑤ 혈액형검사를 하면 확인이 가능하다

30

산과력 0-1-2-0인 임산부가 임신 22주에 자궁이 밑으로 빠지는 느낌을 주소로 내원하였다. 내진 상 자궁경부가 약간 소실되어 있었다. 산모는 1년 전 임신 23주에 통증이 없이 자궁경부가 열리면서 태아를 만출한 과거력이 있었다. 다음으로 해야 할 검사를 고르시오.

① Nitrazine test ② 질 분비물 배양 검사 ③ 수축 검사
④ 비수축 검사 ⑤ 질 초음파 검사

31

임신 40주 초산모가 양수 파열 뒤 13시간의 진통에도 분만 진행이 되지 않아 제왕절개를 시행하였다. 수술 후 2일째부터 체온이 38.0℃ 이상으로 하루 3회 확인된다. 고려할 진단으로 맞지 않은 것은 무엇인가?

① 골반 감염　② 혈전성 정맥염　③ 신우신염
④ 유선염　⑤ 폐렴

32

만성 B형 간염을 갖고 있는 여성이 임신을 하였을 때에 대한 설명으로 옳은 것을 고르시오.

① 임신 시에는 면역력이 약화되므로 활동성 간염으로 진행된다
② 분만 중 감염된 분비물의 흡인, 또는 출생 후의 접촉에 의한 감염이 흔하므로 제왕절개에 의해 분만하는 것이 원칙이다
③ 임신 중 간염 예방접종은 금기이다
④ 감염된 영아의 85% 에서 만성 보균이 되며 감염성이 있다
⑤ 수유에 의해 viral transmission 될 수 있으므로 수유는 금해야 한다

33

태반의 물질 이동의 기전 중 단순 확산에 의해 이동하는 물질을 모두 고르시오.

① 포도당　② 칼슘　③ 지방산　④ Thyroid hormone(T3, T4)
⑤ 철분　⑥ 탄산가스　⑦ Vitamin C　⑧ LDL cholesterol
⑨ Iodide　⑩ Insulin

34

62세 여성이 FIGO stage IIIC 상피성 난소암으로 자궁적출술, 양측 난관난소 절제술, 양측 골반 및 대동맥주위 림프절 절제술, 완전 그물막 절제술, 식상-S결장 절제 및 재문합술을 시행하였다. 수술 후 보이는 질환은 없었다. 이 환자에서 다음으로 해야 할 치료는 무엇인가?

① 3개월마다 추적 검사　② 항암화학요법　③ 외부 방사선 치료
④ 방사선 침 이식술　⑤ 호르몬 치료

35

완전 포상기태를 부분 포상기태와 감별하는데 가장 좋은 방법을 고르시오.

① Karyotype ② hCG ③ Uterine size
④ Vaginal bleeding ⑤ Malignant transformation

36

네 명의 자녀를 둔 60세 여성이 기침과 재채기를 할 때 소변이 누출되어 병원에 왔다. 골반 검사에서 질 위축을 보였고, 쇄석위에서 기침을 시키니 소변이 누출되었다. 근육 운동과 생활 습관 개선을 처방했다. 이 여성에게 강화 시켜야 하는 근육은 무엇인가?

① Detrusor muscle ② Obturator internus ③ Piriformis
④ Rectus abdominis ⑤ Urogenital diaphragm

37

68세 여성이 최근 질 압박감과 돌출, 질이 빠지는 느낌을 호소하며 병원에 내원하였다. 발열, 작열감, 빈뇨(frequency)나 급뇨(urgency), 변비는 없었고, 기침이나 재채기를 할 때 요실금도 없었다. 골반 진찰에서 1도의 방광류(cystocele)가 보였다. 가장 적절한 치료는 무엇인가?

① Observation ② Urodynamic test ③ Vaginal estrogen
④ Pessary ⑤ Hysterectomy

38

8명의 자녀를 둔 76세 여성이 질 압박감과 성교통, 요실금, 배뇨 곤란으로 내원하였다. 골반 진찰에서 가장 두드러진 소견은 아래와 같았고, 배뇨 후 잔뇨는 250 mL로 확인되었다. 요 정체의 원인으로 생각되는 것을 고르시오.

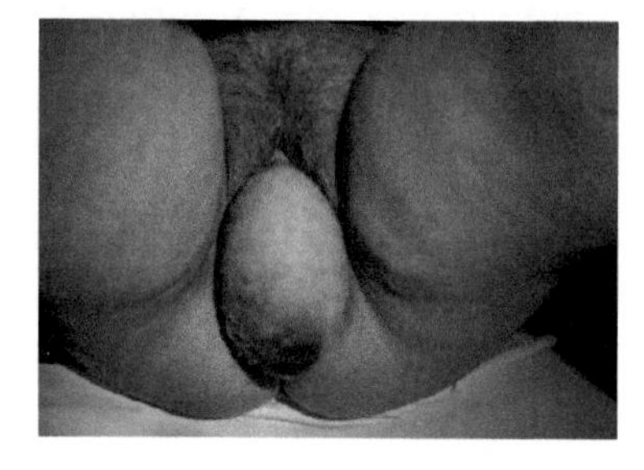

① Detrusor overactivity
② Urinary tract infection
③ Menopause
④ Bladder outlet obstruction
⑤ Spinal cord tumor

39

위 환자에게 가장 적절한 조치는 무엇인가?

① Immediate surgery ② Pelvic CT ③ Urodynamic study
④ Antimuscarinic agent ⑤ Urinalysis with culture and sensitivity

40

67세 여성이 6개월 전부터 배가 살살 아프고 조금만 먹어도 금방 배가 부르다며 내원하였다. 지난 2개월 동안은 이 증상이 더 심해지고 배도 불러와 바지가 맞지 않을 정도가 되었다. 55세에 폐경이 되었고, 병을 앓거나 수술 받은 적은 없었다. 다만 환자의 어머니가 난소암, 이모 중 하나는 부인암을 앓았다. 현재 딸 둘을 두었고, 하루 1갑의 담배를 피운다. 복부 촉진에서 명백한 복부 팽창이 있고, 타진에서 유체파도(fluid wave)와 이동 둔탁음 (shifting dullness)이 있었으나 덩이(mass)는 만져지지 않고, 직장-질 진찰에서는 우측 부속기에서 크고 단단한, 고정되지 않은 덩이가 만져지고 막힌 주머니(cul-de-sac)에서도 결절이 만져졌다. 흉부 방사선은 정상이었고, 복부 CT에서는 대량의 복수와 12 cm 크기의 비균질성 우측 난소덩이가 관찰되었다. 가장 가능성이 있는 진단은 무엇인가?

① Dysgerminoma ② Endodermal sinus tumor ③ Epithelial ovarian cancer
④ Mature teratoma ⑤ Granulosa cell tumor

41

위 여성의 1차 치료로 합당한 것은 무엇인가?

① Chemotherapy ② Tumor debulking surgery ③ Gamma knife radiotherapy
④ External beam radiation ⑤ Hormonal therapy

42

이 환자의 병력에서 일생 난소암에 걸릴 위험성을 높이는 인자로 가장 옳은 것은 무엇인가?

① Symptom onset of 6 months ② Menopause at 55 years old
③ Mother with ovarian cancer ④ 2 daughters
⑤ Smoking history

43~45 다음의 각 문항에 대한 적절한 답을 답 가지에서 고르시오.

① 6시간 후 초음파 재검
② 6~8 주 후 초음파 재검
③ 주기적으로 3개월마다 재검
④ 즉시 복강경 검사 및 꼬인 부속기 풀기
⑤ 즉시 낭종 절제
⑥ 즉시 부속기 절제
⑦ 날을 잡아 낭종 절제
⑧ 경구 피임제 처방
⑨ 진통제 처방 후 퇴원

43

18세 여성이 골반 통증과 경련으로 병원에 왔다. 월경은 28일 주기로 가볍게 3~4일 하였다. 골반 통증은 지난 2~3개월 동안 꾸준히 증가하였고, 현재는 방광 뒤 압박감과 빈뇨를 호소하고 있다. 임신 반응 검사와 소변 검사 및 소변 배양 검사는 음성이었고, Pap 도말 검사, 임질과 클라미디아 선별 검사도 음성이었다. 다만 골반 초음파에서 좌측 난소에 낭성과 고형성으로 구성된 8 cm 덩이가 보였다. 가장 적절한 치료방법을 고르시오. (1가지)

44

19세 여성의 정규적인 골반 진찰에서 우측 하골반 충만감이 있었고 골반통이나 불쾌감은 없었다. 골반 초음파 상 자궁과 좌측 난소는 정상이나 우측 난소에 4 cm 크기의 단방성 단순 낭종이 보였다. 다음으로 해야 할 것을 고르시오. (1가지)

45

14세 소녀가 하루 동안 지속된 우측 하골반통으로 응급실에 내원하였다. 열은 없었고, 임신 반응 검사도 음성이었다. 질 초음파 상 우측 부속기가 6 cm로 커져 있고 난소로 가는 혈류가 없었다. 다음으로 해야 할 것을 고르시오. (1가지)

46

다음 수술실에서 사용하는 기구로 복강경하 전자궁절제술을 하거나 개복하전자궁절제개복 시행할 때 stump를 잡는 이 기구의 이름은 무엇인가?

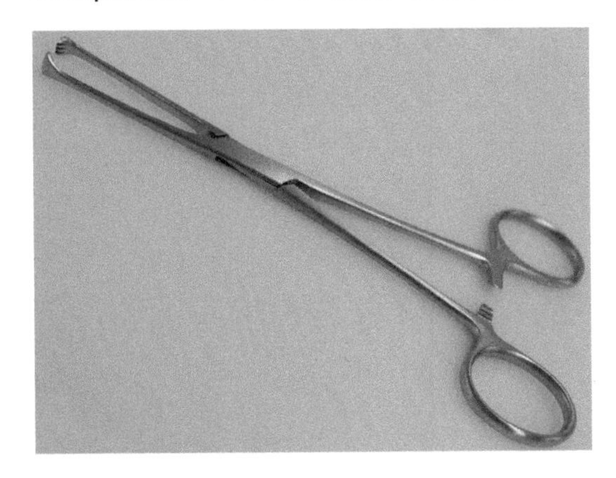

① Kocher clamp
② Allis clamp
③ Heaney clamp
④ Long Kelly clamp
⑤ Right angle forcep

47

Ovarian artery가 기시하는 혈관은 무엇인가?

① Common iliac artery ② External iliac artery ③ Internal iliac artery
④ Aorta ⑤ Renal artery

48

자궁경부암 수술 시 손상을 받기 쉬운 신경으로 내측 대퇴부의 감각과 대퇴부의 내전운동을 담당하는 것은 어느 신경인가?

① Ilioinguinal nerve ② Obturator nerve ③ Perineal nerve
④ Sciatic nerve ⑤ Pudendal nerve

49

평소 28일 주기로 월경을 하던 25세 여성이 5주 전에 월경을 한 후 갑작스런 질 출혈 및 복통을 주소로 내원하였다. 생체 활력 징후는 정상이었다. 가장 먼저 해야 할 처치로 맞는 것을 고르시오.

① hCG검사 ② Abdomen-Pelvic CT ③ Ultrasonography
④ 응급 수혈 ⑤ 골반 내진

50

평소 생리가 불규칙하던 49세 여성이 과다월경을 주소로 내원하였다. 초음파 검사 상 다음과 같은 소견일 때 가장 의심되는 진단명은 무엇인가?

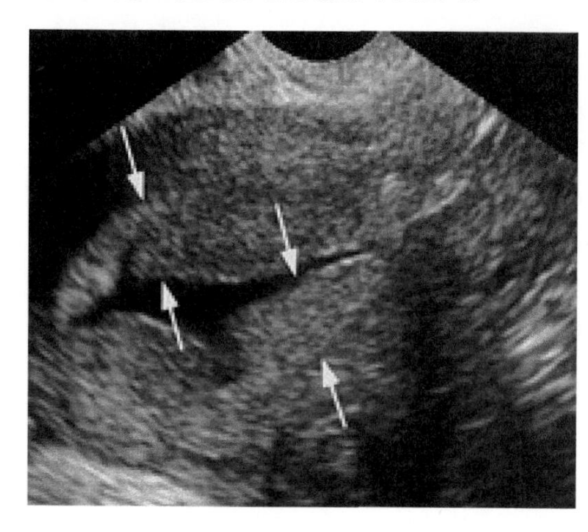

① 자궁내막 증식증
② 점막하 근종
③ 장막하 근종
④ 자궁내막용종
⑤ 자궁내막암

51

45세 여성이 흰색 비지 같은 질 분비물을 주소로 내원하였다. 10년간 당뇨로 치료해왔으며 가려움증을 호소하였다. 이 환자의 확진을 위해 도말 검사에서 관찰될 수 있는 것은 무엇인가?

① Clue cell ② Trichomonas ③ Hyphae
④ Lactobacilli ⑤ Parabasal cell

52

위 진단의 치료로 맞지 않는 것은 무엇인가?

① Gentian violet 도포 ② Metronidazole 경구요법 ③ Nystatin 질정
④ Fluconazole 경구요법 ⑤ Itraconazole 경구요법

53

42세 여성이 자궁경부암 세포검사에서 HSIL이 진단되고 질 확대경 하 조직검사에서 CIN III이 진단되었으며 endocervical curette에서도 양성이 나왔다. 다음 시행해야 할 처치는 무엇인가?

① 6개월 후 추적 검사 ② 질 확대경 검사를 다시 시행 ③ Liquid based cytology 시행
④ 원추절제술 시행 ⑤ 인유두종바이러스 검사 시행

54

다음은 질 확대경 하 사진이다. 이 환자는 PAP에서도 정상이었으며 질 확대경에서도 이상 소견이 없었다. 화살표가 나타내는 것은 무엇인가?

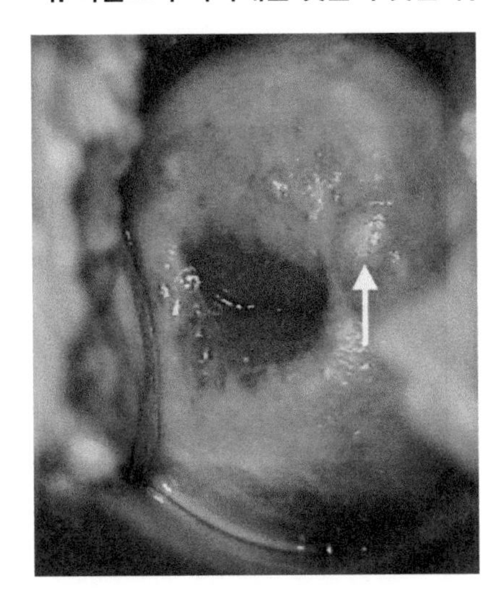

① Nabothian cyst

② Normal endocervix

③ Leukoplakia

④ Strawberry cervix

⑤ Acetowhite epithelium

55

16세 여성이 자궁경부 세포검사에서 LSIL이 진단되었다. 다음으로 해야 할 처치가 아닌 것은 무엇인가?

① 6개월 뒤에 다시 검사

② 질 확대경 검사를 시행

③ 인유두종 바이러스 검사를 시행

④ 원추절제술을 시행

⑤ 12개월 후에 HSIL이상이 나오면 질 확대경 검사를 시행

56

자궁경부암 병기설정에서 필수 검사가 아닌 것은 무엇인가?

① 이학적 검사

② 질 확대경 검사

③ 직장경 검사

④ 조직학적 생검

⑤ PET CT

57

임신력 0-0-0-0인 25세 여성이 자궁경부암 IIB로 진단되었다. 치료로 가장 적절한 것은 무엇인가?

① 광범위 자궁경부 절제술

② 광범위 자궁경부 절제술 및 골반림프절 절제술

③ 자궁경부 원추절제술 후 항암화학요법

④ 항암화학동시방사선요법

⑤ 항암화학요법 후 광범위 자궁경부 절제술

58

70세 여자가 지난 3개월 간의 질 출혈을 주소로 내원하였다. 자궁내막 생검 결과가 분화도 2의 자궁내막양 선암으로 판명되어 전자궁적출술 및 양측 부속기 절제술을 시행하였다. 골반 및 대동맥 주위 림프절에서의 악성세포는 음성이었다. 병리 검사에서는 암이 자궁 내막에 국한되어 있었다. 이 환자에서 시행해야 할 조치는 무엇인가?

① 추가 치료 필요 없음　② 면역 요법　③ 호르몬 요법

④ 방사선 요법　⑤ 항암화학요법

59

***Chlamydia trachomatis* infection의 치료로 맞는 것을 고르시오.**

① Ceftriaxone 250 mg 근육주사

② Tetracycline 500 mg 하루에 4회 7일간 투여

③ Fluconazole 150 mg 한번 경구로 투여

④ Lindane 로션 도포

⑤ Benzathine penicillin 240만 단위를 1회 근육주사

60

외음부암의 가장 많은 조직학적 유형은 무엇인가?

① 악성 흑색종　② 바르톨린선암　③ 육종

④ 기저세포암　⑤ 편평상피암

61

자궁경부암 수술에서 Type 3 (radical hysterectomy)시 절제되지 않는 것을 고르시오.

① 기인대 ② 질 상부 1/3 ③ 골반강 림프절

④ 난소 ⑤ 자궁천골인대

62

31세의 미혼 여성이 2년 간의 진행성 월경통 및 성교통을 주소로 내원하였다. 이러한 증상은 항생제 치료에도 불구하고 호전되지 않았다고 하였다. 혈액 검사에서 CA-125가 증가되어 있었으며, 내진 상 자궁은 정상 크기로서 후굴되어 고정되어 있었고, 더글라스와에 압통성 결절이 만져졌다. 이 환자에서 통증을 완화하기 위한 치료제로서 적당한 것 세 가지를 고르시오.

① 경구용 피임약 ② Progesterone

③ 생식샘 자극호르몬 분비호르몬 작용제(GnRH agonist)

④ Estrogen 연고 ⑤ Clomiphene citrate ⑥ Bromocriptine

63

18세의 미혼 여성이 얼굴, 가슴 그리고 복부 등에 발생한 다모증을 주소로 내원하였다. 월경 주기는 규칙적이었고, 다모증을 제외하고는 진찰 소견과 내진 소견은 정상이었다. 검사 소견 상 혈중 테스토스테론과 DHEAS는 정상이었다. 다음 중 이 환자의 다모증 치료에 가장 효과적인 것은?

① Medroxyprogesterone acetate ② Dexamethasone ③ 전해질 치료

④ 저용량 경구용 피임약 ⑤ Spironolactone

64

산과력 0-0-0-0인 26세의 여성이 불임을 주소로 내원하였다. 월경 제 29일에 자궁내막 일정(endometrial dating) 검사를 하였으며 시행 2일 후 월경이 있었다. 결과는 월경 제 24일에 해당하였다. 이 환자의 자궁내막 검사소견으로 의심되는 것은 무엇인가?

① 황체기 결함 ② 무배란 상태 ③ 정상 자궁내막 소견

④ 자궁내막 증식증 ⑤ 자궁내막 불규칙출혈(endometrial irregular shedding)

65

21세의 여성이 초경을 하지 않는다고 하여 병원에 왔다. 진찰 소견 상 신장 158 cm, 체중 48 kg, 유방 발육 양호, 액와모, 음모 및 외음부 발육은 정상 여성형이었고, 질은 흔적만 있으면서 발달되지 않았다. 검사 소견 상 염색체 검사는 46,XX이며 혈중 LH, FSH 및 E2는 정상 범위였고, 기초 체온은 이상성(biphasic)이었다. 이 환자의 적당한 진단으로 의심되는 것은?

① 진성 반음양증

② 안드로겐 무감응

③ Mayer-Rokitansky-Kuster-Hauser(MRKH) 증후군

④ 아셔만증후군

⑤ 생식샘 발생장애

66

49세의 여성이 불규칙한 질 출혈과 안면 홍조를 주소로 내원하였다. 환자는 안면 홍조가 매우 심하여 치료를 절실히 요구하고 있다. 이 환자에서 불규칙적 월경은 8개월 동안 지속되었는데 최근 12일 전부터 출혈이 있으면서 그 양이 많아졌다. 다음 중 이 환자에게 1차적으로 해야 하는 처치는 무엇인가?

① 자궁내막 조직검사

② 복강경하 자궁절제술

③ 에스트로겐 연고

④ 에스트로겐/프로게스테론 투여

⑤ 프로게스테론 투여

67

25세의 기혼 여성이 월경 예정일이 2주가 지나도 월경을 하지 않아 내원하였다. 병력 상 이전에는 월경이 28~30일 간격으로 규칙적이었고 현재 하복부 통증이나 기타 특이한 증상은 없었다. 진찰 소견 상 자궁이 정상보다 약간 커져 있었고, 부속기는 정상이었다. 다음 중 이 환자에서 가장 먼저 실시해야 하는 검사 두 가지는 무엇인가?

① 자궁경 검사

② 복강경 검사

③ 기초 체온 측정

④ 혈중 hCG 측정

⑤ 자궁내막 소파검사

⑥ 초음파 검사

68

28세의 여성이 불임을 주소로 병원에 왔다. 병력 상 3년 전 임신 7주에 자연 유산을 경험한 이후 임신이 되지 않았다고 한다. 그 후 월경 주기는 규칙적이었으나 월경양과 기간이 감소하였다고 한다. 혈중 FSH, LH, TSH, prolactin 등은 모두 정상이었고 남편의 정액 검사도 정상이었다. 이 환자의 진단을 위하여 가장 중요한 두 가지 검사를 고르시오.

① 자궁내막 소파검사 ② 초음파검사 ③ 골반 엑스선 검사
④ CT 검사 ⑤ 자궁난관 조영술 ⑥ 자궁경 검사
⑦ 복강경 검사

69

29세 여성이 원발성 불임을 주소로 내원하였다. 초경은 16세에 있었으나, 월경 주기는 60일 이상으로 항상 불규칙하였으며 양은 많았다. 진찰 소견 상 신장은 157 cm, 체중은 65 kg이었으며, 다모증과 안면의 여드름을 다수 볼 수 있었다. 호르몬 검사 상 FSH 5.3 mIU/mL, LH 25.8 mIU/mL이었다. 이 여성에서 치료하지 않고 장기간 방치할 경우 발생 가능성이 높은 악성 질환 두 가지는 무엇인가?

① 자궁내막암 ② 난소암 ③ 자궁경부암
④ 자궁육종 ⑤ 난관암 ⑥ 유방암

70

35세의 여성이 무월경을 주소로 내원하였다. 월경력 상 월경은 항상 불규칙하였고 1년 전부터 무월경이 왔다고 하였다. 환자는 또한 안면 홍조와 발한증이 있다고 하였다. 진찰 소견 상 자궁의 크기는 작았으며 질은 위축성 질염 소견을 보였다. 이 환자의 진단을 위하여 가장 유용한 검사 두 가지는 무엇인가?

① 염색체 검사 ② 혈중 난포자극 호르몬 ③ 골다공증 검사
④ 프로락틴 검사 ⑤ 갑상선 검사 ⑥ 혈중 에스트라디올 검사

71

생식 생리에 대한 다음 설명 중 맞는 것을 고르시오.

① 생식샘자극호르몬분비호르몬(Gonadotropin releasing hormone)을 분비하는 신경세포는 뇌실 곁핵(paraventricular nucleus)에 위치한다

② 생식샘자극호르몬분비호르몬은 파동성으로 분비되며 분비회수는 월경주기 동안 일정하다

③ 생식샘자극호르몬분비호르몬은 뇌하수체 후엽을 자극하여 생식샘자극호르몬(Gonadotropin)의 합성과 분비에 영향을 준다

④ 궁상핵(Arcuate nucleus)와 뇌실곁핵에서 분비되는 도파민(Dopamine)은 생식샘자극호르몬분비호르몬과 유즙분비호르몬(Prolactin) 분비를 억제한다

⑤ FSH surge가 발생하면 난포의 성숙과 배란이 일어난다

72

부인과적 진찰에 대한 다음 설명 중 옳지 않은 것은 무엇인가?

① 골반 내진 자세(Lithotomy position)에서 외음부의 모양을 관찰하고 색깔 변화가 있는지 관찰한다

② 적절한 크기의 질경을 선택하여 진찰자의 손가락으로 질 입구를 살짝 벌리고 질 전벽을 따라 빨리 삽입하여 진찰 시간을 최소화 하도록 한다

③ 질경 삽입 후 날을 벌려 자궁경부를 관찰한다

④ 분비물이 이상한 경우 균에 대한 배양 검사나 도말 검사를 시행한다

⑤ 질경을 빼면서 질 출혈, 분비물 상태, 점막의 구조 이상이 있는지 확인한다

73

임신력 0-0-1-0인 27세 미혼 여성이 10일 간 지속되는 출혈로 내원하였다. 이 여성의 진단 과정 중 옳지 않은 것은 무엇인가?

① 임신 가능성을 배제하기 위해 소변 임신 반응 검사를 시행한다

② 문진을 통해 출혈 양상을 파악하고 월경력을 자세하게 물어본다

③ 경구 피임약과 같은 호르몬제를 포함한 투약 여부를 확인한다

④ 골반 진찰을 시행하여 출혈 부위를 확인한다

⑤ 즉시 자궁내막 조직검사를 시행해서 자궁내막증식증이 있는지 확인한다

74

임신력 0-0-0-0인 25세 미혼 여성이 6개월간 월경이 없어 내원하였다. 이학적 검사 상 이상 소견은 관찰 되지 않았고 이차 성징은 정상이었다. 월경력 상 초경은 13세에 있었고 생리 주기는 초경 이후부터 계속 불규칙하였다. 다음으로 시행해야 할 조치는 무엇인가?

① 소변 임신 반응 검사 ② 혈중 유즙분비 호르몬 측정 ③ 혈중 난포자극 호르몬 측정
④ 혈중 에스트라디올 측정 ⑤ 뇌 MRI

75

위 여성의 혈액 검사 및 초음파 소견이 다음과 같다면 이 여성의 진단은 무엇인가?

- FSH	140 IU/L	- Estradiol	10 pg/mL
- TSH	1.79 (0.25~4.0 μIU/mL)	- Prolactin	10.87 (3.6~18.9 ng/mL)

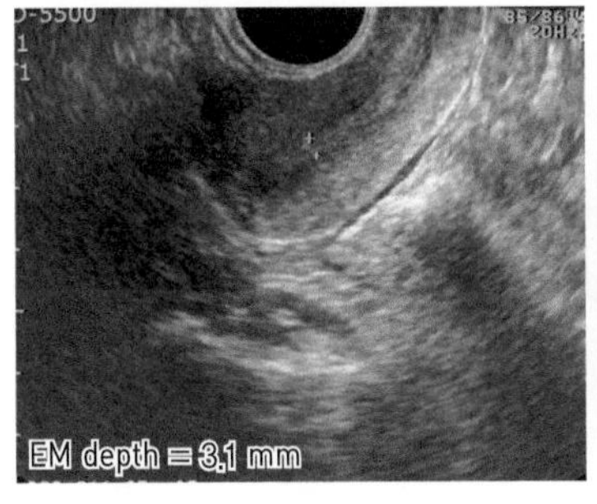

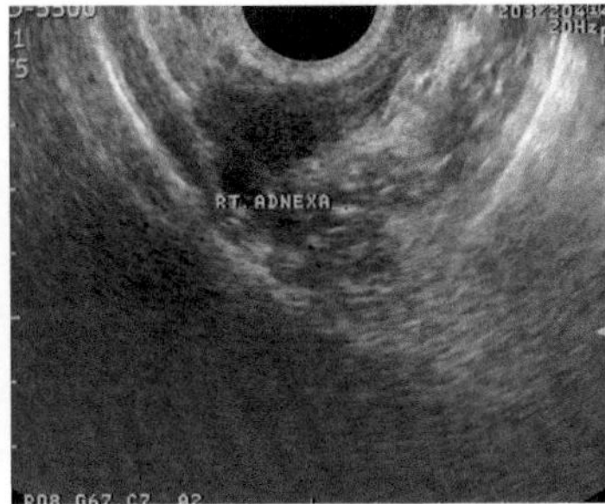

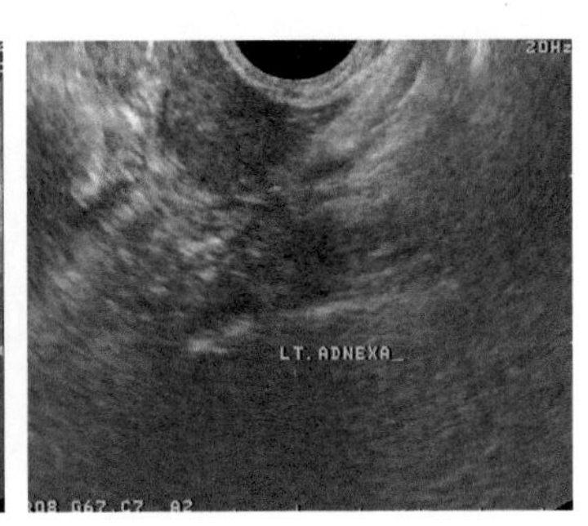

① 일차성 무월경 ② 갑상선기능 저하증
③ 고프로락틴 혈증 ④ 시상하부의 기능장애로 인한 이차성 무월경
⑤ 조기 난소 기능 부전

76

위 여성의 향후 치료로 맞는 것을 고르시오.

① 항갑상샘 약제 ② 브로모크립틴(Bromocriptine)
③ 경구 피임약 ④ 글루코코르티코이드(Glucocorticoid)
⑤ 클로미펜(Clomiphene citrate)

77

주기성 골반통에 대한 다음 설명 중 옳은 것을 고르시오.

① 원발성 월경통은 초경 때부터 발생하는 주기성 골반통이다

② 속발성 월경통은 월경 시작 몇 시간 전이나 시작 직후 시작해서 대부분은 72시간을 넘지 않는다

③ 원발성 월경통의 원인은 자궁내막증, 자궁선근증, 자궁 유착 등이 원인이다

④ 자궁내막증의 진단은 초음파검사를 통해 이루어진다

⑤ 원발성 월경통은 NSAIDs나 경구 피임약에 의한 통증 경감 효과가 속발성 월경통에 비해 크다

78

임신력 2-0-3-2인 32세 기혼 여성이 피임 상담을 위해 내원하였다. 월경력 상 생리는 불규칙적이며, 생리통 때문에 약을 복용하였고 생리양은 많았다. 과거력 상 3개월 전 골반염으로 통원치료를 받은 적이 있었고 원치 않은 임신으로 3회의 인공 유산을 받았다. 이 여성에게 가장 적당한 피임법은 무엇인가?

① 체외 사정

② 페미돔

③ 구리 자궁내장치

④ 레보노게스트렐 분비 자궁내장치(levonorgestrel intrauterine device)

⑤ 경구 피임약

79

임신력 2-0-2-2인 43세 기혼 여성이 5시간 전부터 발생한 하복부 통증으로 내원 하였다. 생체 징후는 정상이었고 복통은 완화됨이 없이 지속적으로 호소하였다. 월경력 상 최종 월경 시작일은 1주일 전이었고, 규칙적이었으며 월경통은 심하지 않았다. 진찰 상 좌측 자궁부속기에 유동성 종물이 촉지 됐으며 압통이 있었다. 초음파 상 다음과 같은 소견을 보였다. 소변 임신 검사 상 다음과 같은 소견이었다. 적절한 처치는 무엇인가?

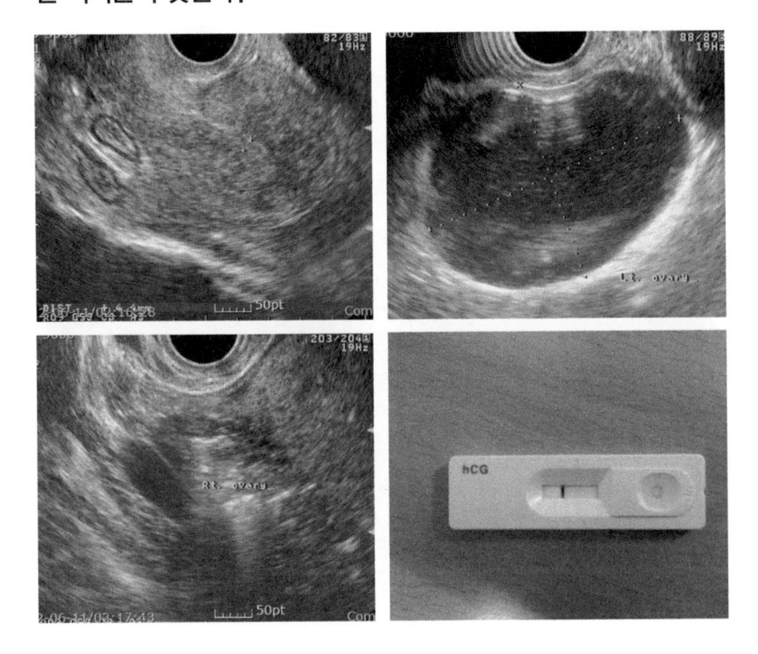

① NSAIDs
② 입원하여 항생제 치료
③ 응급 수술
④ 경구 피임약
⑤ 2개월 후 초음파 추적 검사

80

프로게스틴 단일 응급 피임약에 대한 설명으로 옳지 않은 것은 무엇인가?

① 배란의 지연 및 억제, 정자의 이동과 착상을 방해한다
② 가장 성공적인 피임 효과를 얻기 위해서는 성교 후 24시간 내에 복용하는 것이 좋다
③ 72시간 내에 복용하면 응급 피임의 효과를 기대할 수 있다
④ 올바르게 복용하면 임신을 100% 예방할 수 있다
⑤ 오심, 구토 등의 부작용이 있을 수 있다

Final Exam 02

모의고사 2회

01

산전 진찰에서 특별한 문제가 없던 32세 임신 39주 초산모가 이슬이 비쳤다고 하며 내원하였다. 혈압 120/80 mmHg, 맥박 65회/min., 체온 36.7℃, 호흡수 17회/min.이었다. 초음파 상 태아 예상 체중은 3.3 kg 정도였고 특이 사항은 없었다. 내원 시 자궁경부는 2 cm 개대, 40~50% 소실, 중간에 위치하며 부드러웠고, 태아 아두의 하강도는 −1 정도였다. 이 시점의 자궁수축태아심박동 전자감시는 아래와 같았다. 이 시점에서 시행해야 할 가장 적절한 처치는 무엇인가?

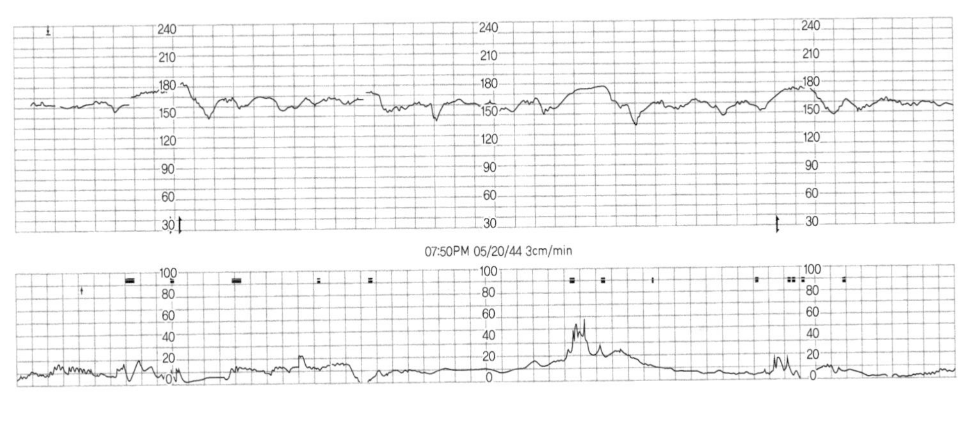

① 경과 관찰
② 산전 스테로이드
③ 제왕절개술
④ 옥시토신
⑤ 프로스타글란딘

02

임신력 G3P1인 36세 임신 39주 여성이 내원하여 분만 진행중이다. 태아 예상 체중은 4.0 kg, 분만 중 태아 아두가 만출된 후 1분이 지나도 앞쪽 어깨가 만출 되지 않는다. 이 때 시행하는 적당한 처치를 고르시오.

① 옥시토신
② 제왕절개술
③ 치골 상부 압박
④ Symphysiotomy
⑤ 레오폴드 수기(Leopold's maneuver)

03

임신 38주 초산모가 맑은 물 같은 질 분비물을 주소로 내원하였다. 나이트라진 검사에서 양성, 활력 징후는 혈압 110/70 mmHg, 맥박 65회/min., 체온 36.8 ℃로 확인 되었다. 진찰 및 검사 소견이 다음과 같다면 이 산모에게 올바른 처치는 무엇인가?

자궁경부 개대 1 cm, 소실 20%, 후방 위치, 중등도 경도, 선진부 하강도 −2
태아 초음파 : 두위, 태아 예상 체중(EFW) : 2,600 g(50 백분위수), 양수지수 7 cm

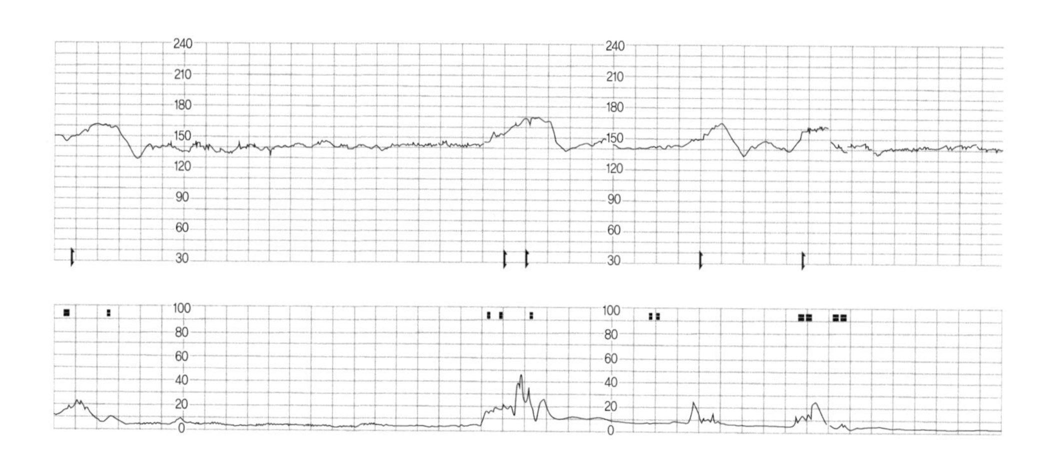

① Ritodrine 정맥주사
② Betamethasone 근육주사
③ 양수 주입술
④ Prostaglandin 질내투여
⑤ $MgSO_4$ 정맥주사

04

22세, 임신 39주 초산모, 산전진찰에서 특이소견 없었으며 예상 태아 체중은 3.1 kg이었다. 혈압 110/70 mmHg, 심박수 65/min., 체온 36.8 ℃ 였으며, 진통이 시작 된 후 경관은 7 cm 개대, 90% 소실, 하강도는 0였다. 2시간 후 내진상 자궁경부는 변화가 없고 자궁수축 태아심박동 전자감시결과는 아래와 같았다. 가장 적당한 처치는?

	오전 10시	오전 11시	정오	오후 1시	오후 2시	오후 3시
자궁경부 확장(cm)	1	3	5	7	7	7
하강도	−3	−2	−1	0	0	0

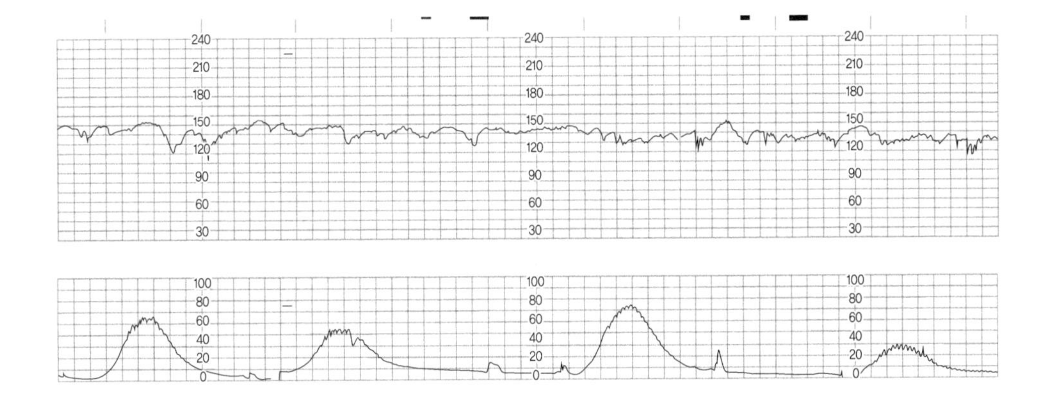

① 경과 관찰
② 산소 투여
③ 산모 자세 변경
④ 옥시토신 투여
⑤ 응급 제왕절개술

05

다음은 분만 진행 중의 태아의 모습이다. 이 태아의 태위는 무엇인가?

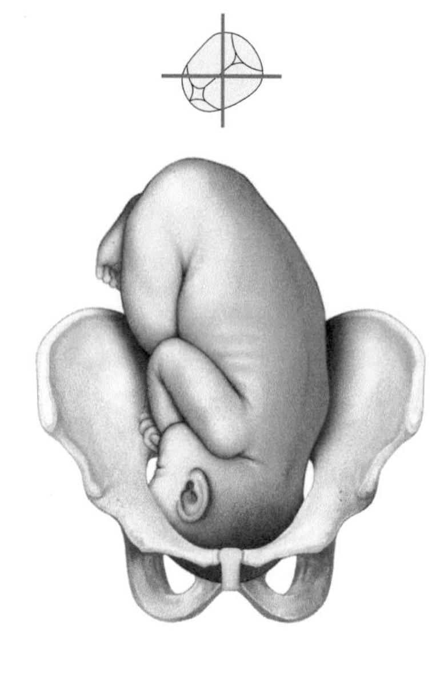

① Rt Mento Anterior

② Lt Occiput Anterior

③ Rt Occiput Posterior

④ Rt Occiput Anterior

⑤ Lt Mento Posterior

06

다음의 수기는 태아의 머리가 질 개구부와 회음부를 통과할 때 분만이 원활하게 하는 수기인데 이와 같은 수기는 두정위 질식 분만 시 태아의 기본 운동 중 어느 단계를 원활하게 해주기 위한 것인가?

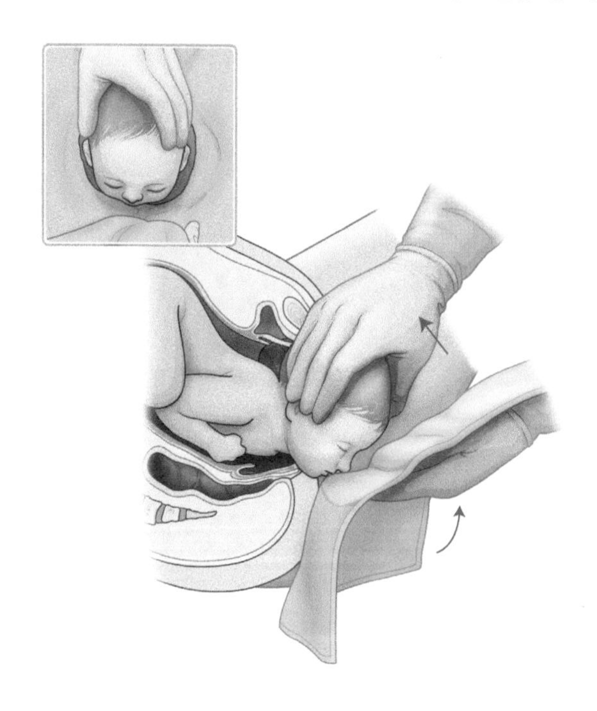

① 신전(extension)

② 외회전(external rotation)

③ 굴곡(flexion)

④ 내회전(internal rotation)

⑤ 앞쪽 어깨의 분만(delivery of anterior shoulder)

07

4년 전 분만 진행 부전으로 제왕절개술을 받아 분만했던 산모가 둘째 아이를 임신하여 이번에는 자연 분만을 원하여 산전 진찰 받던 중 임신 39주에 자연 진통이 생겨 내원하였다. 내원 시 자궁경부는 2 cm 확장, 50% 소실, 태아 하강도는 −1, 태아심박동 전자감시에는 이상이 없었고, 자궁수축은 2~3분 간격이었다. 2시간 후 진찰 시 자궁경부는 3 cm 개대, 80% 소실이었으며 아두는 쉽게 만져지지 않았고 태아심박동 전자감시 결과는 다음과 같았다. (가로축 1칸이 10초) 이 시점에서 가장 적절한 처치는 무엇인가?

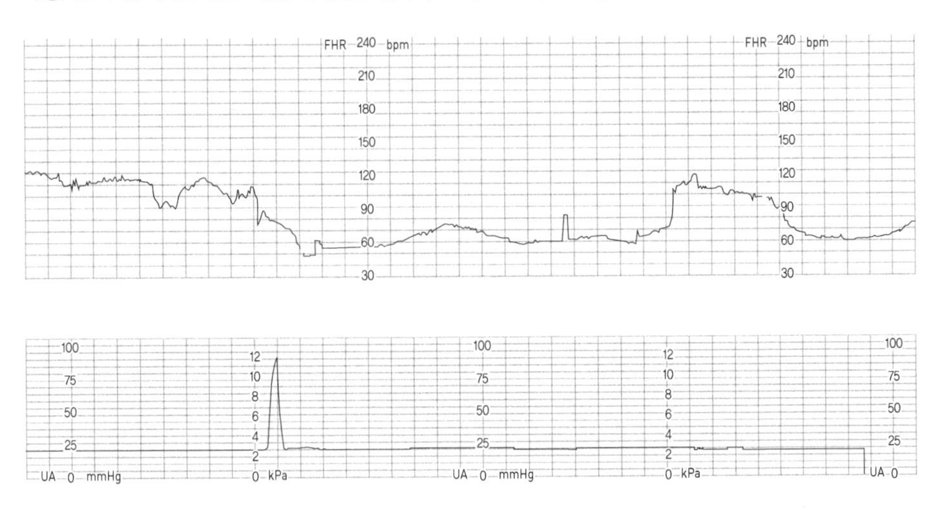

① 경과 관찰
② 태아 두피혈 pH 측정
③ 응급 제왕절개술
④ Vacuum delivery
⑤ 옥시토신 투여

08

다음과 같은 태위의 원인으로 옳은 것을 모두 고르시오.

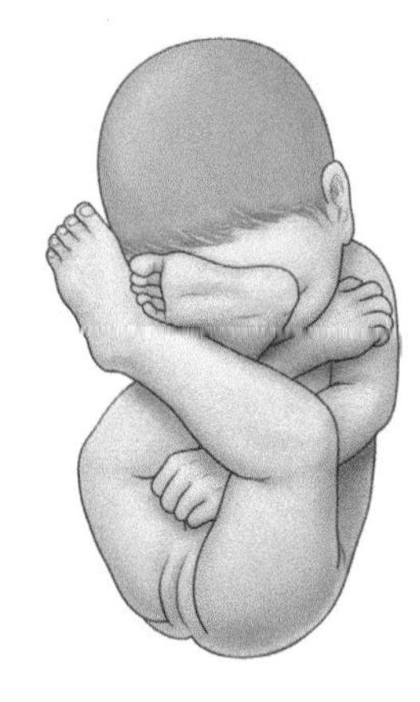

① 전치태반
② 거대아
③ 다산부
④ 낭뇨
⑤ 비만
⑥ 과숙아
⑦ 자궁근종

09

어깨 난산의 위험 요인이 아닌 것은 무엇인가?

① 당뇨 ② 초산모 ③ 과숙아
④ 어깨 난산 분만의 과거력 ⑤ 산모의 비만

10

초산모에서 프리드만 곡선 그림이다. 이 곡선에서 후두위 분만의 7가지 기본 운동이 주로 일어나는 시기를 고르시오.

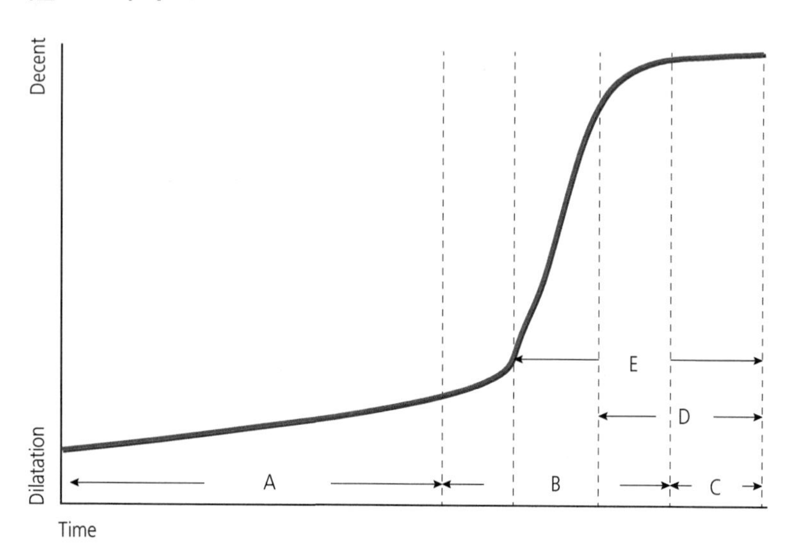

① A ② B ③ C
④ D ⑤ E

11

임신 38주인 42세 다분만부가 5시간 전 시작된 허리 통증과 태동이 느껴지지 않는다고 왔다. 만성 고혈압으로 항고혈압제를 투여 중이며 최근 자궁 수축이 잦았다고 하였다. 혈압 100/60 mmHg, 심박수 110회/min., 호흡수 22회/min., 체온 37℃이다. 질경 검사에서 점액성 질 분비물을 보이며 자궁목은 닫혀 있었다. 초음파 검사에서 태아 심박동은 없었고 태반과 자궁벽 사이에 약 6 cm 두께의 혼합 에코를 보이는 혈종이 의심되었다. 혈액 검사 결과는 아래와 같았다. 이 환자의 다음 처치로 올바른 것을 고르시오.

- 혈색소 7.5 g/dL, 백혈구 12,000/mm^3, 혈소판 90,000/mm^3
- 섬유소원 80 mg/dL (참고치 : 291~538) D-dimer 1,500 ng/mL (참고치 : 320~1,290)
- 프로트롬빈시간 15초(참고치 : 9.5~13.4)
- 활성화부분트롬보플라스틴시간 38초(참고치 : 22.9~38.1)

① 수액, 수혈 요법
② 제왕절개술
③ 혈종 배액술
④ 헤파린 투여
⑤ 옥시토신 투여

12

위 환자의 분만 시 소견이 아래와 같다면 다음 처치로 올바른 것을 고르시오.

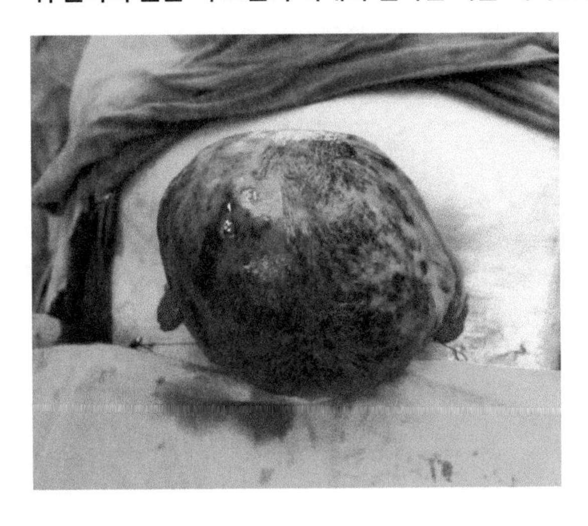

① 자궁적출술
② 자궁 압박 봉합
③ 자궁동맥 색전술
④ 내장골 동맥(internal iliac artery) 결찰
⑤ 경과 관찰

13

다음은 임신 20주 쌍둥이 임신의 초음파 소견이다. 해당 상황과 확인하고자 하는 것은 무엇인가?

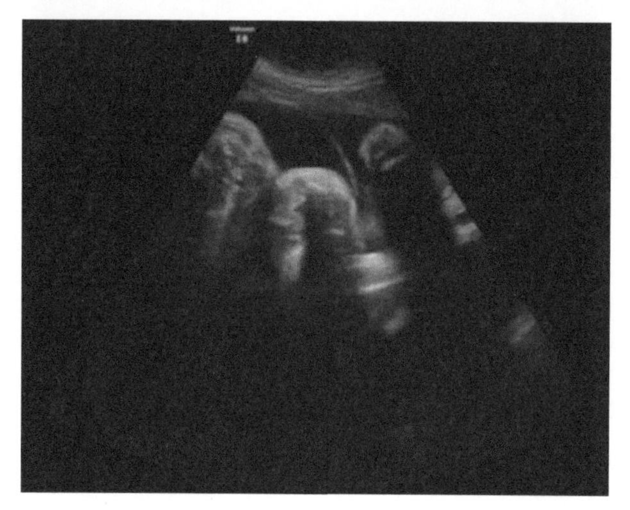

① 태반 2개 – 접합성(zygosity)
② 태반 1개 – 융모막성(chorionicity)
③ 태반 1개 – 양막성(amnionicity)
④ 태반 2개 – 융모막성(chorionicity)
⑤ 태반 1개 – 접합성(zygosity)

14

임신 28주인 임신 22세 미분만부가 4일전부터 맑은 질 분비물이 있어 내원하였다. 질경 검사에서 닫혀 있는 자궁경부에서 맑은 물이 흘러나왔으며 자궁 압통은 없었다. 혈압 130/80 mmHg, 심박수 78회/min., 호흡수 20회/min., 체온 36.4℃이며 초음파 상 태아는 둔위로 예측 체중 1,000 g(50백분위수), 양수지수 3 cm이고 혈액 검사는 혈색소 11.0 g/dL, 백혈구 10,000/mm^3, 혈소판 250,000/mm^3, C 반응 단백질 5.4 mg/L(참고치, <10)이다. 글루코코티코이드 및 항생제를 투여하며 경과 관찰하던 중 임신 29주째 상태가 아래와 같다면 이 산모의 가장 가능성이 높은 진단명은 무엇인지 고르시오.

– 체온 : 38.5℃, 39℃, 38.6℃
– 분홍색 질 분비물 및 허리 통증 호소
– 신체 진찰 : 자궁경부 닫힘, 자궁압통 (+)
– 혈액 검사 : 혈색소 10.0 g/dL, 백혈구 22,000/mm^3, C 반응 단백질 17 mg/L
– 초음파 검사 : 둔위, 예측체중 1,100g, 양수지수 1 cm
– 전자태아심박동–자궁수축감시검사 : 태아심박동 180회/분, 자궁수축 없음

① 급성 신우신염
② 임상적 융모양막염
③ 제대 탈출
④ 조기 진통
⑤ 태아 가사

15

이 환자의 다음 처치로 올바른 것을 고르시오.

① 유도 분만 ② 항생제 교체 ③ 프로게스테론
④ 양수 주입술 ⑤ 제왕절개술

16

40세, 분만력 3-0-2-3(제왕절개 3회)인 임신 30주 다분만부가 수면 중 발생한 질 출혈로 내원하였다. 태동은 지속적이었으며 복통은 없다고 하였다. 신체 진찰에서 질강 내 다량의 혈괴가 있었고 자궁경부 입구를 통해 선홍색 출혈이 지속되었으나 자궁의 압통은 없었다. 혈압 90/55 mmHg, 심박수 120회/min., 호흡수 24회/min., 체온 36.5℃이다. 초음파 상 태아 예측 체중 1,400 g(50~75백분위수)이다. 검사 결과가 아래와 같다면 이 환자의 다음 처치로 올바른 것을 고르시오.

- 혈색소 8.5 g/dL, 백혈구 12,000/mm^3, 혈소판 150,000/mm^3
- 섬유소원 300 mg/dL (참고치 : 291~538) D-이량체 520 ng/mL (참고치 : 320~1,290)

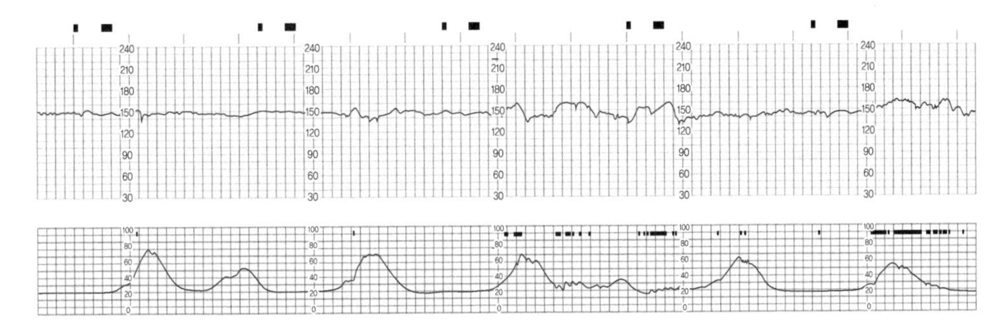

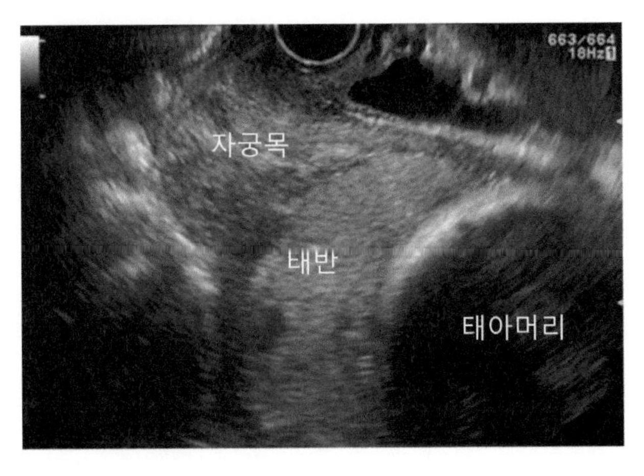

① 경과 관찰
② 유도 분만
③ 자궁수축 억제제
④ 응급 제왕절개술
⑤ 신선동결혈장 투여

17

분만력 0-2-1-1인 29세 임신 22주 다분만부가 산전 진찰을 위해 내원하였다. 태동은 잘 느꼈으며 혈압 120/80 mmHg 심박수 68회/min., 호흡수 20회/min., 체온 36.2℃이다. 최근 질 분비물이 물 같은 점액 양상으로 증가한 것 외에는 특이 소견은 없었다. 이 산모의 초음파 소견이 아래와 같을 때(측정 경부 길이 5mm) 가장 올바른 처치는 무엇인가?

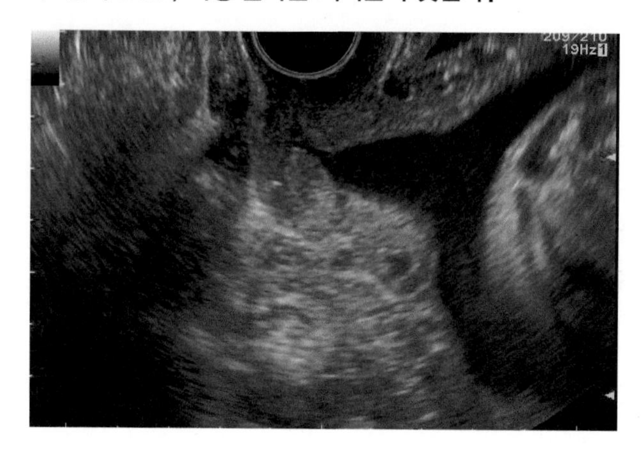

① 자궁경부 원형결찰술
② 절대 안정
③ 황산 마그네슘
④ 광범위 항생제
⑤ 자궁경부 원추절제술

18

임신 41주인 23세 미분만부가 3,700 g 남아를 막 질식 분만하였다. 태반은 쉽게 만출 되었으나 만출 이후 다량의 질 출혈이 지속되며 혈압 110/80 mmHg, 심박수 98회/min., 호흡수 22회/min., 체온 37.3℃이다. 자궁은 배꼽 아래에서 돌처럼 단단하게 만져졌으며 태반 확인 시 결손 부분은 없었다. 이 산모에게 가장 가능성이 높은 출혈 원인은 무엇인가?

① 산도 열상
② 자궁 파열
③ 자궁 이완증
④ 잔류 태반
⑤ 자궁 내번증

19

위 환자에서 급성 출혈 시 출혈량을 판단할 때 가장 도움이 되는 지표를 고르시오.

① 의식 변화
② 패드의 양
③ 혈압 하강
④ 소변량
⑤ 혈색소 변화

20

임신 7주에 단일 임신낭을 확인한 임신 24주 쌍둥이 임신 산모가 내원하였다. 초음파 소견이 다음과 같았다면 이 산모의 진단명을 고르시오.

	첫째아	둘째아
예측 태아 몸무게	450 g(25백분위수)	700 g(75백분위수)
최대 양수 수직 깊이(cm)	0.5	13
태아 사이막	첫째아의 몸통에 붙어서 확인됨	
태아 성별	여아	여아
태아 방광	보이지 않음	보임

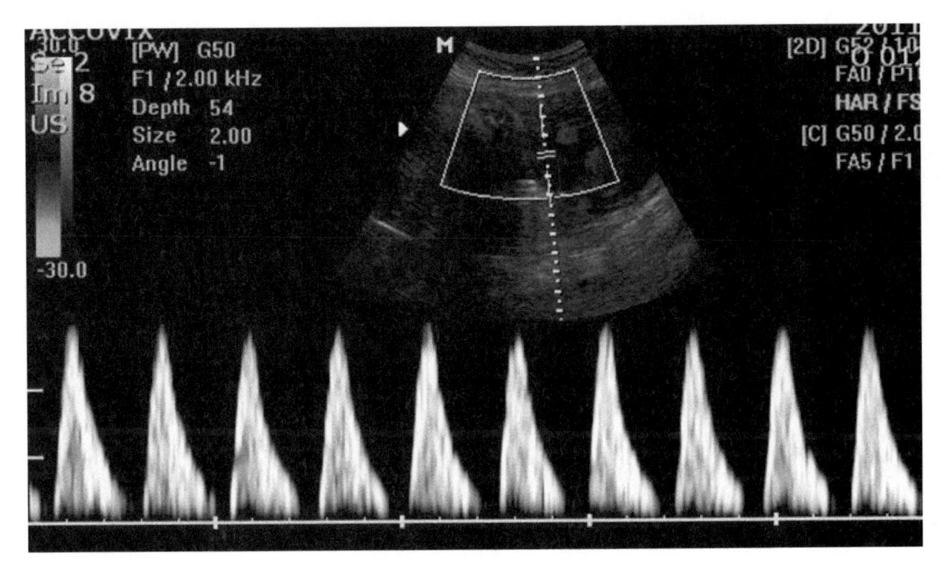

첫째아의 제대동맥 도플러 초음파

① 불일치 쌍생아
② 단일양막 쌍생아
③ 일측 태아 기형
④ 쌍태아간 수혈증후군
⑤ 정상 일융모막 쌍태임신

21

위 산모의 예후를 향상 시키기 위한 처치를 고르시오.

① 양수 감축술
② 양막 절개술
③ 유도 분만
④ 제왕절개술
⑤ 태아경하 레이저 소작술

22

40세 여성이 1주일 전 시작된 질 출혈 및 하복통을 주소로 내원하였다. 마지막 생리 시작은 8주 전이고 2주 전 태아 심박동을 확인하였다고 한다. 출혈 양상은 점점 증가하여 최근 이틀동안 덩어리 양상이었다. 혈압 110/75 mmHg, 심박수 80회/min., 호흡수 22회/min., 체온 36.9℃이다. 질경 검사에서 자궁목은 열려 있고 150 g 상당의 혈괴 덩이가 질강 내에 확인되었으며 경한 정도의 자궁 압통이 있었다. 초음파 검사에서 자궁 내에 5 x 6 cm 크기의 혼합성 에코를 보이는 종괴가 있었고 배아는 없었다. 혈액 검사에서 혈색소 9.0 g/dL, 백혈구 12,000/mm^3, 혈소판 170,000/mm^3, b-HCG 54,000 U/L(평균 85,500)로 확인되었다. 이 여성에서 가장 가능성이 높은 진단명은 무엇인가?

① 정상 임신
② 불완전 유산
③ 자궁외 임신
④ 절박 유산
⑤ 완전 유산

23

위 환자의 다음 처치로 올바른 것을 고르시오.

① 프로게스테론 투여
② 1주 후 추적 초음파
③ 자궁 소파술
④ 안정 및 경과 관찰
⑤ 2일 후 serum beta-hCG 측정

24

임신력 3-0-3-3인 임신 34주 40세 산모가 대학병원 분만을 권유 받고 내원하였다. 산전 진찰 및 내과력에서 특이 소견은 없었다. 다음은 초음파 및 전자태아심박동-자궁수축감시검사 결과이다. 가장 가능성이 높은 진단명을 고르시오.

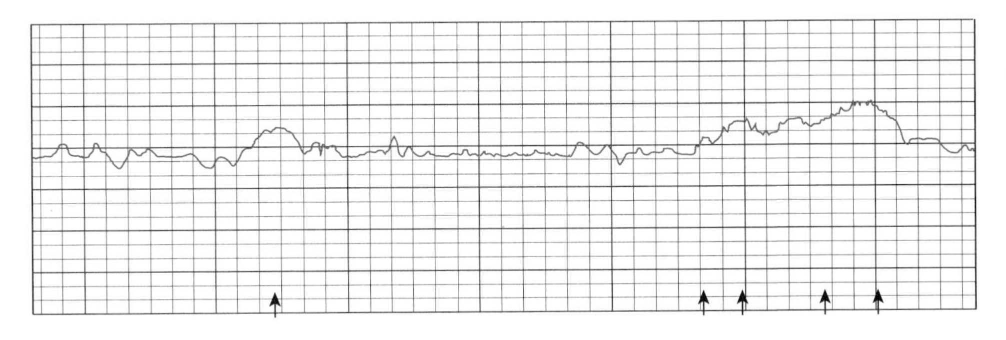

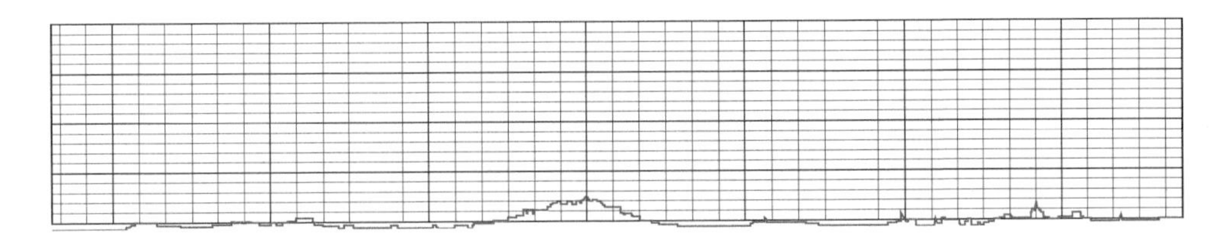

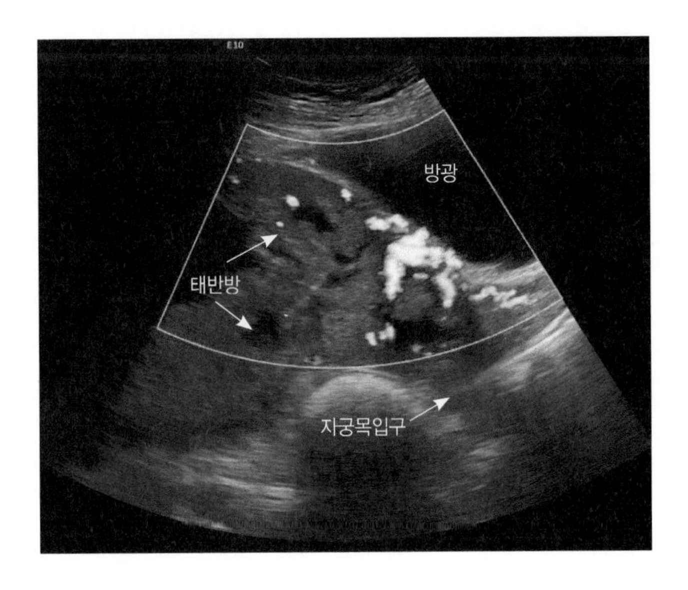

① 태반 조기 박리
② 태아 발육 제한
③ 자궁 천공
④ 유착 태반 증후군
⑤ 파막시 태아 출혈

25

위 산모의 분만 방법으로 옳은 것을 고르시오.

① 즉시 제왕절개 분만
② 임신 42주까지 경과 관찰
③ 임신 39주에 제왕절개 분만
④ 임신 36주에 유도 분만
⑤ 임신 36주에 제왕절개 분만

26

32세 임신 32주 산모가 이틀전부터 시작된 혈성 질 분비물과 하복통으로 응급실로 내원하였다. 산과력은 1-0-1-1, 2형 당뇨병을 임신 전에 진단받고 현재 인슐린 투여 중이다. 신체 진찰에서 태위는 둔위로 자궁경부 3 cm 개대, 소실 50%, 하강도 +0으로 확인되었다. 초음파에서 태아 예측 체중은 1,500 g (25 백분위수)이며 양수 지수는 9 cm 이었다. 다음은 전자태아심박동-자궁수축감시장치와 혈액 검사 결과가 아래와 같다면 이 임산부의 처치로 가장 먼저 해야하는 것을 고르시오.

- 혈색소 : 9.5 g/dL
- 백혈구 : 17,000/mm^3
- 혈소판 : 250,000/mm^3
- C 반응 단백질 : 7.8 mg/L(참고치 : <10)

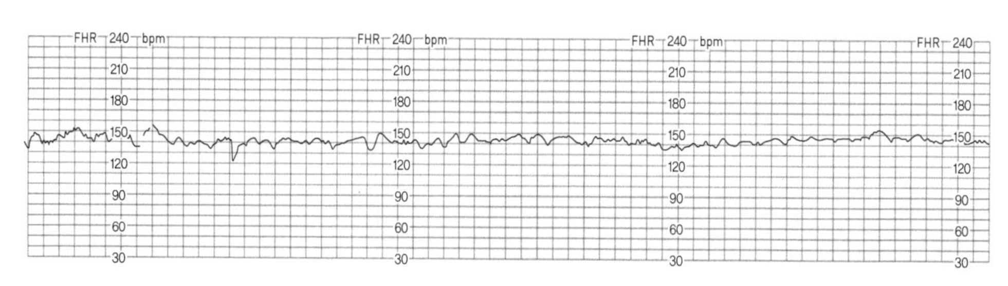

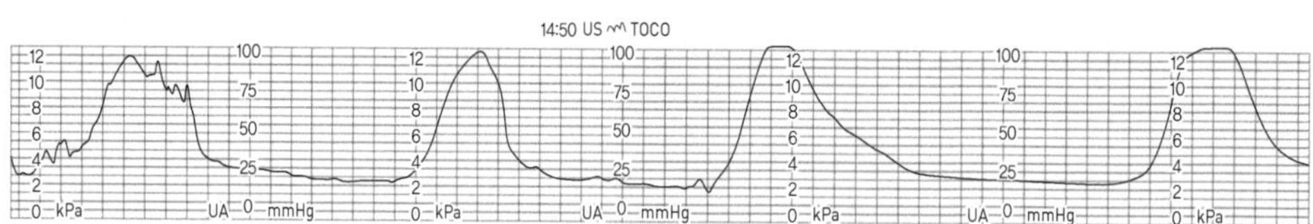

① 자궁경부 원형결찰술
② 자궁수축 억제제 투여
③ 진통 진행 시 질식 분만 시도
④ Glucocorticoid 금기
⑤ GBS 감염 예방을 위한 항생제 투여

27

조산(Preterm birth)의 가장 주요한 원인을 고르시오.

① 원인 불명 조기 진통 ② 전치태반 ③ 조기 양막파수
④ 전자간증 ⑤ 쌍태아 임신

28

임신 37주인 25세 미분만부가 2주 전부터 시작된 고혈압과 부종을 주소로 내원하였다. 산전 진찰 및 과거력에서 특이 소견은 없었으나 최근 2주 동안 4 kg의 체중 증가를 보였다. 내원 시 두통과 시야 흐림을 호소하였다. 혈압 170/120 mmHg, 심박수 75회/min., 호흡수 23회/min., 체온 37.5℃이며 신체 검사에서 양측 종아리에 오목 부종이 관찰되었다. 골반 진찰에서 태아는 두위로 자궁경부 3 cm 개대, 소실 70%, 태아 하강도 +1이다. 초음파에서 태아 예측 체중은 2,550 g(25백분위수), 양수 지수 4 cm이고 전자태아심박동-자궁수축감시검사에서 반응성 및 약 7~8분 간격의 자궁 수축을 보였다. 검사 결과가 아래와 같다면 가장 가능성이 높은 진단명을 고르시오.

- 혈색소 : 13.5 g/dL, 백혈구 : 10,500/mm^3, 혈소판 : 120,000/mm^3
- AST : 35 U/L (참고치 <30), ALT : 31 U/L (참고치 <30)
- BUN : 16.0 mg/dL (참고치 8~20), Creatinine : 1.5 mg/dL (참고치 0.6~0.9)
- 소변 : 단백질 (3+), 포도당 (−)
- 흉부 방사선 : 정상 소견

① 임신성 고혈압 ② 전자간증 ③ 자간증
④ 만성 고혈압 ⑤ 가중합병 전자간증

29

위 환자에서 중증 소견을 고르시오.

① 체중 증가 ② 혈소판 수치 ③ 단백뇨
④ 혈압 ⑤ 손, 얼굴의 부종

30

위 산모에게 항고혈압제 주사 후 혈압은 140/90 mmHg로 측정되었다. 황산 마그네슘 정맥주사를 시작하고 질식 분만이 결정되어 옥시토신 주입을 시작하였다. 분만 진행 9시간째 소변량은 200 cc였고, 산모는 숨쉬기가 힘들다고 하며 혈중 산소 포화도가 88%로 확인 되었다. 급히 시행한 황산 마그네슘의 혈중 농도는 12.5 mEq/L(유효농도 4~7 mEq/L)이다. 다음 처치를 고르시오.

① 칼슘 글루코네이트
② 투석
③ 이뇨제
④ 무릎 반사 확인
⑤ 산소 투여 및 경과 관찰

31

난자와 정자가 만나 수정이 된 후 착상이 되는 시기는 언제인가?

① 수정 후 2~3분
② 수정 후 1~2시간
③ 수정 후 12~24 시간
④ 수정 후 6~7일
⑤ 수정 후 2주

32

수정 12일 된 포배 그림이다. 다음 중 양막은 무엇인가?

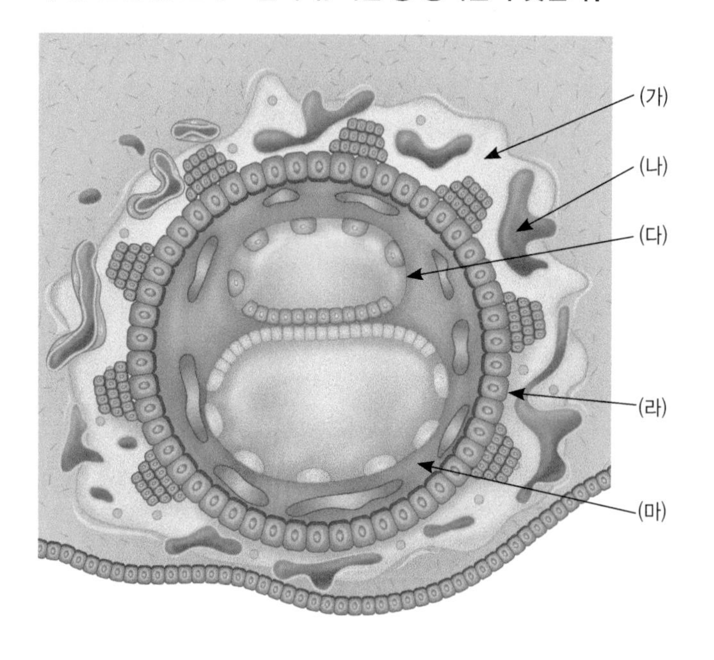

① 가
② 나
③ 다
④ 라
⑤ 마

33

임신 유지에 중요한 호르몬인 progesterone의 생성은 임신 초기에 난소의 황체에서 이루어지다가 이후에는 태반에서 주로 생성되게 된다. 이런 progesterone의 생성에 있어서 luteo-placental shift가 시작되는 시기는 언제인가?

① 수정 직후
② 임신 3~4주
③ 임신 6~7주
④ 임신 9~10주
⑤ 임신 13~14주

34

임신 중 특수하게 변화된 자궁내막의 조직을 무엇이라고 하는가?

① 융모막 유모부(chorionic frondosum)
② 탈락막(decidua)
③ 융모막 무모부(chorionic leave)
④ 영양배엽(trophoblast)
⑤ 양막(amnion)

35

다음 중 사람 융모생식샘 자극 호르몬(hCG)이 감소하는 경우를 고르시오.

① 자궁외 임신
② 다태 임신
③ 태아의 용혈성 빈혈
④ 포상기태
⑤ 태아의 다운증후군

36

다음 물질들 중 태반을 통과하지 못하는 것은 무엇인가?

① Insulin
② Warfarin
③ Long-acting thyroid stimulators
④ Iodine
⑤ IgM

37

임산부가 복용했을 때 이익보다 위험이 더 커서 임신 중 사용이 권장되지 않는 약물을 고르시오.

① Prednisolone
② Acetaminophen
③ Isotretinoin
④ Penicillin
⑤ Multivitamins

38

다음 정규 산전 진찰 시기로 올바른 것을 고르시오.

① 첫 내원 : 사중 검사(Quad test)

② 임신 16주 : Oral glucose tolerance test

③ 임신 22주 : 정밀 초음파 검사

④ 임신 28주 : Group-B streptococcus culture

⑤ 임신 30주 : 초음파를 통한 NT(nuchal translucency) 측정

39

임신 15주의 임산부가 내원하였다. 현재 쌍태아를 임신 중이며, 3년 전 35주에 자연 분만한 아이가 생존해 있고, 2년 전 임신 7주에 계류 유산으로 소파 수술하였으며, 1년 전 임신 21주에 양수 파수 되어 임신 종결한 과거력이 있다. 이 임산부의 산과력을 고르시오.

① 1-0-2-1　② 0-1-2-1　③ 1-1-2-3

④ 0-2-1-1　⑤ 0-2-1-3

40

산전 진찰을 받지 않던 18세 미분만부가 3,500 g 남아를 분만 하였다. 신생아 사진이 다음과 같을 때, 향후 임신 시 반드시 여성에게 투여해야 하는 것은 무엇인가?

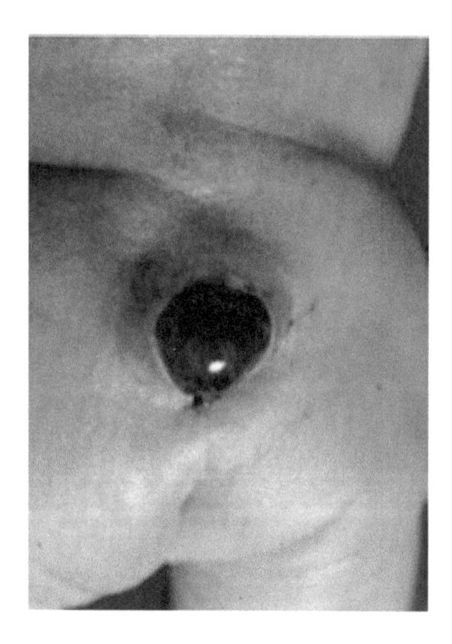

① 저용량 헤파린

② 아스피린

③ 산전 스테로이드

④ 엽산

⑤ 철분

41

초음파로 임신 주수를 가장 정확히 예측할 수 있는 시기와 지표를 고르시오.

① 임신 5주 : Mean G-sac diameter

② 임신 7~11주 : CRL(Crow-Rump Length)

③ 임신 19~25주 : FL(Femur Length)

④ 임신 25~30주 : HC(Head Circumference)

⑤ 임신 32~34주 : AC(Abdominal Circumference)

42

정기적으로 산전 진찰을 받아오던 산모가 임신 15주에 시행한 모체 혈액 알파태아단백(AFP)이 1.5 MoM이었다. 시행한 초음파 검사에서 태아는 단태아였으며 크기는 정상 주수에 일치하였다. 다음으로 해야 할 것은 무엇인가?

① 경과 관찰

② 모체 혈청 알파태아단백(AFP) 재검

③ 양수 내 알파태아단백(AFP) 검사

④ 양수 내 acetylcholinesterase 검사

⑤ 탯줄 천자를 통한 태아 혈액 검사

43

다음의 원인으로 옳지 않은 것은?

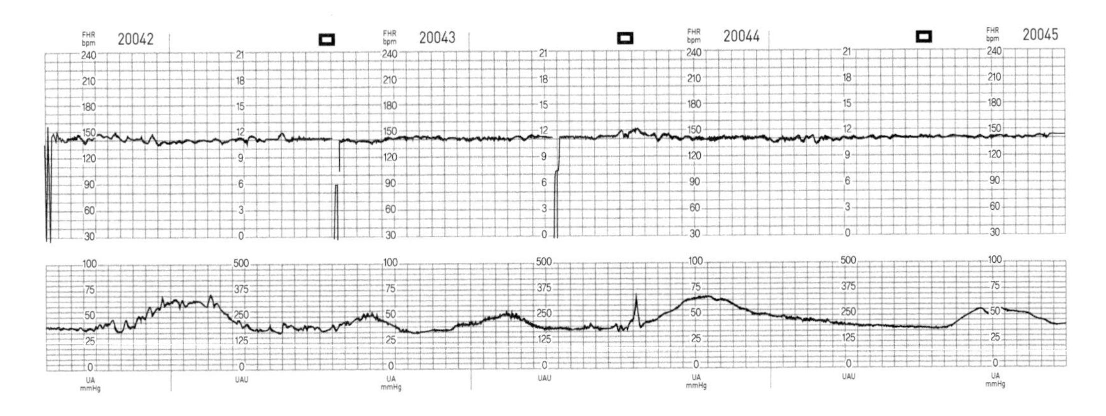

① 태아 수면

② 황산 마그네슘 투여

③ 경막외 마취

④ 흡연

⑤ 임신 26주

44

29세 여성이 임신 24주에 시행한 50 g 경구 당부하 검사에서 1시간 후 혈당이 180 mg/mL로 확인되었다. 이 시점에서 가장 적절한 처치는 무엇인가?

① 공복 혈당 재검
② 식이요법과 운동 병행
③ 2주 후 정기 산전 진찰 시행
④ 한달 후 정기 산전 진찰 시행
⑤ 100 g 경구 당부하 검사 시행

45

임신 10주 초산모가 내원하여 초음파 상 임신을 확인 후 혈액 검사를 하였다. 혈액 검사 상 RPR positive의 결과가 나왔다. 다음으로 해야 할 처치는 무엇인가?

① 1주일 후 재검
② Treponemal Test(FTA–ABS, MHA–TP, TP–PA)
③ Penicillin G 2.4 million unit 근주
④ 융모막 생검
⑤ 임신의 종결

46

임신 중 영상 진단의 지침에 대한 다음 설명 중 맞지 않는 것은 무엇인가?

① 한 번의 진단 X-ray는 태아에게 유해하지 않으며, 5 rad 이하에서는 태아 기형 또는 유산의 위험이 증가하지 않는다
② 내과적으로 적응증이 되는 경우 고용량의 방사선 노출의 위험 때문에 영상 진단을 포기해서는 안 된다
③ 임신 중에는 가능하면 방사선의 위험이 없는 초음파, MRI 등을 이용한다
④ 산모에게 여러 번의 진단 X-ray가 행해졌을 경우 축적된 용량의 계산이 필요하다
⑤ Radioiodine 은 태반을 통과하지 않으므로 임신 중이라도 치료의 적응증이 된다면 사용을 주저해서는 안 된다

47

산과력 0–0–0–0인 32세 임신 36주 산모가 특별한 문제 없이 정기 산전 진찰 중 소변 검사에서 포도당이 검출되었다. 당뇨병의 과거력은 없으며 이전 산전 검사는 정상이었다. 다음으로 해야 할 조치는 무엇인가?

① 경과 관찰
② 공복 혈당 측정
③ 50 g OGTT
④ 75 g OGTT
⑤ 100 g OGTT

48

Gravida 2인 28세 산모가 이번 임신 중 매일 소주 1~2 병을 마셨다. 다음 중 태아에게 증가하는 위험은 무엇인가?

① Omphalocele ② Hypertelorism ③ 구순열과 구개열
④ Duodenal atresia ⑤ 자궁내 태아발육부전

49

분만력 0-0-0-0인 무월경 10주의 28세 여성이 내원하였다. 과거력 상 승모판 협착증을 진단 받고 판막 치환술을 받았으나, 현재 휴식 중에는 증세가 없으나 일상 활동 시 숨이 차고 피곤하다. 이 환자에 대한 내용으로 맞는 것을 고르시오.

① 감염성 심내막염에 대해 예방은 필요 없다
② NYHA 분류 중 class II 이다
③ 질식 분만 진통 시 모성 사망률이 4~7%에 이르므로 마취과의 협조 하에 제왕절개술로 분만한다
④ 임신 중에도 항응고 치료를 위해 warfarin을 투여한다
⑤ 임신을 종결한다

50

분만력 0-0-1-0인 28세 여성이 임신 초기 검사 결과 HBsAg(+), HBeAg(+)로 확인되었다. 이 환자에 대해 옳은 것은 무엇인가?

① 감염 전파력은 낮다
② 제왕절개 분만한다
③ 모유 수유는 금기이다
④ 임신 중 간기능 악화가 흔하다
⑤ 신생아에게 면역글로블린과 백신을 투여한다

51

14세의 여학생이 아직 초경을 하지 않아 내원하였다. 환자는 유방 발육이 1년 전부터 시작되었다고 하였으며, 최근 몇 개월 전부터 음모도 나타나고 있다고 한다. 복부 초음파 검사에서 자궁과 난소는 확인되었다. 난포자극호르몬 검사는 정상이었으며, X-선 사진 상 골 연령이 나이에 비하여 약간의 지연이 있었다. 환자에서 가장 가능성이 있는 질환은 무엇인가?

① 터너 증후군　② 칼만 증후군　③ 쿠싱 증후군
④ 선천성 부신 과다형성　⑤ 초경의 생리적 지연

52

17세의 여학생이 초경을 하지 않아 내원하였다. 신체 검사에서 유방 발달은 태너 3기, 음모 발달은 1기였다. 양쪽 샅굴부위(inguinal area)에 직경 3~4 cm 크기의 덩어리가 만져졌다. 초음파 검사에서 자궁과 난소는 보이지 않았으며, 질은 맹관으로 막혀 있었다. 혈액 검사 소견은 다음과 같았다. 이 환자의 가장 우선적인 치료는 무엇인가?

- 갑상샘자극호르몬 3.2 mIU/L (참고치 : 0.3~4.2)
- 총 테스토스테론 520 ng/dL (참고치 : 6~86)
- 프로락틴 16 ng/mL (참고치 : 5~27)
- 염색체 검사 : 46,XY

① 에스트로겐　② 생식샘 생검　③ 프로게스테론
④ 생식샘 절제술　⑤ McIndoe 수술

53

18세의 여성이 아직 초경을 하지 않아 내원하였다. 신체 검사에서 유방과 음모는 정상적으로 발달하였고 외부 생식기의 모양도 정상이었으나 질은 발달하지 않았다. 초음파 검사에서 자궁은 보이지 않았으며, 난소는 확인할 수 있었다. 염색체 검사에서 핵형은 46,XX인 것으로 나타났다. 이 환자의 진단은 무엇인가?

① 효소 결핍　② 가로 질 중격　③ 안드로겐 무감응
④ 뮬러관 무형성증　⑤ 원발성 난소 기능부족증

54

산과력 0-0-3-0인 35세 여성이 무월경과 한 달마다 주기적으로 발생하는 하복통으로 인하여 진찰 받으러 왔다. 과거력 상 4개월 전에 유산으로 인하여 자궁내막 소파수술을 받았다고 하였다. 소변 임신 반응검사는 음성이었고, 프로게스테론 부하검사 및 에스트로겐-프로게스테론 부하검사에서 모두 음성으로 나타났다. 혈액검사 결과는 다음과 같았다. 이 환자의 진단을 위하여 필요한 검사를 모두 고르시오.

- 난포자극호르몬 6.7 mIU/mL (참고치 : 3~20)
- 황체형성호르몬 3.2 mIU/mL (참고치 : 0.6~105)
- 에스라디올 102 pg/mL (참고치 : 40~440)
- 갑상샘자극호르몬 3.0 mIU/L (참고치 : 0.3~4.2)
- 프로락틴 12 ng/mL (참고치 : 5~27)

① 복강경 검사
② 자궁경 검사
③ 자궁난관 조영술
④ 기초 체온 검사
⑤ 골반 CT 검사
⑥ 복부 X-선 검사
⑦ 자궁내막 조직검사

55

17세의 여학생이 최근 5개월간 월경을 하지 않아 진찰 받으러 왔다. 초경은 13세에 시작하였으며, 5개월 이전까지는 월경을 규칙적으로 했다고 하였다. 체조 선수로서 최근 강도 높은 훈련으로 인하여 체중이 50 kg에서 42 kg으로 8 kg이 빠졌다고 하였다. 호르몬 검사는 다음과 같았다. 이 환자에서 가장 의심되는 질환은?

- 난포자극호르몬 2.6 mIU/mL (참고치 : 3~28),
- 황체형성호르몬 2.3 mIU/mL (참고치 : 0.6~105)
- 에스라디올 18 pg/mL (참고치 : 40~440)
- 갑상샘자극호르몬 2.8 mIU/L (참고치 : 0.3~4.2)
- 프로락틴 14 ng/mL (참고치 : 5~27)

① 황체기 결함
② Swyer 증후군
③ 다낭성 난소 증후군
④ 시상하부 기능장애
⑤ 원발성 난소 기능부족증

56

24세의 여성이 결혼 2년이 지났으나 피임을 하지 않는데도 불구하고 임신이 되지 않아 내원하였다. 초경은 14세에 하였으나, 월경 주기는 60일 이상으로 항상 불규칙하였으며, 기간도 불규칙하고 양이 적었다. 진찰 소견 상 신장은 157 cm, 체중은 65 kg이었으며, 다모증과 안면의 여드름을 다수 볼 수 있었다. 초음파 검사에서는 다음과 같은 소견을 보였다. 이 환자에서 임신을 위하여 가장 우선적인 배란유도 방법은 무엇인가?

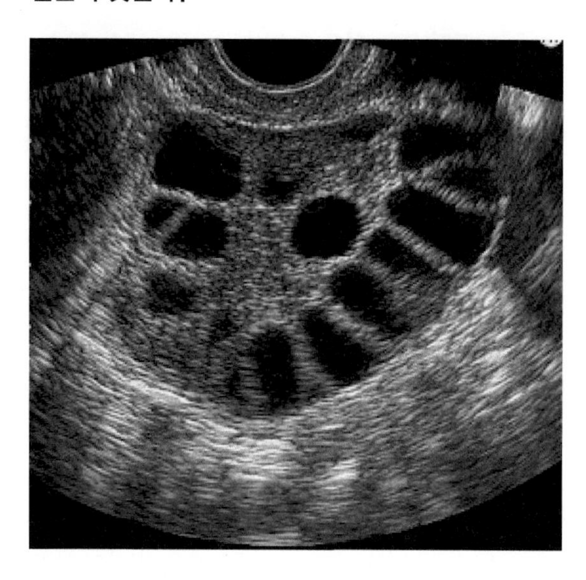

① 클로미펜
② 에스트로겐
③ 프로게스테론
④ GnRH agonist +hMG
⑤ GnRH antagonist + pure FSH

57

28세 여성이 불규칙한 월경으로 인하며 진찰 받으러 왔다. 환자는 비만과 다모증이 나타났으며 초음파 및 호르몬 검사 결과 다낭성 난소 증후군으로 진단되었다. 이 환자의 호르몬 검사에서 증가할 것으로 기대되는 것을 모두 고르시오.

① 프로락틴
② 에스트라디올
③ 프로게스테론
④ 테스토스테론
⑤ 난포자극 호르몬
⑥ 갑상샘자극 호르몬
⑦ 항뮬러리안 호르몬

58

다낭성 난소 증후군 환자에서 동반되는 가장 흔한 질환을 고르시오.

① 난소암
② 당뇨병
③ 골다공증
④ 자궁근종
⑤ 자궁내막증

59

산과력 0-0-0-0인 31세 여성이 결혼 3년이 되었으나 임신이 되지 않아 진찰 받으러 왔다. 월경은 규칙적이었으나 평소 월경통과 하복통이 심하였으며, 최근 몇 개월 사이에 성교통도 나타났다고 하였다. 내진 상 자궁은 정상 크기로 후굴되어 있었고, 더글라스와(Douglas pouch)에 결절이 만져지면서 누르면 아프다고 하였다. 초음파 검사에서 우측 난소에 직경 약 6 cm의 균질성의 저에코성 낭종이 발견되었다. 이 환자에서 처치로 가장 적절한 것을 고르시오.

① 난소 절제술
② 자궁 절제술
③ 난소낭종 절제술
④ 난소낭종 흡인술
⑤ 난소 투열요법(ovarian diathermy)

60

25세의 여성이 얼굴이 자주 달아오르고 땀이 나며, 불면증을 호소하여 진찰받으러 왔다. 이 환자는 4개월 전에 좌측 난소에 7 cm 정도의 낭종이 발견되어 복강경 수술을 받았으며 자궁내막종으로 진단되었다. 수술 후 재발 방지를 위하여 GnRH agonist를 한 달에 한번씩 3회 투여 받았으며 향후 3회 더 투여 받을 예정이다. 다음 중 적절한 치료는 무엇인가?

① 다나졸
② 프로게스테론
③ 골다공증 치료제
④ 저용량 에스트로겐
⑤ 저용량 에스트로겐 + 프로게스테론

61

다음 검사 중 배란을 예측할 수 있는 가장 좋은 방법은 무엇인가?

① 기초 체온 검사
② 연속적 초음파 검사
③ 혈중 에스트라디올
④ 혈중 프로게스테론
⑤ 소변 황체형성 호르몬

62

다음 중 불임 환자의 기초 검사에서 배란 이후에 시행해야 하는 것은 무엇인가?

① 갑상선 호르몬
② 프로게스테론
③ 에스트라디올
④ 난포자극 호르몬
⑤ 항뮬러리안 호르몬

63

29세의 여성이 2년 간의 불임으로 인하여 자궁난관 조영술을 한 결과 다음과 같았다. 다음 중 이 환자의 자장 적절한 치료 방법은 무엇인가?

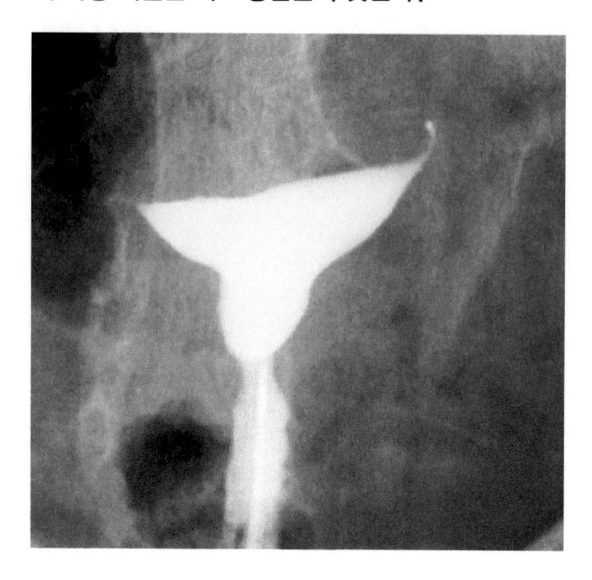

① 양측 난관절제
② 원위부 난관 성형술
③ 자궁강내 인공수정
④ 체외 수정 및 배아 이식
⑤ 생식세포 난관내 이식(GIFT)

64

과배란 유도를 하여 체외수정 시술을 하는 과정에서 프로게스테론으로 황체기 보강을 시작하는 시기는 언제인가?

① 난자 채취 후
② hCG 투여 후
③ Gonadotropin 투여 시작할 때
④ GnRH agonist 투여 시작할 때
⑤ 임신 반응 검사에서 양성으로 확인한 후

65

30세의 불임 여성이 GnRH agonist와 hMG로 과배란 유도한 다음 난자 채취 및 배아 이식 후 호흡 곤란, 복부 팽만, 체중 증가, 구역 및 구토를 호소하여 병원에 왔다. 흉부 X–선 검사에서 중등도의 흉막액이 차 있었으며, 복부 초음파 검사에서 다량의 복수가 차 있었고 양측 난소는 좌측과 우측이 각각 직경 10 및 12 cm으로 커져 있었으며 사진은 다음 그림과 같았다. 소변 임신 검사는 음성으로 나타났다. 이 환자의 적절한 치료는 무엇인가?

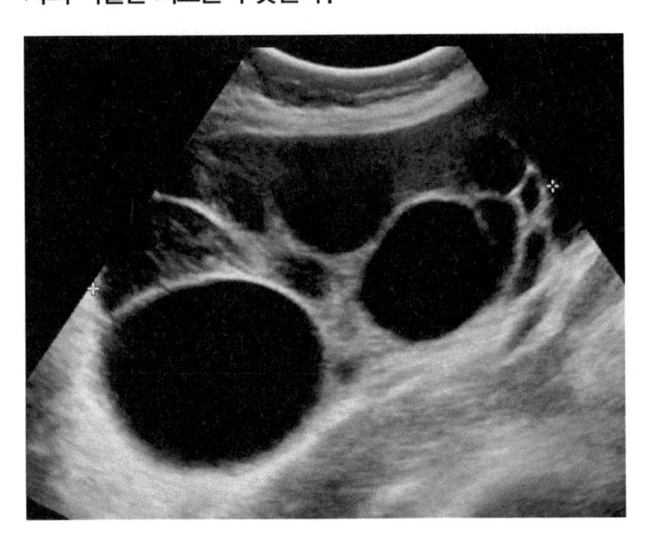

① 낭종 흡인술
② 단순 경과 관찰
③ 입원 후 지지요법
④ 복강경하 난소 절제술
⑤ 복강경하 낭종 절제술

66~70번. R type

① 경과 관찰	② 소변 임신반응 검사	③ 혈중 β–hCG
④ 골반 초음파	⑤ 혈중 난포자극호르몬	⑥ 혈중 황체형성호르몬
⑦ 혈중 프로락틴	⑧ 혈중 에스트라디올	⑨ 혈중 프로게스테론
⑩ 자궁내막 소파술 및 조직 검사	⑪ 자궁경부 세포검사	⑫ 복강경 수술

66

임신력 0–0–0–0인 28세 여성이 월경이 불규칙하다고 하여 내원하였다. 현재 월경 2일째로 이전 월경 시작일은 27일 전이었다. 최근 3개월 동안 29일, 31일, 27일만에 월경이 시작 되었다. 월경통은 월경 첫 날 반나절 정도 통증 있었으나 일생 생활에 지장은 없었고 월경양은 많은 날 하루 패드 3개 정도 사용하였다. 월경 기간은 4일이었다. 진찰 상 자궁경부는 정상이었고 질 분비물은 검붉은 색이었으며 자궁은 전굴로 유동성이 있었다. 자궁 부속기에 이상 소견은 없었다. 다음으로 시행해야 할 검사나 처치는 무엇인가?

67

임신력 2-0-1-2인 37세 여성이 월경이 불규칙하다고 하여 내원 하였다. 현재 월경 14일째로 이전 월경 시작일은 4개월 전이었다. 2년 전부터 2개월에서 6개월 간격으로 월경이 있었다. 월경통은 없었고 월경 기간은 8일에서 20일 사이였다. 월경양은 월경 4일 정도는 하루에 패드 7~8개 사용하였다. 진찰 상 자궁경부에 미란 소견이 있었고 질 분비물은 밝은 붉은 색으로 자궁경부를 통해 조금씩 흘러 나오고 있었다. 자궁은 10주 크기로 커져 있었으나 종양은 만져지지 않았다. 양측 자궁 부속기는 정상이었다. 다음으로 시행할 검사나 처치를 모두 고르시오.(3가지)

68

임신력 0-0-0-0인 32세 여성이 10일 전부터 출혈이 있다고 하여 내원하였다. 이전 월경 시작일은 2개월 전이었고 당시 2일간 하루 1개의 패드를 사용할 정도의 양이었다. 월경은 2개월에서 3개월 간격으로 있었다. 소변 임신반응 검사 상 음성이었다. 골반 진찰 상 이상 소견은 없었으며 초음파 상 자궁내막 두께는 14 mm로 자궁과 난소에 종양 소견은 없었다. 이 여성은 성 경험이 없다고 하였다. 검사나 처치로 올바른 것을 모두 고르시오.

69

임신력 1-0-1-1인 39세 여성이 15일 동안 질 출혈이 있다고 하여 내원하였다. 이전 월경 시작 일은 1달 반 전이었고 이전 월경과 비슷하다고 한다. 월경 주기는 28~32일 주기로 월경통은 하루 약간, 월경량은 많은 날 하루 패드 4개 사용하였고 월경 기간은 6일이었다. 진찰 상 검붉은 혈액이 질 벽에 묻어 있는 것 외에는 이상소견 없었다. 검사나 처치로 올바른 것을 모두 고르시오.

70

임신력 0-0-0-인 22세 여성이 월경 예정일이 일주일 지났는데 월경이 없다고 내원하였다. 월경 주기는 29~30일 주기였고 월경통, 월경량은 정상이었다. 소변 임신반응 검사 상 양성으로 나왔으나 질 초음파 상 임신낭은 보이지 않았다. 혈액 검사 상 β-hCG 2200 IU/mL로 확인되었다. 검사나 처치로 올바른 것을 고르시오.

71

다음 중 경구 피임약을 처방 할 수 없는 여성을 고르시오.

① 편두통이 있는 여성

② 유방에 섬유선종이 있는 35세 여성

③ 조절이 잘되는 당뇨가 있는 33세 여성

④ 하루에 한 갑의 흡연을 하고 있는 36세 여성

⑤ 수축기 혈압이 140 mmHg, 이완기 혈압이 90 mmHg인 32세 여성

72

임신력 0-0-0-0인 48세 여성이 얼굴이 달아오른다고 하여 내원하였다. 증상은 2달 전부터 시작되었고 하루에 10회 이상 증상이 있었다. 과거력 상 1년전 유방암으로 수술 후 항암치료를 받았으며 항암치료 후부터 월경은 없었다. 진찰 및 초음파 상 이상소견 없었다. 치료는 무엇인가?

① Fluoxetine
② Paroxetine
③ 에스트로겐 단독요법
④ 프로게스테론 단독요법
⑤ 에스트로겐-프로게스테론 병합요법

73

폐경 후 호르몬 요법에 대한 설명 중 맞는 것은 무엇인가?

① 에스트로겐 단독요법시 난소암 감소

② 에스트로겐 단독요법시 자궁경부암 증가

③ 에스트로겐-프로게스테론 병합요법시 대장암 감소

④ 에스트로겐-프로게스테론 병합요법시 자궁내막암 증가

⑤ 에스트로겐 단독요법시 유방암 위험성이 에스트로겐-프로게스테론 병합요법보다 증가

74

난포의 배란을 유도하고 난자의 감수분열을 재개 시키는 호르몬은 무엇인가?

① 난포자극 호르몬
② 황체형성 호르몬
③ 에스트론
④ 에스트라디올
⑤ 프로게스테론

75

임신력 0-0-3-0인 35세 여성이 임신 상담을 위해 내원하여 시행한 검사 상 다음과 같은 소견이 관찰되었다. 이 환자에게 가장 적절한 검사나 치료는 무엇인가?

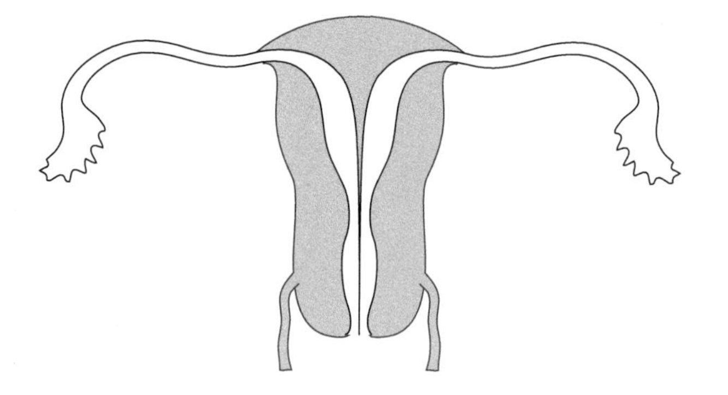

① 과배란 유도
② 체외수정 및 배아이식
③ 체외수정술 후 배아 착상 전 유전진단 후 배아이식
④ 자궁경 수술
⑤ 자궁성형술

76~78 다음의 각 문항에 대한 적절한 답을 답 가지에서 고르시오.

① HPV Typing	② 6개월 후 estrogen 연고 도포 후 재검사	③ LEEP
④ Cold knife conization	⑤ Endocervical curette	⑥ Cold coagulation
⑦ Cryotherapy	⑧ Colposcopy	⑨ 6개월 후 PAP smear

76

35세 여성이 자궁경부 세포진 검사에서 LSIL로 내원하였다. Colposcopy 검사에서 이상 소견이 보여 시행한 조직 검사에서 CIN 1으로 진단되었다면 다음으로 해야 할 처치는 무엇인가?(1가지)

77

37세 여성이 자궁경부 세포진 검사에서 HSIL이 진단되어 내원하였다. Colposcopy 상 검사에서 이상 소견이 발생해 시행한 검사 상 exocervix : CIN 2, endocervix : CIN 3로 진단되었다면 다음 처치로 맞는 것을 고르시오.(2가지)

78

24세 여성이 자궁경부 세포진 검사에서 ASCUS로 진단되었다. 다음 해야 할 검사를 고르시오.(3가지)

79

65세 여성이 3일간 계속되는 출혈로 내원하였다. 자궁경부에도 특이 소견이 없었으며 혈액 검사에서 이상 소견은 없었다. 자궁 초음파 검사에서 다음과 같이 관찰되었다. 시행해야 할 처치로 올바른 것은 무엇인가?

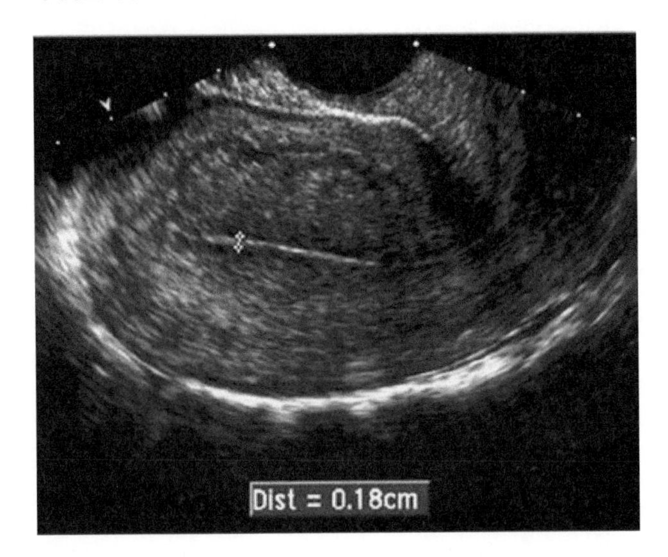

① MRI 검사
② 자궁절제술
③ 자궁경수술
④ Sonohysterography
⑤ 경과 관찰

80

19세 여성이 내원 전일 밤부터 발생한 복통 및 질 출혈로 내원하였다. 마지막 월경은 6주 전이었다. 다음으로 시행해야 할 검사는 무엇인가?

① 임신 반응 검사
② 난포자극 호르몬 검사
③ 자궁내막 조직 검사
④ 질 초음파 검사
⑤ 질 확대경 검사

81

임신력 0-0-0-0인 45세 여성이 자궁경부암 검사에서 이상 소견이 보여 시행한 검사에서 4 cm크기의 mass lesion이 보였으며 자궁방 조직의 침윤이 관찰되었다. 조직 검사에서 squamous cell carcinoma가 진단되었다. 이 환자에게 향후 필요 없는 검사는 무엇인가?

① IVP
② Cystoscopy
③ Conization
④ Sigmoidoscopy
⑤ MRI

82

임신력 0-0-1-0인 임신 20주 31세 여성이 자궁경부암 검사에서 HSIL로 내원하였다. Punch biopsy에서 CIN 2가 나왔을 때 향후 처치로 올바른 것을 고르시오.

① Cold coagulation ② Cryotherapy ③ Conization
④ 34주에 분만 후 hysterectomy ⑤ 만삭 분만 후 6주 뒤에 재검사

83

다음 중 자궁 내막암의 위험인자가 아닌 것은 무엇인가?

① 비만 ② PCOS ③ Granulosa theca cell tumor
④ Oral pill ⑤ SERM(tamoxifen)

84

38세 1-0-0-1 여성이 3일 전부터 발생한 질 출혈로 내원하였다. 초음파 상 내막 소견이 다음과 같았다. 시행한 조직 검사에서 complex hyperplasia without atypia가 진단 되었다면 다음으로 해야 할 치료는 무엇인가?

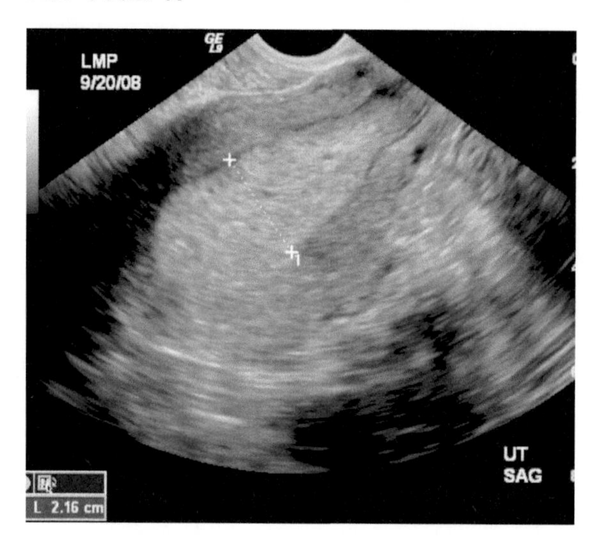

① Colposcopy
② Endometrial ablation
③ Hysterectomy
④ Progestin
⑤ Hormone replacement therapy

85

Right ovarian vein이 drain 되는 혈관을 고르시오.

① Rt. uterine vein
② Inferior vena cava
③ Rt. renal vein
④ Inferior mesenteric vein
⑤ Rt. external iliac vein

86

31세 여성이 postcoital spotting을 주소로 내원하였다. 육안적 소견 상 자궁경부 병변이 미세하게 보였고 squamous cell carcinoma in situ로 진단되었다. 다른 검사에서 특이 소견이 없었다면 이 환자의 다음 해야 할 처치는 무엇인가?

① Conization
② Mass excision
③ Hysterectomy
④ Radical hysterectomy
⑤ CCRT

87

자궁경부암의 선별 검사에 대한 내용으로 맞지 않는 것은 무엇인가?

① 성 경험이 있는 여성을 대상으로 한다
② 출혈이 있어도 암이 의심되면 시행한다
③ 검사는 자궁경부 인유두종 바이러스 검사를 한다
④ 검사 전 48시간 동안 질 세척을 하지 않는다
⑤ 만 20세 이상의 여성에서 시행한다

88

다음 HPV 중 저위험군은 무엇인가?

① 11
② 16
③ 18
④ 33
⑤ 58

89

외음부 암의 가장 많은 조직학적 유형은 무엇인가?

① Squamous cell carcinoma ② Adenocarcinoma ③ Malignant melanoma
④ Basal cell carcinoma ⑤ Transitional cell carcinoma

90

자궁 절제술의 가장 많은 원인은 무엇인가?

① 자궁근종 ② 자궁경부암 ③ 자궁내막암
④ 자궁출혈 ⑤ 자궁내막증

91

자궁내막암 수술 시 골반 림프절 절제술을 시행하는 경우가 아닌 것을 고르시오.

① 자궁 근층 두께가 4 cm에서 종양 침범이 3 cm일 때
② Endometrioid carcinoma grade 1일 때
③ 종괴의 크기가 5 cm일 때
④ 종양이 자궁경부까지 퍼져 있을 때
⑤ Clear cell carcinoma일 때

92

급성 골반통의 원인이 아닌 것을 고르시오.

① 자궁외임신 파열
② 난소 낭종 파열
③ 자궁부속기 염전
④ 자궁선근증
⑤ 난소-난관 농양

93

산과력 1-0-3-0인 29세 여성이 질 출혈 및 복부에 만져지는 종물을 주소로 내원하였다. 최종 월경은 3개월 전이었다. 골반 초음파 검사 상 자궁은 임신 16주 크기로 관찰되었고 다음과 같았다. 가장 적절한 처치는 무엇인가?

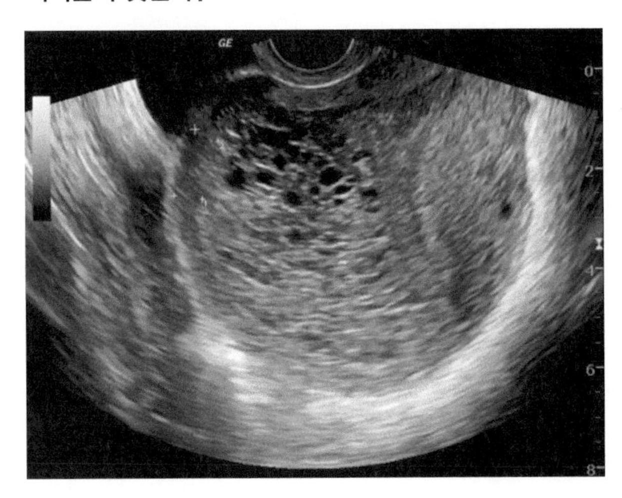

① 경과 관찰
② 복강경하 전자궁적출술
③ 흡인 긁어냄술
④ 방사선 치료
⑤ 항암화학요법

94

위 환자에서 다음과 같이 양측 자궁 부속기에 8 cm이상의 다낭성 물혹이 관찰 되었다. 난소 낭종에 대한 적절한 처치는 무엇인가?

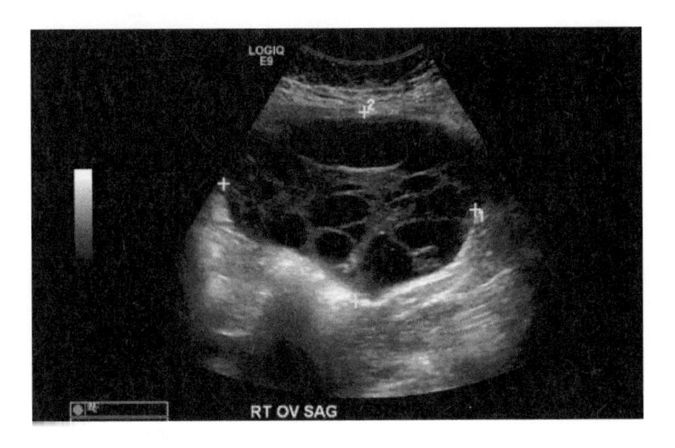

① 낭종 흡인술
② 부속기 절제술
③ 낭종 절제술
④ 복강경하 진단술
⑤ 추적 관찰

95

6개월 전에 진단된 유방암으로 항암치료 중인 57세 여성이 심한 가려움증과 질 입구의 따가움을 주소로 내원하였다. 진찰 결과 아래와 같았다면 치료로 적절한 것은 무엇인가?

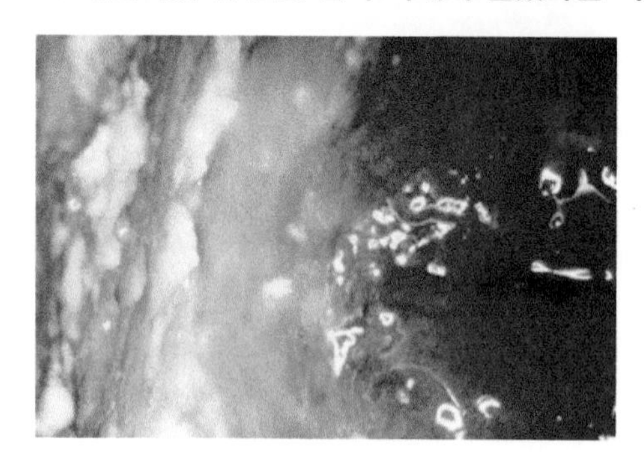

① 경구 에스트로겐, 프로게스테론 제제
② 에스트로겐 질정
③ Bisphosphonate 제제
④ Fluconazole 경구 투여
⑤ Metronidazole 경구 투여

96

57세 여성이 질가려움과 건조함 약간의 악취로 내원하였다. 5년전에 폐경이 되었고, 만성 활동 B형 간염으로 추적관찰 중이다. 질분비물 펴바른 표본에서 다음과 같을 때 이 환자에게 시행해야 할 조치는?

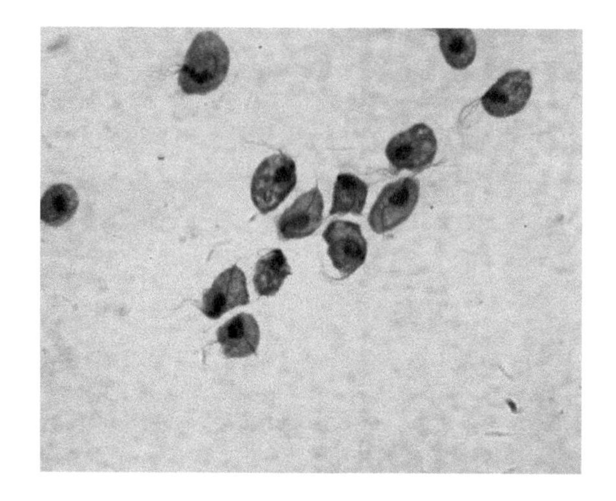

① 경구 에스트로겐
② Metronidazole 경구 투여
③ 에스트로겐 질 크림
④ Fluconazole 경구 투여
⑤ Metronidazole 질 크림

97

산과력 0-0-0-0인 32세 여성이 건강 검진을 위해 산부인과에 내원하였다. 평소 생리는 규칙적이었으며, 생리양은 적당하였고, 생리통은 없었으며 빈뇨나 변비도 없었다고 한다. 골반 초음파 상 다음과 같은 종괴가 관찰되었을 경우 가장 적절한 처치는 무엇인가?

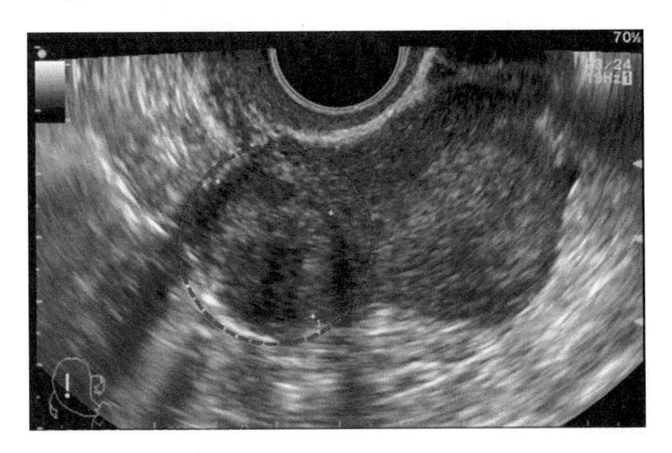

① 추적 관찰
② 근종 절제술
③ 자궁절제술
④ 자궁동맥 색전술
⑤ 고주파 근종 용해술

98

59세 경산부가 하복부의 만져지는 혹과 불편감을 주소로 내원하였다. 몇 개월 전부터 많지는 않으나 약간의 출혈이 팬티에 묻는다고 한다. 최근 수년간 부인과 검사를 시행 받지 않았으나, 과거 산부인과 검사 상 자궁에 혹이 있었다는 이야기를 들었다고 한다. 초음파 검사 상 자궁에 아래 사진의 소견이 나타났다면 가장 적절한 처치를 고르시오.

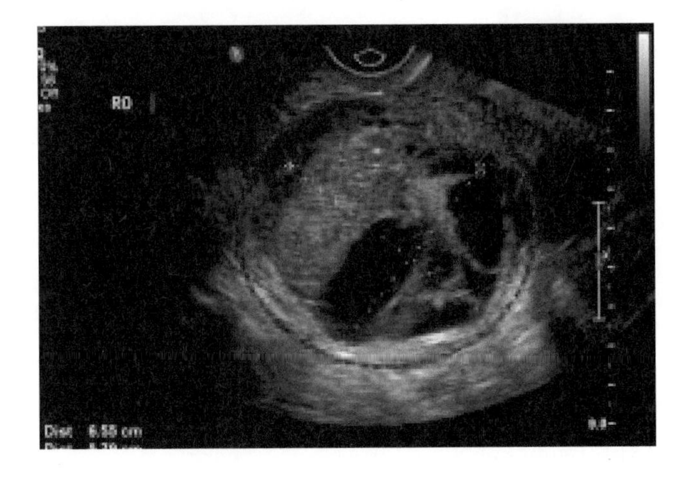

① 경과 관찰
② 프로게스테론
③ 전자궁 적출술
④ 항암화학요법
⑤ 방사선 근접치료

99

47세 여성이 건강 검진 상 시행한 CA-125 수치가 200 U/mL로 확인되어 내원하였다. 시행 한 초음파 검사 상 난소 및 양측 부속기에 특이한 소견이 관찰되지 않았으나 자궁벽에 2.5 cm 3.0 cm 크기의 근종이 관찰되었다. 상기 환자에 적절한 처치는 무엇인가?

① 진단적 복강경
② 양측 난소 나팔관 절제술
③ 근종 절제술
④ 전자궁 적출술
⑤ 경과 관찰

100

산과력 2-0-0-2인 35세 여성이 우하복부 종괴를 주소로 내원하였다. 초음파 검사 상 아래와 같았다. AFP (-), hCG (-), CA-125 : 12 U/mL 이었다. 이 환자에게 시행해야 할 적절한 조치는 무엇인가?

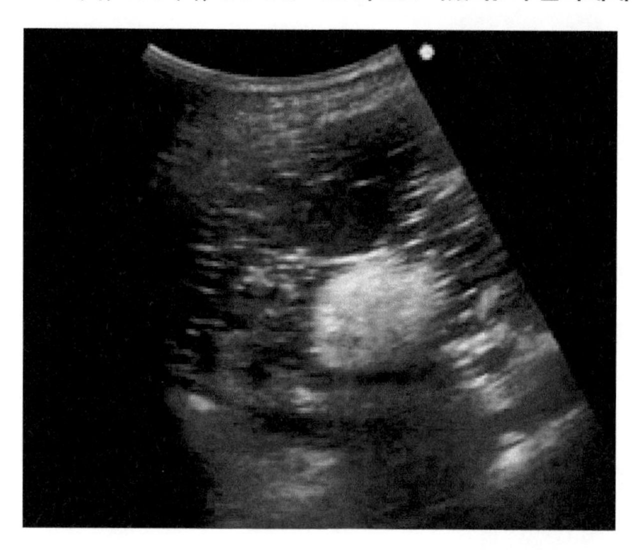

① 추적 관찰
② 일측 난소 종양 절제술
③ 전자궁 절제술과 양측 난소 절제술
④ 종양 감출술 및 항암 치료
⑤ 방사선 치료

101

2010년 WHO 가이드라인의 정액 검사 정상 수치들로써 옳은 것을 고르시오.

① 용량 3.0 mL 이상
② 정자 농도 1천5백만/mL 이상
③ 운동성 grade a+b 20% 이상
④ 생존율 80% 이상
⑤ 백혈구 500만/mL 미만

102

23세 여자 환자의 골반 자기공명영상(T2강조영상) 소견에서 가장 가능성 높은 뮬러관 발달 장애(müllerian duct anomaly) 유형은 무엇인가?

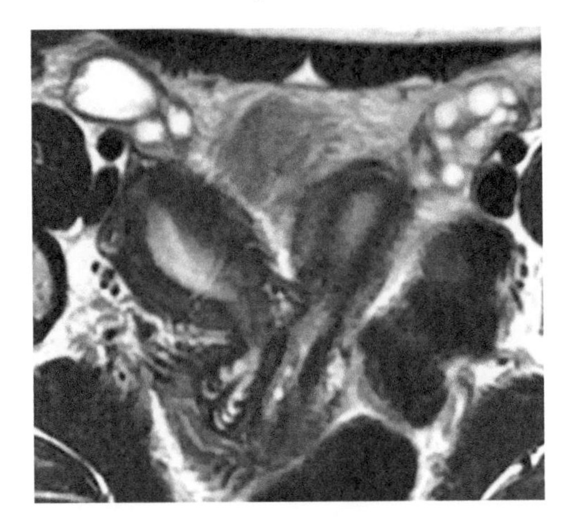

① Unicornuate uterus (non-communicating type)

② Uterine didelphys

③ Bicornuate uterus (partial type)

④ Septate uterus (complete type)

⑤ Arcuate uterus

103

내원 5시간 전 시작된 하복부 통증을 주소로 내원한 25세 여자 환자의 조영 증강 전 및 후 CT 영상이다. 가장 가능성 높은 하복부 통증의 원인 질환은 무엇인가?

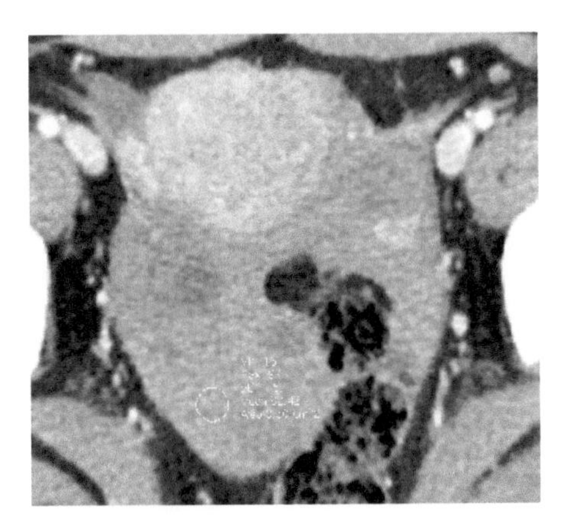

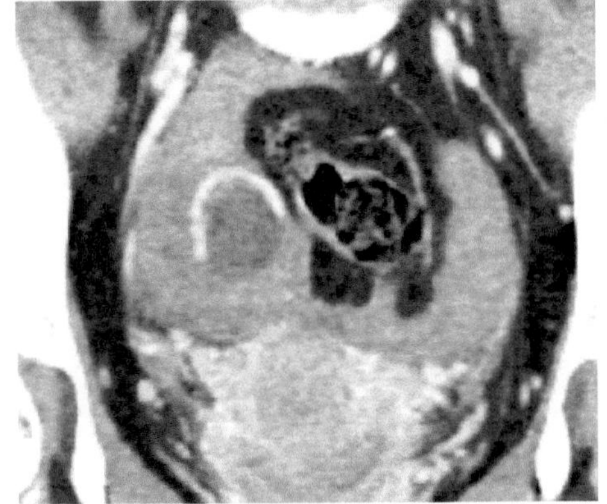

① Pelvic inflammatory disease

② Corpus luteal cyst rupture with hemoperitoneum

③ Isolated tubal torsion

④ Acute appendicitis

⑤ Red degeneration of uterine leiomyoma

104

30세 여자 환자에서 발견된 우측 난소 종물의 CT 및 초음파 소견이다. 가장 가능성 높은 진단은 무엇인가?

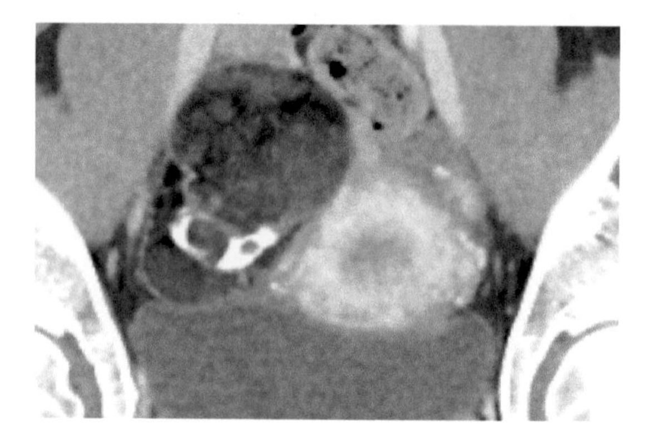

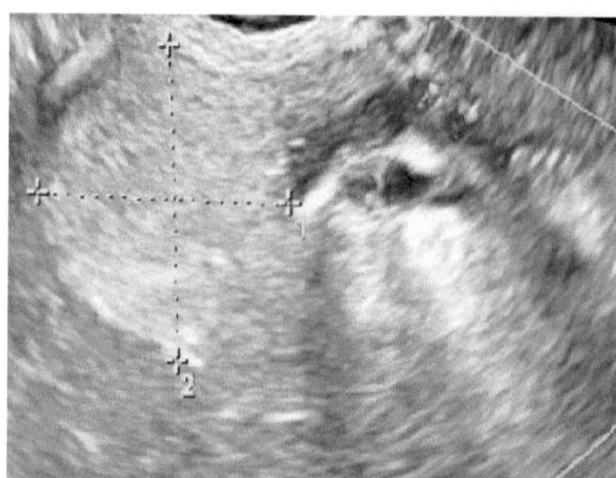

① Benign epithelial tumor

② Borderline epithelial tumor

③ Endometriosis

④ Mature teratoma

⑤ Immature teratoma

105

다음 중 자궁경부암의 staging 중 가장 바르게 설명한 것은 무엇인가?

① FIGO stage IA – 90% 이상 MRI에서 보인다

② FIGO stage IB2 – Upper vaginal invasion(upper 2/3) 있는 경우

③ FIGO stage IIA – Lower vaginal invasion(lower 1/3) 있는 경우

④ FIGO stage IIB – Parametrial invasion 있는 경우

⑤ FIGO stage III – Rectal mucosal invasion 있는 경우

106

22세 여자 환자에서 발견된 양측 난소의 전이성 병변이다. 원발암 장기 중 가장 빈도가 높은 곳은 어디인가?

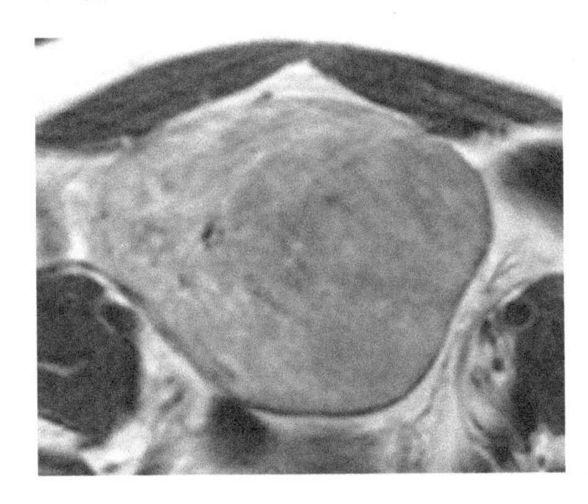

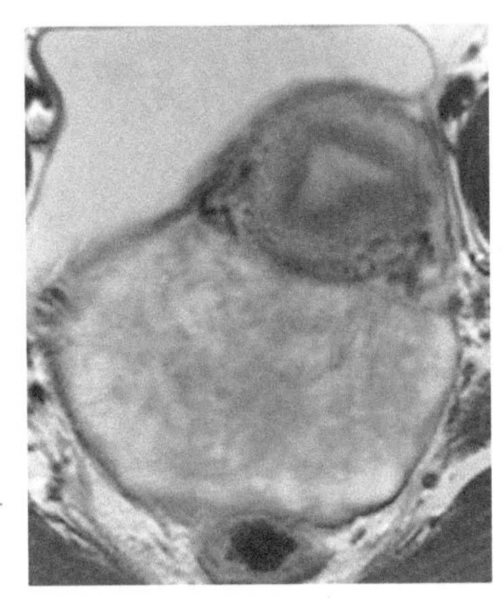

① 위장관 ② 간 ③ 폐

④ 뇌 ⑤ 뼈

107

다음 영상 소견상 가장 가능성 높은 질환에 대한 설명으로 옳은 것은 무엇인가?

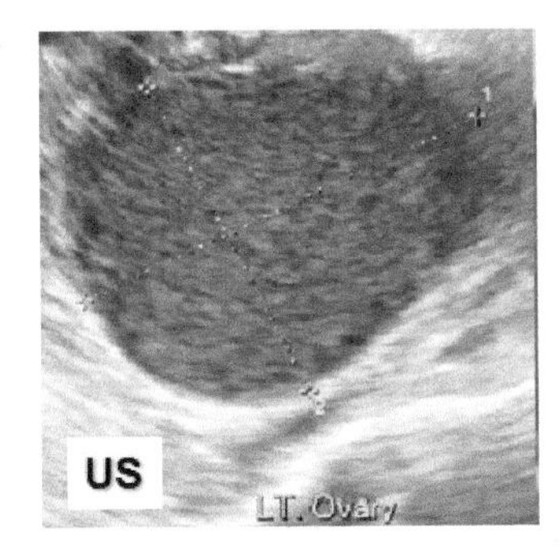

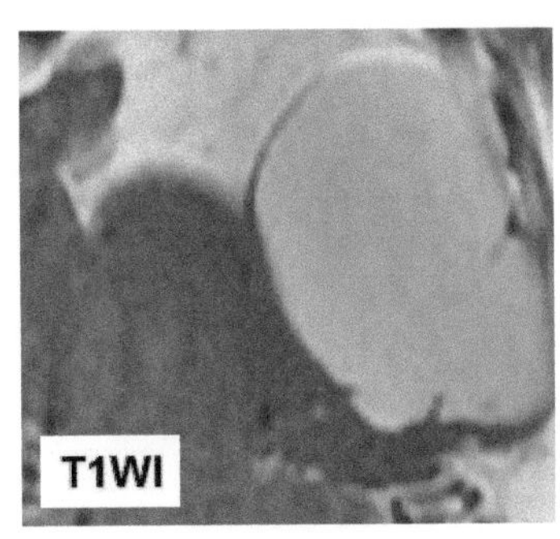

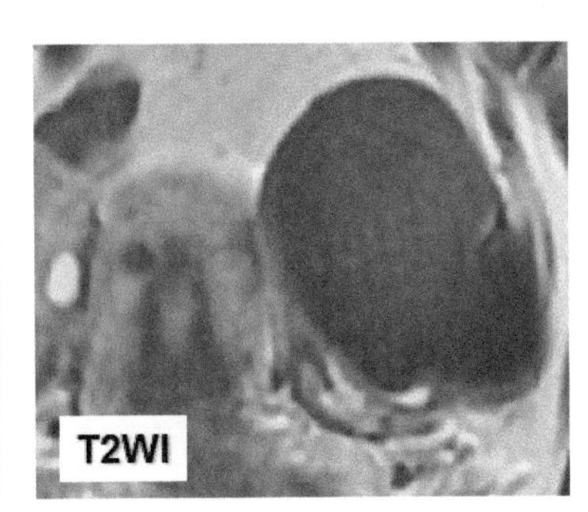

① 자궁 내강에 삽입된 IUD와 밀접한 관련 있다

② 정상적인 해부학적 경계를 넘어 파급되는 염증성 종괴를 자주 형성한다

③ 생식세포종양 중 가장 흔하다

④ 초음파 상 염전 혈관경, CT 상 염전 매듭이 진단에 중요한 영상 소견이다

⑤ 자궁내막 조직의 자궁 이외 이소성 존재로 불임과 밀접한 연관 있다

Final Exam 03

모의고사 3회

01

37세 여성의 자궁경부 세포진 검사에서 고등급의 편평상피세포 이상 소견을 보여 질 확대경 검사를 시행한 결과 병변이 관찰되지 않았다. 조직 검사 재판독을 하였을 때 다시 고등급 상피세포이상이 나왔다. 다음 처치는 무엇인가?

① 자궁경부 인유두종 바이러스를 검사한다

② 원추절제를 시행한다

③ 자궁경부의 손상을 줄이기 위해 레이저 소작술을 시행한다

④ 암으로의 진행을 막기 위해 자궁적출술이 불가피하다

⑤ 5-FU(fluorouracil) 크림을 국소 도포한다

02

40세 당뇨병이 있는 여성이 질의 가려움증과 외음부 부종을 주소로 내원하였다. 질 분비물에 KOH 도말검사를 하여 균사를 발견하였다. 이 질환의 설명으로 맞는 것은 무엇인가?

① 인유두종 바이러스가 원인균이다

② Strawberry cervix를 관찰할 수 있다

③ 배우자도 함께 치료해야 한다

④ 치료는 플루코나졸 경구요법이 있다

⑤ 벤자신 페니실린 주사가 효과가 있다

03

자궁경부암 조기검진에 관한 설명 중 틀린 것은 무엇인가?

① 조기 검진을 위한 표준 검사는 세포진 검사이다

② 세포 검사 결과는 Bethesda system으로 보고하고 집계한다

③ 성 경험과 관계없이 만 18세 이상 여성은 조기 검진의 대상이 된다

④ 세포 검사의 주기는 필요에 따라 산부인과 전문의의 판단에 따라 조절될 수 있다

⑤ 연속해서 3번의 결과가 정상이면 2년마다 재검진하도록 권장된다

04

다음 중 비정상 질확대경 검사 소견이 아닌 것은 무엇인가?

① 백색상피 ② 비정형혈관 ③ 백반

④ 요오드음성세포 ⑤ 편평세포 화생

05

72세 여성이 좌측 대음순 부위 1 cm 크기의 종괴를 주소로 내원하였다. 조직 검사에서 침윤 깊이가 0.5 mm이고 침윤성 편평세포암이었고, 림프절 전이는 없었다. 이 환자의 치료로 가장 적절한 것은 무엇인가?

① 광범위 국소 절제술

② 근치 외음부절제술

③ 근치 외음부절제술 및 동측 림프절 절제술

④ 근치 외음부절제술 및 양측 림프절 절제술

⑤ 동시 항암 방사선 치료

06

39세 여성이 자궁경부 세포검사에서 미확정 비정형 상피세포(ASC-US)소견으로 병원에 왔다. 다음으로 시행할 처치가 아닌 것은 무엇인가?

① 6개월 후 재검사 ② 인유두종 바이러스 검사 ③ 자궁경부 확대 촬영술

④ 질 확대경 검사 ⑤ 자궁경부 국소파괴요법

07

임신력 0-0-0-0인 25세 여성이 질 출혈로 병원에 왔다. 초음파 검사에서 자궁내막이 비정상적으로 두꺼워져 있어 시행한 조직 검사에서 단순 비정형 증식증이 진단되었다. 향후 치료로 적절한 것을 고르시오.

① 3~6개월 후 자궁내막 조직 재검사

② 프로게스틴 경구 요법

③ 자궁절제술

④ 자궁내막 소작술

⑤ GnRH agonist

08

21세 여성이 수일간의 발열과 하복부 통증을 주소로 내원하였다. 이학적 검사 상 하복부에 압통이 있었으며 내진 소견 상 자궁을 움직일 경우 심한 통증을 호소하였다. 내원 시 검사한 초음파에서 우측 난소에 6 cm 크기의 비균질 음영의 종괴가 관찰되었다. 가장 의심되는 진단은 무엇인가?

① 난관 난소 농양 ② 난소 낭종 염전 ③ 유경성 자궁근종

④ 자궁선근증 ⑤ 자궁외 임신 파열

09

52세 여성이 성교 후 질 출혈로 내원하였다. 자궁경부 조직 검사에서 편평세포암으로 진단되었다. 병기 설정을 위해 필요한 검사가 아닌 것은 무엇인가?

① 전신 마취하 내진 ② 흉부 X선 사진 ③ 자기공명영상

④ IVP ⑤ 직장경 검사

10

48세 여성이 성교 후 질 출혈로 내원하였다. 자궁경부 조직 검사 상 편평상피암이었으며 질의 상부 1/3을 침윤하고 있었다. 자궁방 조직의 침윤은 없었으며 수신증이나 림프절의 이상도 관찰되지 않았다. 이 환자의 병기를 고르시오.

① IB1 ② IB2 ③ IIA

④ IIB ⑤ IIIA

11

임신력 2-0-0-2인 35세 여성이 성교 후 질 출혈로 내원하였다. 자궁경부 조직 검사 상 편평상피암이었으며 침윤 깊이는 2 mm, 림프혈관강 침윤이 있었다. 이 환자의 치료를 고르시오.

① Conization

② Modified radical hysterectomy + Pelvic lymphadenectomy

③ Radical hysterectomy + Pelvic lymphadenectomy

④ Extended radical hysterectomy + Pelvic lymphadenectomy

⑤ 동시 항암방사선요법

12

자궁내막암 수술 시 림프절 절제를 통해서 수술적 병기 결정을 해야 하는 경우가 아닌 것을 고르시오.

① 분화도 3일 때

② 자궁외 조직을 침범했을 때

③ 선편평세포암일 때

④ 자궁벽 두께가 3 cm에서 침범 깊이가 1 cm일 때

⑤ 자궁경부를 침범했을 때

13

29세 여성이 외음부 통증으로 병원에 왔다. 병변이 다음과 같을 때 치료를 고르시오.

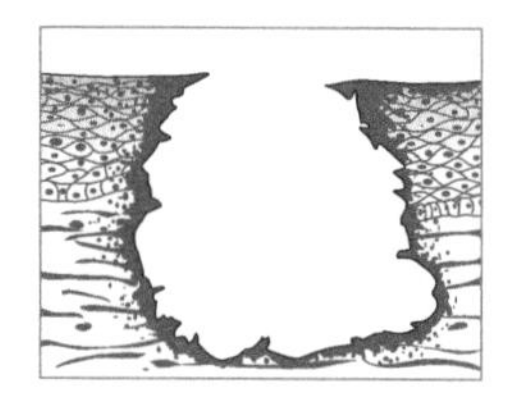

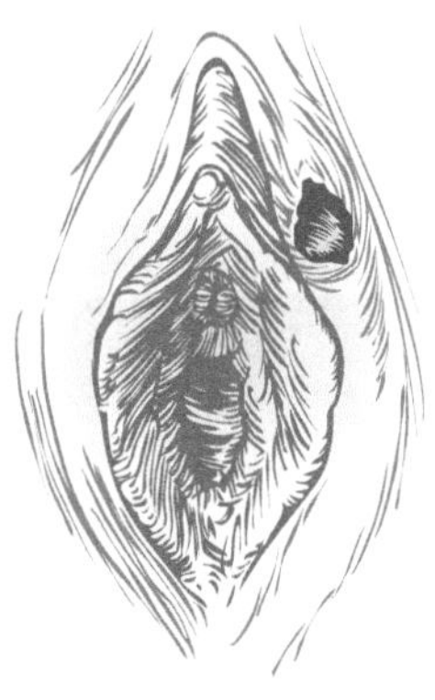

① 스펙티노마이신

② 아지스로마이신

③ 벤자신 페니실린 G

④ 아시클로버

⑤ 메트로니다졸

14

무월경 11주인 21세 여성이 2일간의 오심과 구토, 무통성 질 출혈로 내원하였다. 초음파 검사는 그림과 같았고, 혈청 β-hCG는 166,000 mIU/mL였다. 이 환자의 진단명으로 가장 가능성이 높은 것을 고르시오.

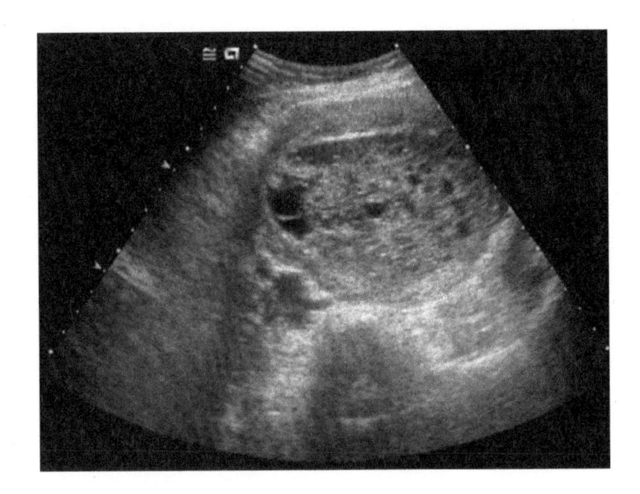

① Spontaneous abortion
② Incomplete abortion
③ Complete hydatidiform mole
④ Incomplete hydatidiform mole
⑤ Normal pregnancy complicated by incompetent cervix

15

위 환자의 초기 치료로 가장 적절한 것은 무엇인가?

① Expectant management, monitoring β-hCG levels
② Suction curettage
③ Combination oral pills
④ Methotrexate therapy
⑤ Hysterectomy

16

한 아이를 둔 34세 여성이 자연 유산 된 후 3주째부터 간헐적 질 출혈과 각혈(hemoptysis)로 병원에 왔다. 진찰에서 자궁이 약간 커져 있고, 질에 약간의 피가 고여 있는 것 외에 특이 사항 없었다. 그러나 흉부 X-선 촬영 결과 여러 개의 결절이 관찰되었고, 혈청 β-hCG 치가 25,000 mIU/mL이었다. 뇌와 복부 CT는 정상이었다. 이 환자에게 가장 적절한 치료 방법은 무엇인가?

① Single agent chemotherapy
② Multiagent chemotherapy
③ Hysterectomy
④ Exploratory laparotomy
⑤ Pelvic radiation therapy

17

분만력이 2-0-0-2인 32세 여성이 질이 꽉 차는 느낌과 간혹 있는 급뇨 증상으로 왔다. 이 증상은 3개월 전의 분만 직후부터 시작되어 운동할 때 더 심했으나 요실금이나 변실금은 없었고, 진찰 소견은 그림과 같았다. 다음으로 할 것은 무엇인가?

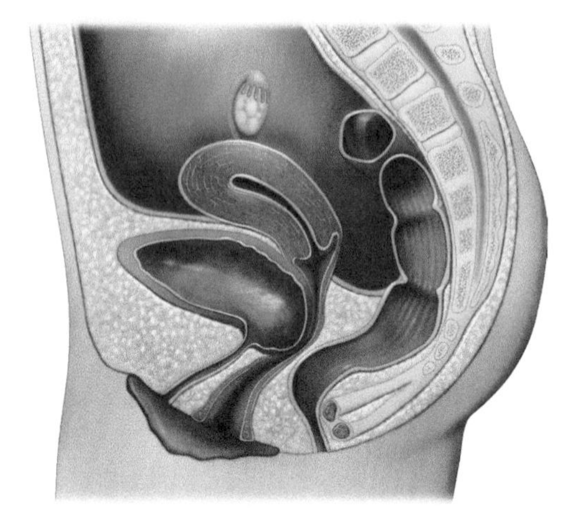

① Estrogen therapy
② Kegel exercise
③ Pessary
④ Colpocleisis
⑤ Anterior repair

18

아기를 낳은 적이 없는 61세 여성이 정기 검진을 위해 왔다. 건강 상태는 좋았으나 약 2개월 전부터 복부 불쾌감이 있다고 하였다. 진찰 상 좌측 부속기가 4 cm 정도로 커져 있으나 모양은 둥글고 잘 움직였다. 정밀한 검사가 필요한 이유로 적당한 것은 무엇인가?

① Unilateral mass
② Mobile mass
③ Round mass
④ Smooth cul-de sac
⑤ Postmenopausal age

19

54세 여성이 좌측 난소가 커져서 자궁절제술과 양측 자궁부속기 절제술을 받았다. 수술 중 행한 검사에서 골반 기관과 림프절, 장, 대망막, 횡격막 등에는 이상 소견이 없었으나 복강 세척 검사가 양성이었다. 이 환자의 병기는 무엇인가?

① IA
② IB
③ IC
④ IIB
⑤ IIIC

20

44세 여성이 직경 30 cm 되는 난소 종양으로 병원에 왔다. 초음파 검사 소견은 그림과 같다. 가장 가능성이 있는 진단은 무엇인가?

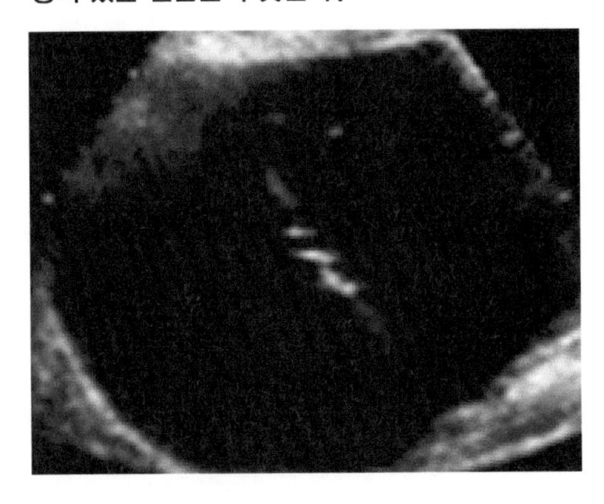

① Serous cystadenoma

② Dermoid cyst

③ Mucinous cystadenoma

④ Brenner tumor

⑤ Endodermal sinus tumor

21

15세 여아가 간헐적인 복통이 심해져 왔다. 초음파 검사에서 8 cm 난소 종양이 보였고, 도플러 검사에서 꼬임은 없는 것 같았다. CT 소견이 다음과 같다면 의심되는 질환과 종양 표지자는?

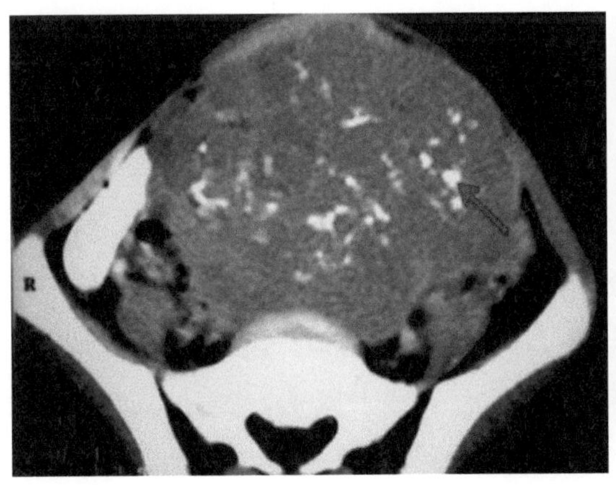

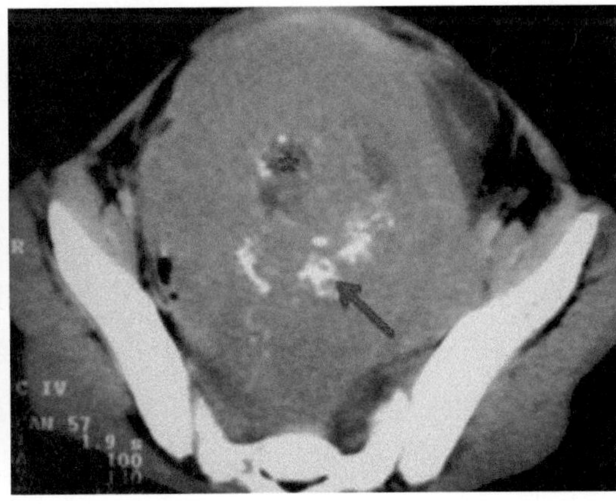

① Choriocarcinoma and LDH

② Endodermal sinus tumor and CA-125

③ Immature teratoma and hCG

④ Embryonal carcinoma and hCG and αFP

⑤ Dysgerminoma and αFP

22

아래의 그래프는 정상 월경 주기에 따른 호르몬치의 변화이다. 이중 난포로부터 난자가 배란 되는데 직접적으로 영향을 주는 호르몬과 수정란의 착상에 적합한 자궁 환경을 형성하고 임신을 유지하는데 가장 중요한 역할을 하는 호르몬을 순서대로 고르시오.

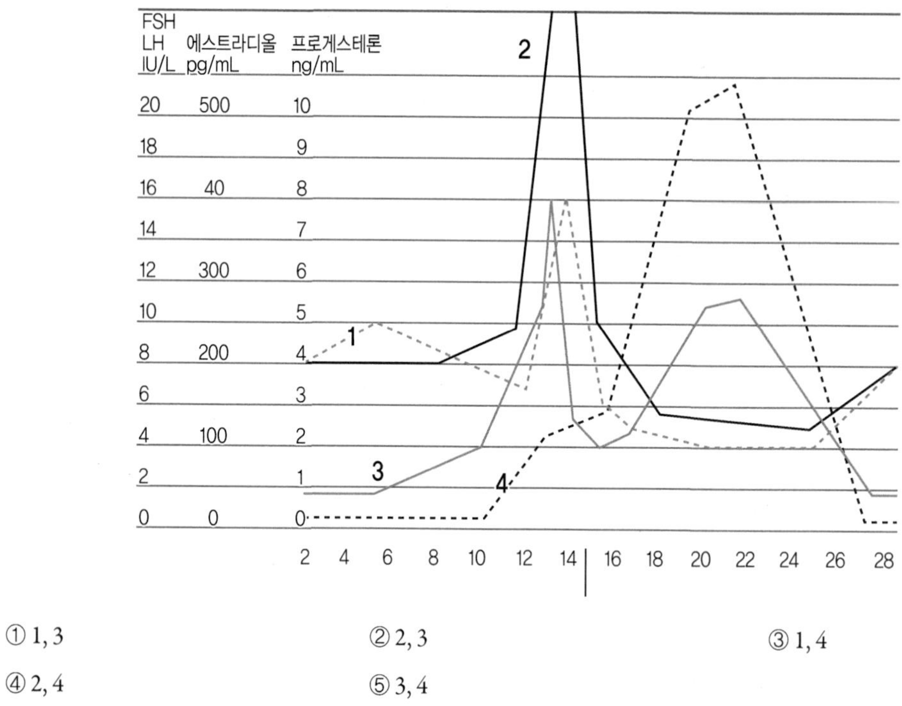

① 1, 3 ② 2, 3 ③ 1, 4

④ 2, 4 ⑤ 3, 4

23

41세 여성이 4주 전부터 시작된 출혈을 주소로 내원하였다. 최근 월경은 불규칙적이었으며 체중은 71 kg, 키는 162 cm 였다. 이 여성에 대한 진단과 치료에 대한 설명 중 맞는 것은 무엇인가?

① 많은 경우 기능성 자궁 출혈로 난포 호르몬 소퇴성 출혈(estrogen withdrawal bleeding)이다

② 임신의 가능성은 낮기 때문에 임신검사는 필요 없다

③ 자궁근종, 자궁선근증, 자궁내막 용종에 대한 검사로 CT를 시행한다

④ 자궁내막의 악성 종양, 자궁내막 증식증의 유무를 확인하기 위해 자궁내막 조직 검사를 시행한다

⑤ 대부분의 경우 자궁내막 소파술과 같은 수술 적 치료가 필요하다

24

임신력 1-0-0-1인 31세 여성이 2년 전부터 월경통이 심해졌다고 하여 내원하였다. 월경통은 월경 시작과 함께 발생하여 월경이 끝날 때까지 지속되었다. 골반 진찰 상 자궁은 전체적 커져 있었고 종물은 만져지지 않았으며 운동성에 제한은 없었다. 이 여성의 질 초음파 소견이다. 이 여성에게서 의심되는 질환에 대한 설명으로 맞는 것은 무엇인가?

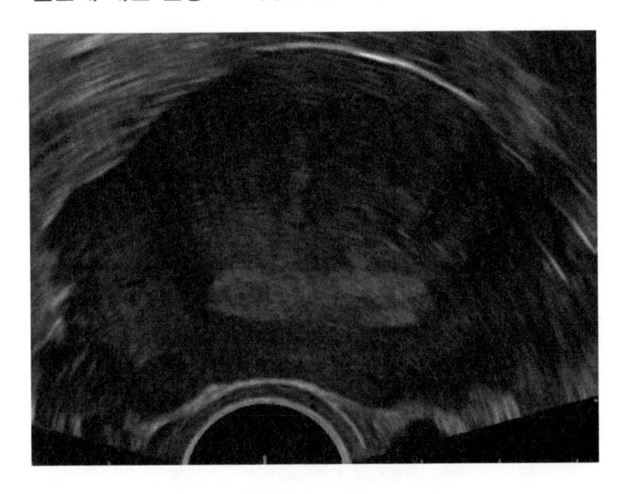

① 원발성 월경통(primary dysmenorrheal)이다

② 이러한 형태의 자궁을 갖는 모든 여성에서 월경통이 발생한다

③ 내과적 치료로 비스테로이드 소염제, 경구피임약, 에스트로겐 제제를 사용한다

④ 내과적 치료로 생식샘자극 호르몬 분비호르몬 효능제(gonadotropoin releasing hormone agonist)를 사용할 수 있으며 치료 중단 후에 재발할 수 있다

⑤ 향후 임신계획과 상관없이 수술적 치료를 해야 한다

25

35세 여성이 성폭력을 당했다고 하여 응급실에 내원하였다. 이 여성에 대한 예방적 치료로 맞지 않는 것은 무엇인가?

① 응급 피임약을 처방하였다

② 임질을 예방하기 위해 ceftriaxone 125 mg을 근주하였다

③ 클라미디아 감염을 예방하기 위해 azithromycin 1 g을 1회 경구 투여하였다

④ 트리코모나스 감염을 예방하기 위해 metronidazole 2 g을 1회 경구 투여하였다

⑤ B형 간염을 예방하기 위해 B형 간염 면역 글로블린을 주사하였다.

26

임신력 0-0-0-0인 24세 여성이 3개월 동안 월경이 없다고 하여 내원하였다. 초경은 11세 있었으며 정상적인 여성형 체형이었고 월경은 3개월 전까지 28일 주기로 규칙적이었다. 이 여성의 진단 과정에 필요한 검사로 가장 먼 것은 무엇인가?

① 요중 hCG ② 혈중 TSH ③ 혈중 Prolactin
④ 혈중 FSH ⑤ 혈중 프로게스테론

27

18세 여성이 6개월 간 월경이 없다고 하여 내원 하였다. 초경은 9세에 있었고 이후 월경은 불규칙하게 1년에 6회 정도 있어왔다. 키는 164 cm, 몸무게는 65 kg 였고 Waist/Hip ratio는 0.91이었다. 소변 임신 반응 검사 상 음성이었으며 경직장 초음파 소견은 다음과 같았다. 이 여성에게 가장 먼저 시도해야 할 치료법은 무엇인가?

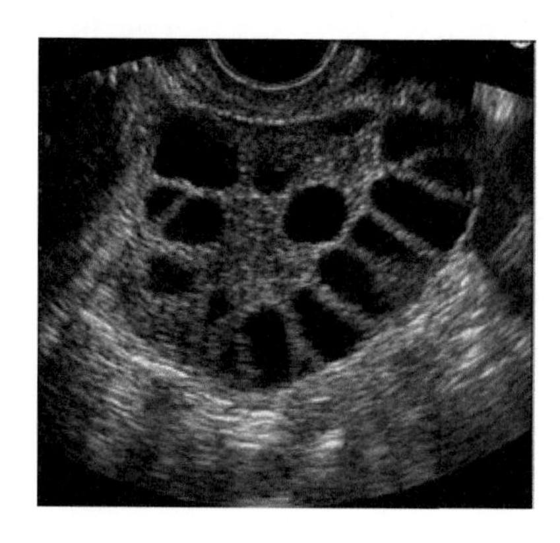

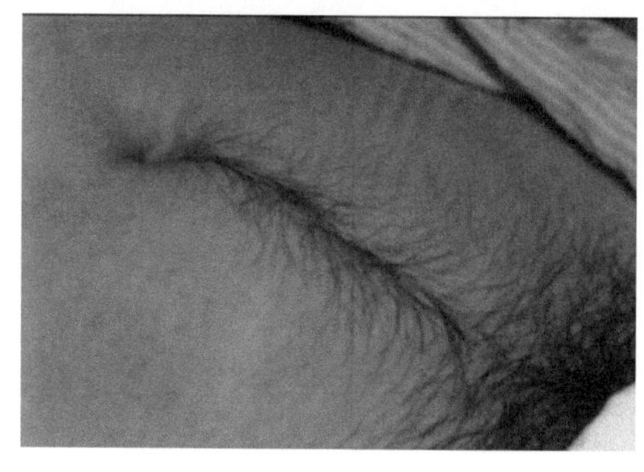

① 체중 감량 ② 경구 피임약 ③ 클로미펜
④ Spironolactone ⑤ Metformin

28

24세 여성이 3일 전부터 시작된 좌하복부의 복통과 발열 오한을 주소로 응급실에 내원하였다. 내원 당시 혈압은 110/70 mmHg, 맥박 78회, 체온 39.2℃였다. 부인과 진찰 상 자궁과 자궁부속기에 전반적인 압통이 있었으며 자궁경부 운동성 누름통증(cervical motion tenderness)소견이 있었으며 초음파 상 좌측 자궁부속기에 다음과 같은 소견이 보였다. 이 여성의 치료에 대해 맞는 것은 무엇인가?

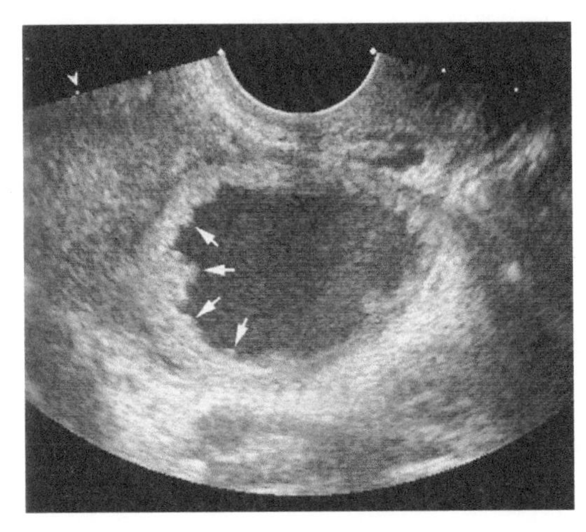

① 정상 질내 세균주가 이질환은 흔한 원인이다

② 만성 골반통, 불임과 관련되지만 자궁외 임신은 일으키지 않는다

③ 골반통, 자궁경부 운동성 누름 통증 및 자궁부속기 누름 통증, 발열이 진단의 필수 조건이다

④ 입원 치료를 해야 하는 기준에 속한다

⑤ 즉시 수술을 해야 한다

29

임신력 0-0-0-0인 27세 미혼 여성이 일주일간 지속되는 질 출혈을 주소로 내원하였다. 월경력상 LMP는 7주 전이었고 월경은 불규칙하였다. 진찰상 좌측 자궁부속기에 약한 압통이 있었으며 소변 임신반응 검사 상 양성이었다. 이 여성의 감별 진단을 위한 검사로 적절치 않은 것은 무엇인가?

① 초음파 검사를 시행하여 임신낭이 보이는지 확인한다

② 혈청 β-hCG를 72시간 간격으로 측정했을 때 66%이상 상승하면 정상 임신의 가능성이 높다

③ 초음파에서 임신낭이 보이지 않는 경우 혈중 β-hCG를 측정하여 초음파 판독에 참고한다

④ 혈중 프로게스테론 측정도 정상 혹은 비정상 임신을 선별하기 위한 검사로 사용될 수 있다

⑤ 혈액 검사 상 정상적인 자궁내 임신이 아니라고 판단되지만 초음파로 임신낭을 확인 할 수 없을 때, 절박유산, 불완전유산, 자궁외임신을 감별하기 위해 자궁소파술을 시행한다

30

임신력 0-0-3-0인 31세 여성이 임신 상담을 위해 내원하였다. 이전 유산은 3번 연속으로 초음파 상 임신낭이 확인 되었으나 자연 유산되었다. 이 여성에 대한 검사로 적절치 않은 것은 무엇인가?

① 남성에서는 염색체 이상의 빈도가 낮기 때문에 염색체 이상에 대한 검사는 여성만 한다
② 자궁의 해부학적 이상에 대한 초음파 검사를 하고 진단이 불분명하면 MRI를 시행할 수 있다
③ 루프스 항응고인자(lupus anticoagulant), 카디오리핀 항체(anticardiolipin antibody) 측정을 한다
④ 유전적 혈전성향증(inherited thrombophilia)에 대한 검사도 필요에 따라 시행할 수 있다
⑤ 갑상선 질환 유무에 대해 갑상선 기능 검사를 실시한다

31

52세 여성이 얼굴이 자주 달아오른다고 하여 산부인과에 내원하였다. 월경은 1년 전 중단 되었다. 이 여성의 증상 완화에 가장 좋은 치료제는 무엇인가?

① 에스트로겐(Estrogen) ② 프로게스틴(Progestins) ③ 클로니딘(Clonidine)
④ 선택적 세로토닌 재흡수 억제제(Selective serotonin reuptake inhibitor)
⑤ 가바펜틴(Garbapentin)

32

39세 여성이 불임 상담 후 자궁난관 조영술을 시행하였다. 이 여성의 임신을 위해 선택할 수 있는 가장 좋은 방법은 무엇인가?

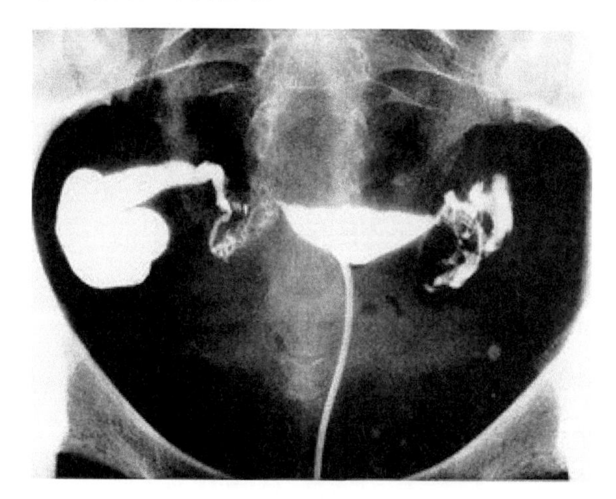

① 클로미펜을 이용한 배란 유도
② 성선자극호르몬(Gonadotropin)을 이용한 배란 유도
③ 인공수정(Artificial insemination)
④ 체외수정 및 자궁강내 배아 이식(IVF-ET)
⑤ 복강경 수술

33

임신력 0-0-0-0인 26세 여성이 결혼한지 2년이 되었는데 임신이 되지 않는다고 하여 내원하였다. LMP는 6개월 전이었고 3년 전부터 체중 감량을 하면서 월경이 불규칙 해졌다고 한다. 이학적 검사 상 이상 소견은 없었고 현재 키는 165 cm, 몸무게는 41 kg였다. 이 여성의 호르몬 검사와 자궁난관 조영술 사진이다. 이 여성의 임신을 위해 가장 먼저 시도할 수 있는 방법은 무엇인가?

- FSH	3.0 IU/L
- LH	2.4 IU/L
- TSH	2.1 μIU/mL
- Prolactin	11.3 ng/mL
- Estradiol	10 pg/mL

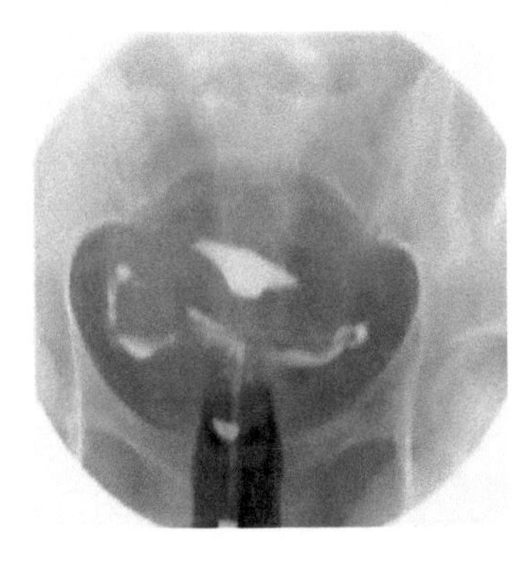

① 체중 감량
② 클로미펜
③ 성선자극호르몬
④ 인슐린반응개선제
⑤ Aromatase inhibitor

34

임신력 0-0-0-0인 22세 여성이 3년 전부터 발생한 골반통을 주소로 내원하였다. LMP는 2주 전으로 규칙적이었고 월경통이 심하였으며 월경량은 정상이었다. 골반 진찰 상 더글라스와에 결절이 만져졌으며 압통을 느꼈으며 자궁의 움직임은 제한적이었다. 이 여성의 골반 초음파가 아래와 같다면 가장 의심되는 질환은 무엇인가?

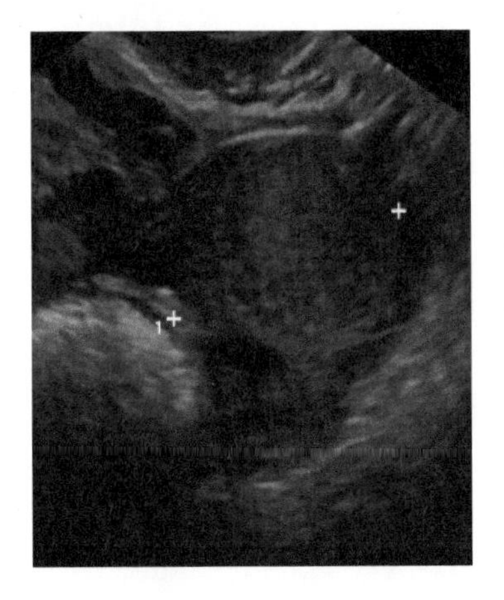

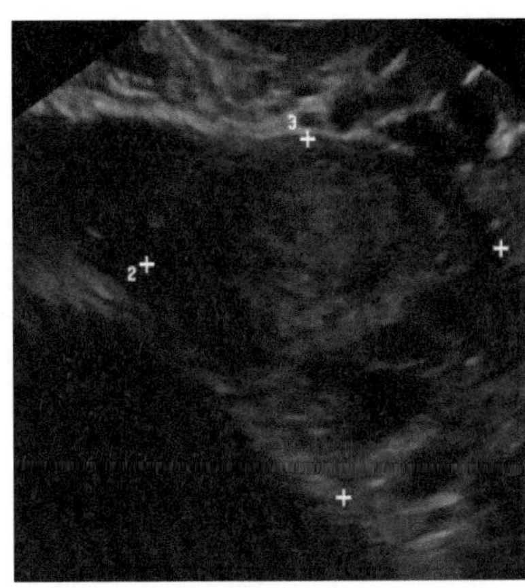

① 골반 농양
② 자궁근종
③ 자궁선근증
④ 자궁 내막증
⑤ 난소 기형

35

임신 중 비교적 안전하게 사용할 수 있는 약물은 무엇인가?

① Warfarin ② ACE inhibitors ③ Isotretinoin
④ Prednisolone ⑤ MTX

36

임신력 1-0-1-1인 41세 임신 26주 여성의 태아 초음파이다. 이 환자에 대한 내용으로 옳은 것은 무엇인가?

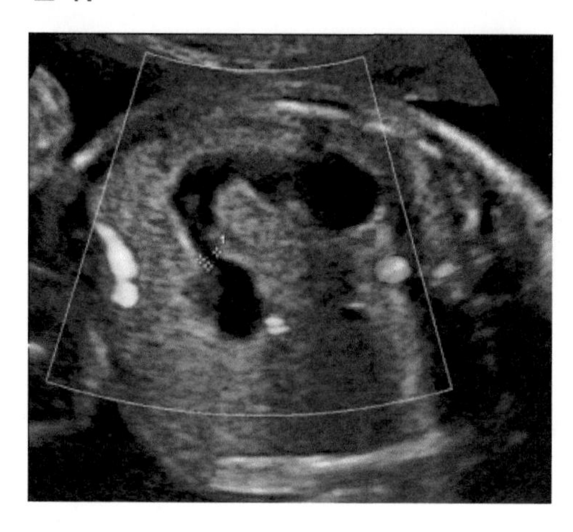

① 임신 20주면 진단된다
② 염색체 검사가 필요하다
③ 이상 부위는 하부소장과 대장이다
④ 양수 과소증이 동반된다
⑤ 동반 기형은 10% 미만이다

37

임신 17주인 25세 산모의 혈청 알파태아단백이 정상의 3배로 나왔다. 다음 처치로 올바른 것을 고르시오.

① 혈청 AFP 재검
② 양수천자 검사
③ 태아 초음파 검사
④ 혈청 아세틸콜린에스터라제 검사
⑤ 임신 종결

38

임신력 2-0-3-2인 35세 여성이 임신 31주에 발생한 질 출혈을 주소로 내원하였다. 이전 2회 제왕절개 분만 이외에는 특이 소견이 없었다. 질식 초음파가 아래와 같다면 이 환자에 대한 내용으로 맞는 것을 고르시오.

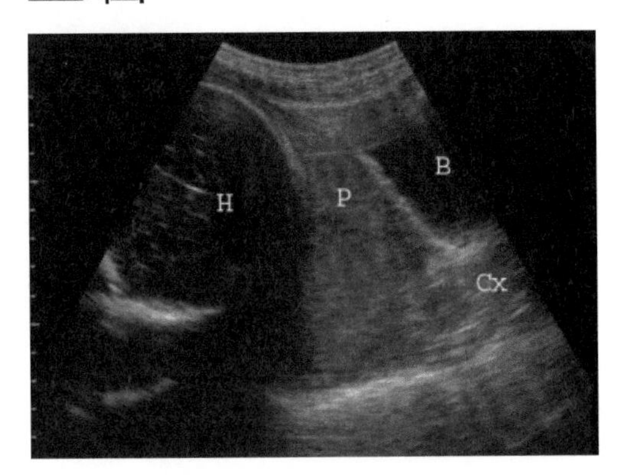

① 임신 20주경 진단된다
② 고혈압과 관계가 있다
③ 태아 출혈을 유발한다
④ 출혈이 멎으면 만삭 질식 분만 한다
⑤ 다음 임신에서 재발 가능성은 낮다

39

다음 검사의 적응증으로 옳지 않은 것은 무엇인가?

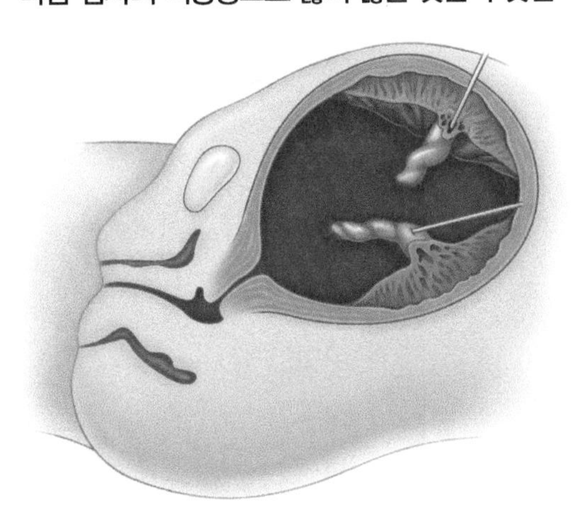

① 태아 풍진 감염 진단
② 태아 염색체 검사
③ 태아 빈혈 진단
④ 혈우병 진단
⑤ 태아 폐성숙(L/S ratio)확인

40

다음 사진에 대한 설명으로 옳은 것을 고르시오.

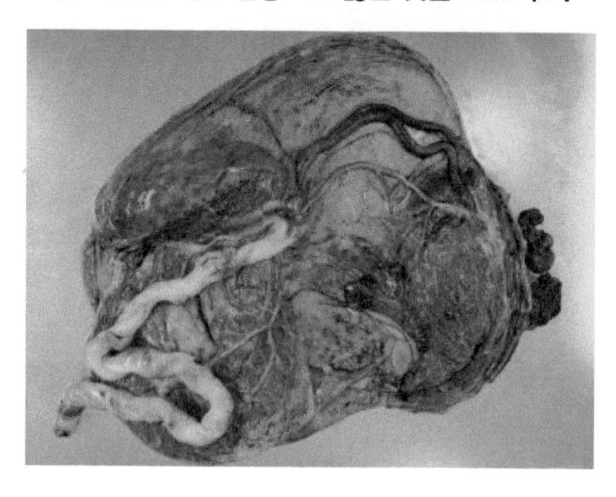

① 산후 출혈을 초래한다
② 전치혈관(vasa previa)이다
③ 거대아와 관련이 있다
④ 다태아에서 호발한다
⑤ 태아 기형과 무관하다

41

무월경 7주 산모가 HBsAg/HBeAg(+/+)로 확인 되었다. 이 산모에 대한 올바른 처치는 무엇인가?

① 항바이러스제를 투여한다
② 3개월마다 간기능 검사를 시행한다
③ 태아 감염을 줄이기 위해 제왕절개한다
④ 분만 직후 HBV 면역글로블린과 백신을 투여한다
⑤ 모유 수유는 금기이다

42

초음파 상 양수량(AFI)이 32 cm로 확인되었다면 가능한 원인이 아닌 것은 무엇인가?

① 무뇌아
② 프로스타글란딘 억제제 투여
③ 당뇨
④ 태아수종
⑤ 다태 임신

43

산욕기 감염의 가장 중요한 위험 인자는 무엇인가?

① 침습적 태아 감시
② 오랜 진통
③ 양수 파막
④ 제왕절개 분만
⑤ 태변 착색 양수

44

특별한 내과력이 없는 28세 임신 27주 산모의 검사 결과가 다음과 같을 때, 이 산모의 임신 예후에 대한 내용으로 옳은 것은 무엇인가?

- 50 g 경구 당부하 검사 : 145 mg/dL
- 100 g 경구 당부하 검사 : 100 – 197 – 160 – 148 mg/dL

① 거대아 증가
② 지연 임신 증가
③ 원인불명 사산 증가
④ 임신성 고혈압 증가
⑤ 태아 기형 증가

45

임신 주 6주 초음파이다. 이에 대한 내용으로 옳은 것은 무엇인가?

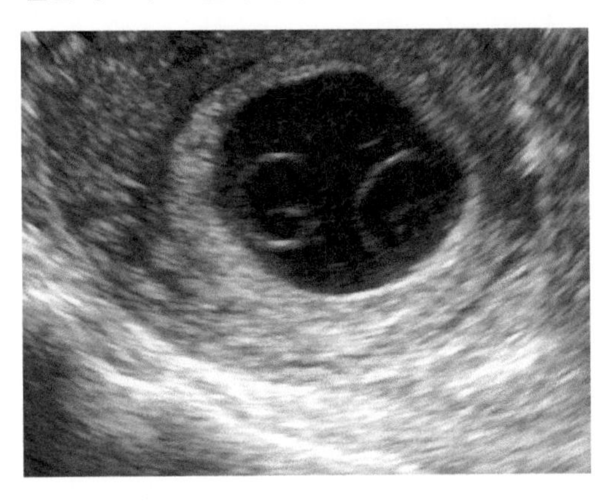

① 이란성 쌍태아이다
② 이융모막 쌍태이다
③ 염색체는 같다
④ Twin peak sign과 관계 있다
⑤ Twin to twin transfusion syndrome과 관계 있다

46

임신 14주 산모가 수일 전 발생한 우하복통으로 왔다. 37.8℃의 열, 백혈구 증가와 우하복부 압통을 보였다. 초음파 결과가 다음과 같다면 이 산모의 향후 처치로 올바른 것을 고르시오.

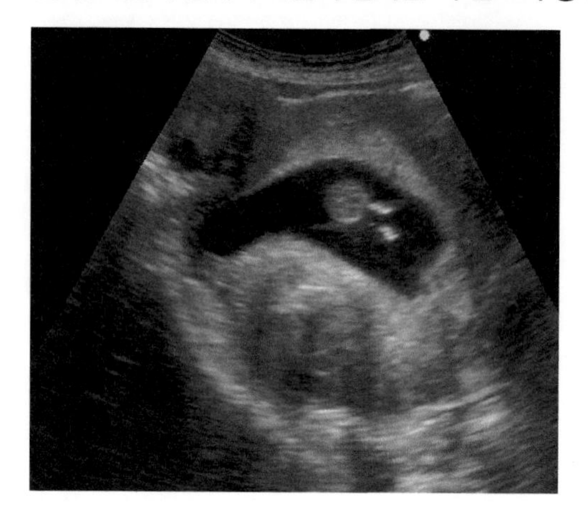

① 진통제 투여
② 항생제 투여
③ 충수돌기 절제술
④ 자궁근종 절제술
⑤ 자궁경부 원형 결찰술

47

임신 34주인 32세 초임부가 양수가 감소하여 내원하였다. 초음파에서 태아는 두위로 34주 크기였고 초음파 상 관찰되는 태아의 이상 소견은 없었다. 생물리계수는 태아긴장도 2점, 태아호흡운동 2점, 태아운동 2점이었고 태아의 양수지표 검사는 0, 3, 1, 2 cm이었다. 비수축검사상(Non-stress test)상 reactive 하였다. 이 산모의 처치로 맞는 것은 무엇인가?

① 1주 후에 추적 관찰한다.
② 즉시 유도 분만을 한다
③ 즉시 제왕절개로 분만을 한다
④ 수축검사(Stress test)를 시행한다
⑤ Indomethacin을 투여한다

48

임신 42주 초산모가 진찰을 위해 내원하였다. 초음파에서 두위, 태아 예상 체중은 3,800 g, 양수지표는 1, 1, 0, 1 cm, 생물리계수는 10점 만점에 8점이었다. 이 여성의 처치로 맞는 것은 무엇인가?

① 당일에 다시 검사
② 24시간 후에 재검사
③ 1주 후 검사
④ 유도 분만
⑤ 제왕절개 분만

49

임신 38주 초산모가 최근 일주일간 체중 증가와 부종으로 내원하였다. 혈압은 180/110 mmHg이었고, 단백뇨가 (++)이었다. 초음파에서 태아 예상체중은 3,120 g, 두위, 양수지표검사는 9 cm 였다. 비수축검사 상 reactive하였다. 이 산모에서 향후의 치료에 영향을 미치는 요인으로서 아닌 것은 무엇인가?

① 임신 주수　② 자궁경부의 상태　③ 혈압의 상태
④ 부종의 정도　⑤ 비수축검사 결과

50

임신력 0-1-1-1인 33세 임신 29주 산모가 수일전부터 시작된 하복통으로 내원하였다. 진찰에서 자궁경부 개대 2 cm, 소실 90%이고 NST는 다음과 같았다. 이 산모에 대한 향후 처치로 옳은 것을 고르시오.

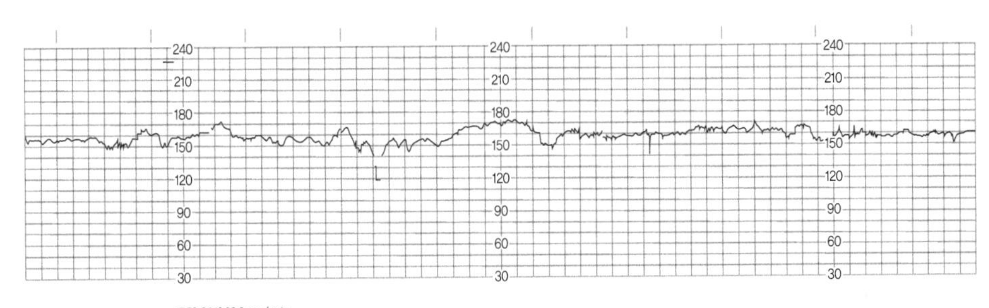

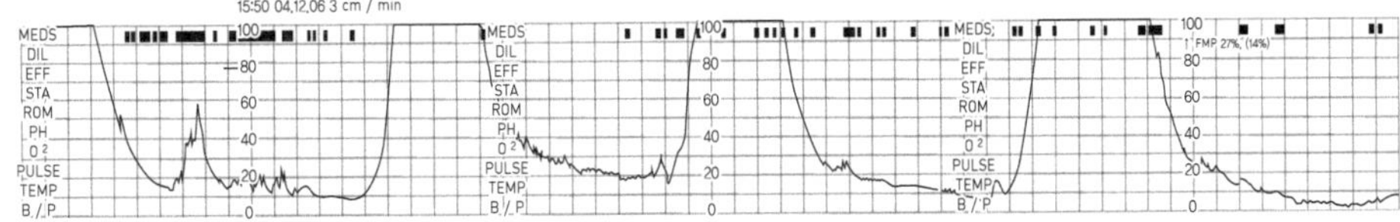

① 항생제 사용이 필수
② Betamethasone은 금기
③ Calcium channel blocker의 적응증
④ 수액 치료가 도움이 된다
⑤ 제왕절개가 조산에서 유리

51

임신 42주인 25세 초산모가 10시간의 진통과 흡입 분만으로 4,200 g의 태아를 분만하였다. 태반이 잘 떨어지지 않아 manual delivery를 시행하였다. 태반 만출 후 다량의 선홍색 질 출혈이 확인되며 산모의 혈압이 떨어지기 시작했다. 원인을 찾기 위한 적절한 처치는 무엇인가?

① 자궁경부 열상을 촉진으로 확인

② 자궁 내 잔류 태반을 초음파로 확인

③ 복벽을 통해 자궁수축 정도 확인

④ 자궁수축을 위해 oxytocin을 빠르게 정주(IV injection)

⑤ 혈관 내 용적 증가를 위해 수혈 시작

52

27세 초산모가 임신 14주에 정기 산전 진찰을 위해 내원하였다. 내과적, 외과적인 병력은 없고, 신체검사 결과 정상, 자궁 크기는 임신 주수에 합당하였다. 한달 전에 시행한 기초 선별 검사결과 HBsAg(+), HBeAg(+), 간기능 검사 정상이었다. 이 산모의 신생아에서 B형 간염의 예방을 위해 신생아에게 HBIG(hepatitis B immune globulin)을 투여함과 동시에 가장 효과적인 방법은 무엇인가?

① 모체로부터 격리

② HBIG을 모체에게 투여

③ 만삭에 제왕절개술 시행

④ Interferon을 모체에게 투여

⑤ HB vaccine을 신생아에게 투여

53

임신 32주인 22세 초산모가 내원하였다. 산모는 내과력에 특이 소견이 없었다고 하였다. 다음 신체검사 결과 심한 심장 질환과 연관되는 소견은 무엇인가?

① Midsystolic click

② Third heart sound

③ Second heart sound의 분리

④ Cardiac apex 에서 diastolic murmur

⑤ Left sternal border에서 grade II/VI systolic murmur

54

28세, gravida 1인 임신 37주 4일 산모가 내원하였다. 임신 주수는 최종 월경일과 임신 일삼분기에 시행한 초음파 소견으로 추정했다. 혈압은 정상이었고 특별한 불편 증상의 호소는 없었으나 산모는 유도분만을 원했다. 신체 검사 결과 자궁의 높이는 임신 주수에 합당하고, 자궁경부는 1 cm 개대, 50% 소실, 딱딱하고 뒤쪽에 위치, 아두의 하강도는 −2 였다. 가장 적절한 처치는 무엇인가?

① 자궁경부를 숙화 시킨다

② 유도분만 시행한다

③ 양막을 탈락막으로부터 박리시킨다

④ 폐성숙을 측정하기 위해 양수천자를 시행한다

⑤ 일주일 후에 정기 산전 진찰 시행한다

55

32세, gravida 1, para 0인 산모에서 임신 16주에 시행한 모체혈청표지물질검사(사중검사) 결과 다운증후군의 위험도는 1/1,000 이다. 곧 시행한 초음파검사 결과 태아계측치는 임신 주수와 합당하고 양수양은 적당하나 왼쪽 심실에 echogenic focus가 보였다. 가장 적당한 관리는?

① 양수천자 시행한다

② 태아심장초음파 시행한다

③ 한달 후 초음파를 시행한다

④ 사중검사를 반복 시행한다

⑤ 더 이상의 검사가 필요없다

56

Gravida 2, para 0인 26세 만삭의 산모가 3시간 동안 힘준 후 자궁경부 완전 개대, 태아 아두 하강도 +2, 태향은 OA(occiput anterior)가 되었다. 산모가 지쳐 진공 흡입 분만을 시행하였다. 20분 시행하는 동안 진공 흡입컵이 세 번 떨어졌고 하강도는 +3이다. 태아심박동 전자감시 결과 안심할 수 있는 상태이다. 이 시점에서 가장 적당한 다음 단계 처치는 무엇인가?

① 흡입 압력을 높인다

② 겸자 분만 시도한다

③ 응급 제왕절개술 시행한다

④ 흡입컵을 큰 것으로 바꾼다

⑤ 흡입컵을 더 뒤쪽에 위치시킨다

57

Gravida 1, para 1인 30세 산모가 중증 전자간증으로 유도 분만을 시행하여 방금 분만하였다. 20시간 동안 유도 분만을 시행했다. 분만 후 선홍색의 질 출혈이 심해서 회음부, 질, 자궁경부를 관찰한 결과 열상은 심하지 않고 자궁은 두부같이 흐물거린다. 이 시점에서 가장 먼저 시행해야 되는 것은 무엇인가?

① 응고인자를 검사한다

② 자궁마사지를 시작한다

③ 정맥으로 옥시토신을 투여한다

④ 응급으로 자궁적축술을 시행한다

⑤ 근육으로 에르고노빈(메덜진)을 투여한다

58

Gravida 1, para 0인 28세 임신 41주 산모가 하복통과 5시간 전부터 흘러 나오는 물 같은 분비물을 주소로 내원하였다. 진찰 결과 양막이 파막되고, 자궁경부 7 cm 개대, 완전 소실, 하강도는 0였다. 태아의 발이 자궁의 입구에서 만져졌다. 수술 전 검사에는 특이 소견은 없었다. 응급으로 제왕절개술을 시행할 때 가장 적당한 마취 방법은 무엇인가?

① 국소 마취(local anesthesia)

② 척수 마취(spinal anesthesia)

③ 전신 마취(general anesthesia)

④ 경막외 마취epidural anesthesia)

⑤ 음부신경 차단(pudendal nerve block)

59

Gravida 2, para 1인 26세 임신 34주 산모가 교통 사고로 응급실에 왔다. 의식은 명료하고 혈압은 70/40 mmHg, 맥박 분당 118회, 체온은 정상, 산소 포화도는 98%, 폐 청진 결과 깨끗했다. 진찰 결과 오른쪽 대퇴골 골절(non-open fracture). 태아전자감시 결과 태아 심박동은 분당 120회이다. 이 시점에 가장 먼저 시행해야 되는 것은 무엇인가?

① 골절을 교정한다

② 응급 제왕절개술을 시행한다

③ 산모 상태를 안정화시킨다

④ 관을 통해 코에 산소 투여한다

⑤ 모체-태아사이 출혈이 있는지 검사한다

60

Gravida 3, para 2인 33세 산모가 내원하였다. 이전 두번의 임신은 특이 소견 없었다. 산전 기본 검사 결과 혈액형이 Rh(−), 항체는 음성이었고, 임신 28주에 시행한 항체 검사 결과 양성이다. 이전 두번의 임신에서 산전, 후에 Rh immune globulin(RhIG)을 투여 받았다. 이 시점에서 가장 중요한 것은 무엇인가?

① 즉시 양수 천자 시행한다

② 즉시 RhIg 300 ug 투여한다

③ 항체가를 측정하여 1:16 이상이면 양수천자 시행한다

④ 태아-모체사이 출혈량을 측정하여 적당량의 RhIg 투여한다

⑤ 분만까지 기다려서 신생아 혈액형이 Rh(−)이면 RhIg을 투여하지 않는다

61

Gravida 3, para 2인 33세 임신 40주 산모가 진통으로 입원하였다. 두번의 임신은 만삭 질식분만 하였고 출생 체중은 4.2 kg, 3.9 kg이였다. 이번 임신 중 임신성 당뇨가 진단되어 식이 요법과 운동 요법으로 관리하였다. 이주 전부터 혈압이 140/90 mmHg였다. 임신 전 체중 79 kg, 신장 155 cm, 체중 증가는 11 kg, 태아 예상 체중은 4.0 kg가 넘었다. 이 산모에서 견갑 난산의 위험 요소가 아닌 것은 무엇인가?

① 혈압 상승
② 임신성 당뇨
③ 모체 비만도
④ 태아 예상 체중
⑤ 이전 임신의 출생 체중

62

임신 32주 산모가 진찰 결과 자궁 높이가 36 cm여서 산전 진찰 카드를 살펴보니 임신 24주에 25 cm, 임신 28주에 31 cm 이었다. 임신 전 몸무게는 102 kg, 임신 중 체중 증가는 15 kg 이었다. 다른 검사는 정상이었다면 이 산모에게 가장 먼저 해야 되는 것은 무엇인가?

① 이주 후에 정기 산전 검사 시행한다

② 경구 당부하검사(50 g OGTT)를 다시 시행한다

③ 산모의 비만과 과도한 몸무게의 증가로 자궁 높이가 증가하였으므로 정상 소견이다

④ 자궁 높이는 산모의 비만과 몸무게 증가 때문이므로 일주일 후 자궁 높이를 다시 측정하고 영양에 대해 진료 의뢰한다

⑤ 산모의 비만과 과도한 체중 증가로 태아가 커질 수 있으므로 태아 성장 정도를 초음파로 측정한다

63

Gravida 2, para 1인 31세 임신 16주 산모가 내원하였다. 지난 임신 중 임신성 당뇨가 합병됐고, 태아는 Klinefelter syndrome(47, XXY)이었다. 산모는 위 역류로 1년 정도 omeprazole을 복용하였다. 가족력으로 친정 아버님이 뇌졸증으로 67세에 사망하였다. 이 산모에서 양수 천자를 꼭 해야 하는 적응증은 무엇인가?

① 나이　② 약물 복용력　③ 임신성 당뇨의 기왕력
④ 심혈관 질환의 가족력　⑤ 염색체 이상아의 분만력

64

Gravida 2, para 1인 30세 임신 37주 산모가 3시간 전에 양막이 파열되어 내원하였다. 내진 결과 자궁경부 3 cm 개대, 40~50 % 소실, 하강도는 –3이다. 태아심박동 전자감시는 정상이다. 옥시토신으로 유도분만을 시행하였고, 시행 40분 후에 태아심박동 자궁수축 전자감시는 아래와 같았다. 진단으로 가장 적절한 것을 고르시오.

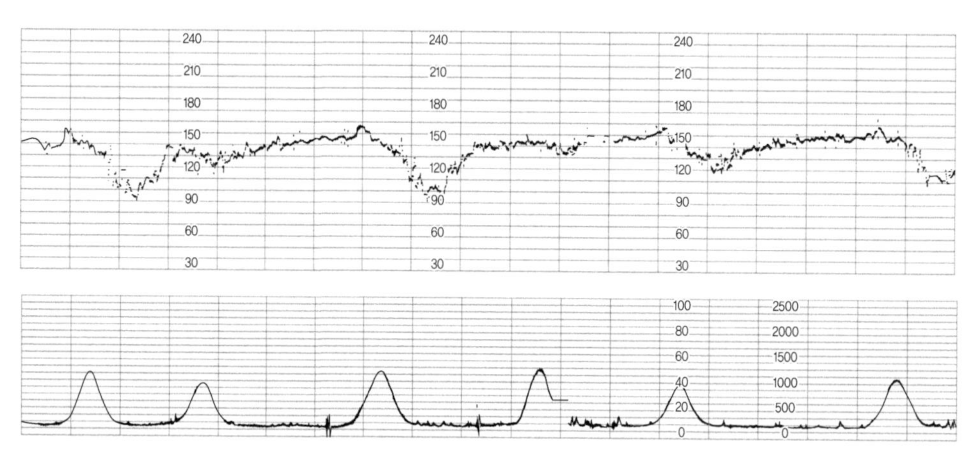

① 태아 서맥
② 정형곡선 태아 심박동
③ 조기 태아 심박동 감소
④ 만기 태아 심박동 감소
⑤ 다양성 태아 심박동 감소

65

Gravida 2, para1인 35세 임신 39주 산모가 진통이 있어 입원하였다. 자궁경부 4 cm 개대, 70~80 % 소실, 하강도는 0이다. 진통은 3분 간격, 태아 심박동은 안심할 수 있는 상태이다. 무통분만을 위해 경막외 마취를 시행하였다. 지난번 임신은 8~9 cm 개대 시 제왕절개술 시행했다. 1시간 후 진행되지않고 통증은 5~6분간격이어서 옥시토신으로 통증 증강 시도, 통증 증강 2시간 후 자궁경부 6~7 cm 개대, 완전 소실, 하강도는 +1이다. 이때부터 태아 심박동의 감소가 나타나 옥시토신을 중지하고 얼굴 마스크로 산소 투여하며 산모를 왼쪽 옆으로 눕혔다. 30분 후 8 cm 개대, 태아 아두가 쉽게 촉지되지 않고 태아심박동 전자감시는 아래와 같다. 이 시점에서 가장 적당한 처치는 무엇인가?

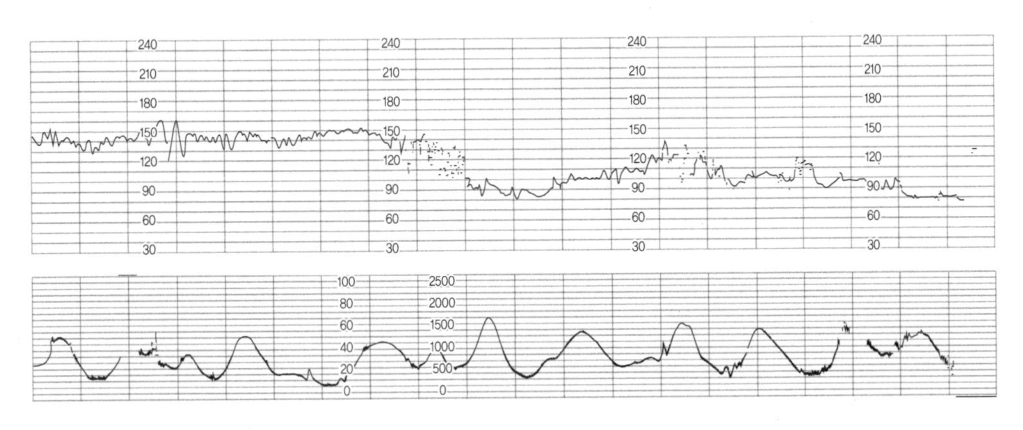

① 기다린다
② 기계분만 시행
③ 태아두피 산도 측정
④ 옥시토신 다시 투여
⑤ 응급 제왕절개술 시행

66

28세 초산모가 진통 10시간 후 자궁경부 9 cm 개대, 완전 소실, 아두의 하강도는 0으로 확인되었다. 하강은 3시간째 정지 상태이며 밀어내기(pushing) 힘을 3시간째 하고 있다. 자궁 수축은 80~100 mmHg의 강도로 2~3분 간격이다. 내진 결과 태아의 태향은 아래와 같았다 이 시점에서 가장 먼저 해야 되는 것은 무엇인가?

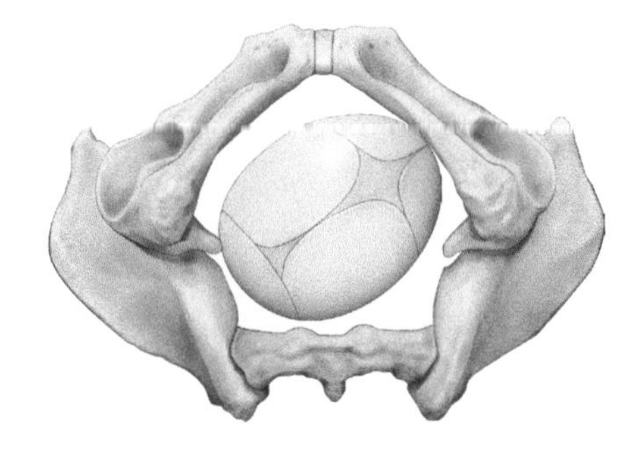

① 기다린다
② 신공 흡입분만 시도한다
③ 응급 제왕절개 시행한다
④ 옥시토신으로 통증 증강시킨다
⑤ 통증 조절을 위해 진통제를 투여한다

67

Gravida 1인 26세 산모가 임신 10주에 계류 유산으로 소파수술을 시행한 후 추적위해 방문 하였다. 산모는 태아가 사망한 원인을 알고 싶어한다. 다음 중 가장 흔한 원인은 무엇인가?

① 염색체 이상

② 자궁강의 이상

③ 자궁경부 무력증

④ Antiphospholipid antibody syndrome

⑤ 환경적, 직업적으로 위험 요소에 노출

68

2주 전 분만한 산모가 열이 38~9℃, 왼쪽 유방에 압통이 있으면서 발적된 피부(3 x 4 cm)를 주소로 내원하였다. 유선염으로 진단되어 경구 항생제를 투여할 예정이다. 산모는 모유 수유에 대해 궁금해 한다. 옳은 설명은 무엇인가?

① 모유를 짜서 버린다

② 모유 수유를 계속한다

③ 모유를 짜서 신생아에게 수유하기 전에 소독한다

④ 모유를 짜지 않으면서 모유 수유를 하지 않고 그대로 둔다

⑤ 모유 수유를 계속하면서 신생아의 감염 예방을 위해 항생제를 투여한다

69

다음은 태아 아두의 만출 시 일어나는 기본 운동이다. 순서가 맞는 것을 고르시오.

① 하강 – 진입 – 내회전 – 신전 – 외회전 – 굴곡 – 만출

② 하강 – 굴곡 – 내회전 – 진입 – 신전 – 외회전 – 만출

③ 진입 – 하강 – 굴곡 – 외회전 – 신전 – 내회전 – 만출

④ 진입 – 하강 – 굴곡 – 외회전 – 신전 – 내회전 – 만출

⑤ 진입 – 신전 – 내회전 – 하강 – 굴곡 – 외회전 – 만출

70

다음 항암제 중 식물성 알칼로이드를 고르시오(2가지)

① Paclitaxel ② Doxorubicin ③ Cisplatin
④ Methotrexate ⑤ Cyclophosphamide ⑥ Carboplatin
⑦ Actinomycin D ⑧ Vincristine

71

다음 난소암 중 생식세포 종양을 고르시오.(3가지)

① Serous cystadenocarcinoma ② Clear cell carcinoma ③ Dysgerminoma
④ Mature teratoma ⑤ Endodermal sinus tumor ⑥ Granulosa cell tumor
⑦ Sertoli-Leydig cell tumor ⑧ Brenner tumor

72~73번. R type

① Sling operation ② Ureteral stent ③ Surgical repair of the tract
④ Artificial sphincter ⑤ Intermittent catheterization ⑥ Antimuscarinics

72

39세 여성이 하루 2~3번 팬티를 적셨다. 소변을 볼 필요를 느끼지만 제때 화장실에 갈 수 없다고 하였다. 이 환자에게 가장 적절한 치료를 고르시오.(1가지)

73

32세 여성이 기침을 하거나 무거운 물건을 들 때 소변을 지린다고 한다. 이 환자에게 가장 적절한 치료를 고르시오.(1가지)

74

보조 생식술에서 과배란 유도 시 난소의 반응을 예상할 수 있는 인자로 생각되는 것을 모두 고르시오.(4가지)

① 나이　② 기저 혈중 FSH 농도　③ 기저 혈중 E2 농도
④ 혈중 인히빈 A 농도　⑤ 클로미펜 부하검사

75

다음과 같은 피임법을 사용해서는 안 되는 경우를 모두 고르시오.(2가지)

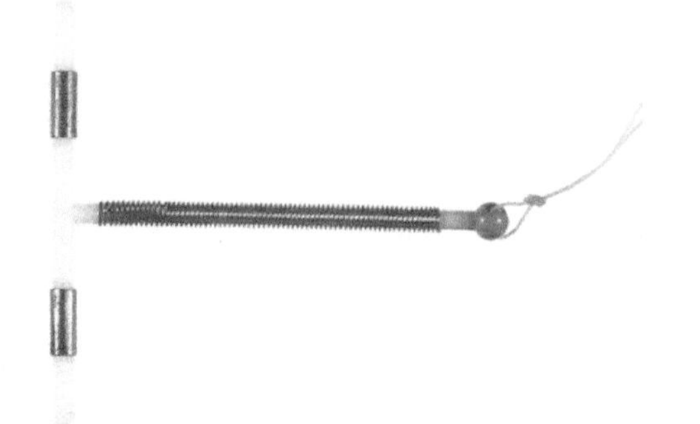

① 관상동맥질환이 있는 경우
② 유방암이 있는 경우
③ 일주일 전에 골반염을 앓았던 경우
④ 당뇨병이 있는 경우
⑤ 2일 전부터 비정상적인 출혈이 있으며 아직 검사를 받지 않은 경우

76

임신 32주 산모가 다음 태아 감시 결과를 보일 수 있는 경우를 모두 고르시오.(3가지)

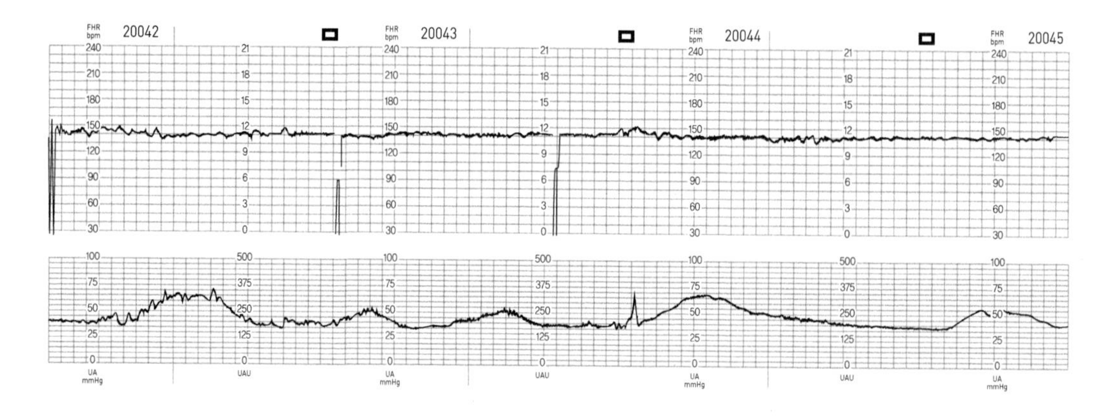

① 태아 곤란　② 태아 빈혈　③ 산모 산혈증
④ 진통제(meperidine)투여　⑤ beta-agonist(ritodrine)투여　⑥ 지연 임신
⑦ 제대 압박

77

침습적 산전 진단의 적응증을 모두 고르시오.(3가지)

① 엄마가 염색체 전위(chromosomal translocation) carrier

② 이전의 선천성 심장병 분만

③ 이전의 다운증후군 분만

④ 분만 시 나이 30세인 이란성 쌍태아 임신

⑤ 현재 임신 태아에서 ileal atresia 소견이 있을 때

⑥ 현재 임신 태아에서 AVSD 소견이 있을 때

⑦ 이전의 터너증후군 분만

78

다음의 원인으로 맞는 것을 모두 고르시오.(4가지)

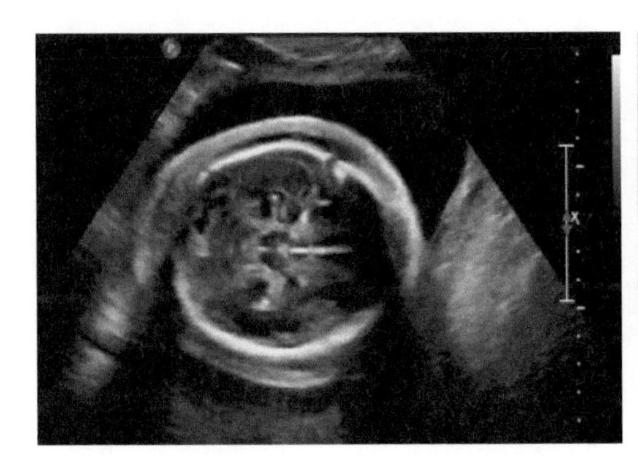

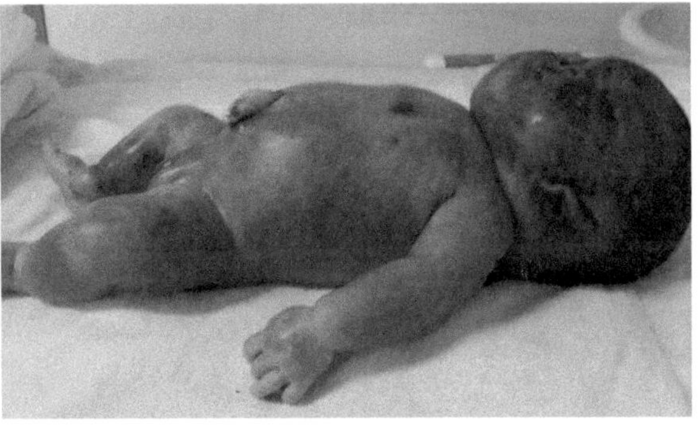

① 태아 빈맥
② 쌍태아간 수혈 증후군
③ 산모의 phenytoin복용
④ 태아 빈혈
⑤ 태아 혈우병
⑥ 단일 제대동맥
⑦ 선천성 거대세포바이러스 감염

79~80번. R type

① 전치 혈관(vasa previa)
② 전치 태반(placenta previa)
③ 유착 태반(placenta accreta)
④ 감입 태반(placenta increta)
⑤ 천공 태반(placenta percreta)
⑥ 부 태반(succenturiate placenta)
⑦ 피막 태반(velamentous placenta)
⑧ 태반 조기 박리(placental abruption)

79

산전 출혈의 가장 중요한 원인을 고르시오.(2가지)

80

탯줄이 태반에 직접 부착하지 않고 양막과 융모막에 붙어 있어 출혈의 위험이 높은 태반을 고르시오.(1가지)

Final Exam 04

모의고사 4회

01

난소의 정상 배란 주기 중에서 가장 나중에 만들어지는 것은 무엇인가?

① 일차난포

② 방난포

③ 황체

④ 난조세포

⑤ 원시난포

02

다음 중 시상하부 호르몬과 뇌하수체 호르몬 사이의 관계가 잘못된 것은 무엇인가?

① TRH – Prolactin 분비 촉진

② Vasopressin(AVP) – ACTH 분비 촉진

③ GnRH – LH, FSH 분비 촉진

④ Dopamine – Prolactin 분비 촉진

⑤ Somatostatin – Growth hormone 분비 억제

03

12세 여아가 초경이 없어서 병원에 왔다. 음모가 나기 시작 하였고, 유방은 1년 전부터 돌출되었다. 유방 성적성숙도 3기, 음모 성적성숙도 2기, 뼈 나이는 12세였다. 이 여아에게 가장 적절한 치료는 무엇인가?

① 경과 관찰

② 갑상샘 기능검사

③ 성장호르몬 검사

④ 에스트로겐-프로게스테론 부하검사

⑤ 생식샘자극호르몬방출호르몬 자극검사

04

13세 여아가 2주간 지속되는 질 출혈로 방문 하였다. 초경은 1년 전에 있었으며 이후 월경은 매우 불규칙하였다고 한다. 이학적 검사 및 골반 영상촬영검사는 특이사항 없었다. 이 여아에서 질 출혈의 가장 가능성 높은 원인은 무엇인가?

① 질염

② 임신성 출혈

③ 무배란성 출혈

④ 혈액 응고 장애

⑤ 전신적 내분비 질환

05

산과력이 2-0-1-2인 36세 여성이 2일 전부터 시작된 질 출혈을 주소로 내원하였다. 초경은 13세에 있었으며, 내원 2년 전까지 28일 주기로 규칙적인 월경을 보였으나, 그 이후로 3~5개월의 불규칙적인 월경을 보였다. 과거력 상 갑상선암으로 수술 받은 기왕력 있으며, 이학적 검사 상 유즙 분비 소견 외 특이 소견은 관찰되지 않았다. 골반 내진 시 자궁 및 자궁 부속기는 이상이 없었고, 외부 성기에도 이상이 없었다. 가장 먼저 시행하여야 할 검사는 무엇인가?

① 난포자극호르몬(FSH)

② 에스트로겐(Estrogen)

③ 젖분비호르몬(prolactin)

④ 갑상샘자극호르몬(TSH)

⑤ 소변 융모성성선자극호르몬(urine hCG)

06

다음 중 성 반응 주기에 관한 설명으로 옳지 않은 것은 무엇인가?

① 성 홍조는 흥분기에 나타난다

② 성욕 혐오 장애는 욕구기에 해당한다

③ 회음부에 근육과 골반 내 기간 수축이 일어나는 것은 흥분기다

④ 절정기에 성적 긴장이 해소된다

⑤ 해소기의 여자는 반복적인 절정감을 경험할 수 있다

07

38세의 여성이 임신 전 상담을 위하여 내원하였다. 다음은 환자와의 대화 내용이다. 대화 내용을 보고, 환자의 산과력을 맞게 표현한 것을 고르시오.

의사 : 자녀분은 어떻게 됩니까?

환자 : 5살 된 남자아이와 1살 여자아이, 두 명 있어요

의사 : 모두 다 자연분만 하셨나요?

환자 : 첫째는 임신 38주에 자연 분만했고요, 둘째는 전치태반으로 출혈 때문에 임신 36주에 제왕절개술 했어요

의사 : 안타깝네요. 죄송합니다. 그러면, 다른 임신은 없었나요?

환자 : 첫째 아이 갖기 전에, 임신 14주에 자연 유산 한 번 있었고, 그리고, 3년 전에 쌍태아 임신이었는데, 임신 28 주쯤에 갑자기 자궁 내 태아사망으로 둘 모두 사망한 적이 있었어요

① 2 − 1 − 1 − 2　② 2 − 2 − 1 − 2　③ 1 − 2 − 1 − 2

④ 1 − 3 − 1 − 2　⑤ 1 − 1 − 2 − 2

08

24세 임신 30주 임산부를 Leopold's maneuvers로 진찰하였다. 태아는 두정위 일 때, 세 번째 수기를 통해 촉지할 수 있는 태아의 부위로 옳은 것은 무엇인가?

① 팔, 다리　② 엉덩이　③ 척추

④ 머리　⑤ 발

9~10 다음의 각 문항에 대한 적절한 답을 답 가지에서 고르시오.

① 자궁근종
② 골반내 염증성 질환
③ 난소종양 비틀림
④ 임신영양모세포종
⑤ 자궁외 임신
⑥ 자궁내막증
⑦ 난소낭종 파열
⑧ 자궁샘근육증

09

산과력 1-0-5-1인 31세 여성이 4일 동안 지속된 고열과 아랫배 통증으로 내원하였다. 혈압 100/60 mmHg, 맥박 100회/분, 호흡 20회/분, 체온 38.5℃ 였다. 복부 검사에서 아랫배에 심한 압통과 반발압통이 있었다. 골반 검진에서 자궁크기는 정상이었고 양측 부속기에 만져지는 종괴는 없었지만 통증을 호소하였다. 자궁목을 움직일 때 심한 통증을 호소하였다. 가장 가능성이 높은 진단은 무엇인가?(1가지)

10

산과력 1-0-1-1인 33세 여자가 2주 동안 지속된 질 출혈로 왔다. 월경은 규칙적이었고, 최종 월경 시작일은 2개월 전이었다. 골반 검사에서 자궁은 임신 12주 크기였다. 혈액 검사 결과 β-hCG는 210,000 mIU/mL 였다. 골반 초음파 검사 사진이 아래와 같다면 가장 가능성이 높은 진단은 무엇인가?(1가지)

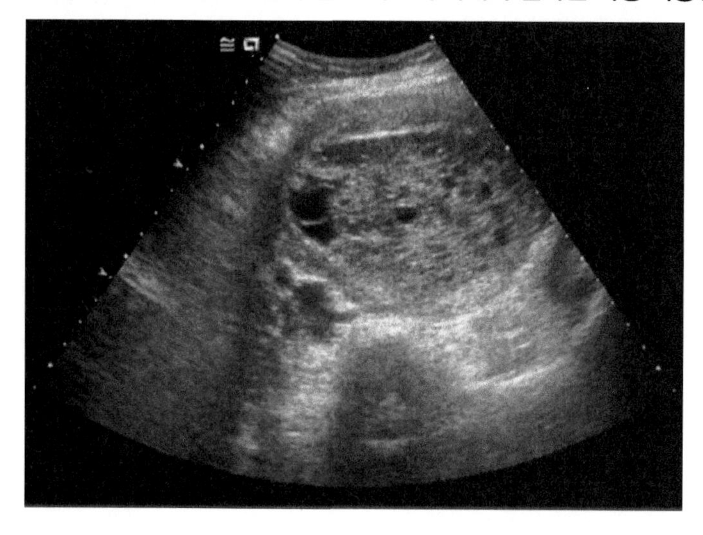

11

30세 여자가 3개월 전 분만 후 월경이 없고 젖이 나오지 않아 방문하였다. 심한 피로감과 무력감을 호소하였다. 전치태반으로 분만 중 과다 출혈이 있었다. 골반 초음파 검사에서 자궁과 양쪽 난소는 정상이었다. 혈액 검사 결과는 다음과 같았다면 가장 가능성이 높은 진단은 무엇인가?(1가지)

난포자극호르몬 : 4.3 mIU/mL (참고치 : 3~26)
에스트라디올 : 8 pg/mL (참고치 : 20~443)
프로락틴 : 1.8 ng/mL (참고치 : 1.9~25)

① 난소 기능 부전
② 뇌하수체 선종
③ 신경성 식욕부진
④ 시상하부-뇌하수체 기능이상
⑤ 쉬한 증후군

12~13 다음의 각 문항에 대한 적절한 답을 답 가지에서 고르시오.

① 반복 자궁경부세포진 검사
② 젖은 펴바른 표본검사
③ 질확대경 검사
④ 자궁경부 긁어냄술
⑤ 자궁내막 긁어냄술
⑥ 원뿔 생검
⑦ 자궁경 검사
⑧ 골반 자기공명영상 촬영술

12

38세 여자가 성교 후 질 출혈로 병원에 왔다. 자궁경부 세포진 검사에서 저등급 편평상피내병변(low grade squamous intraepithelial lesion)으로 확인 되었다. 다음으로 시행할 검사를 고르시오.(1가지)

13

42세 여자가 성교 후 질 출혈로 병원에 왔다. 자궁경부 세포진 검사에서 비정형 샘세포(atypical glandular cell)로 판명되었다. 다음으로 시행할 검사를 고르시오.(3가지)

14~15 다음의 각 문항에 대한 적절한 답을 답 가지에서 고르시오.

① 글루콘산칼슘
② 리토드린
③ 베타메타손
④ 옥시토신
⑤ 헤파린
⑥ 농축 적혈구
⑦ 양수 주입술
⑧ 제왕절개술

14

임신 35주인 38세 다분만부가 아랫배가 아프고 질 출혈이 있어서 병원에 왔다. 혈압 80/50 mmHg, 맥박 100회/분, 호흡 24회/분, 체온 37℃이었다. 골반 검사에서 자궁경부는 닫혀 있었고, 출혈이 계속 되었다. 초음파 검사에서 태아는 두위, 예측 태아 몸무게 2,500 g, 양수지수 11 cm이었다. 초음파 검사 사진과 전자태아심박동–자궁수축감시 결과, 혈액 검사 결과는 다음과 같았다. 이 산모에게 가장 적절한 처치를 고르시오.(2가지)

혈색소 7.0 g/dL
백혈구 10,000/mm^3
혈소판 70,000/mm^3
피브리노겐 : 50 mg/dL (참고치 : 301~696)
D–이량체(D–dimer) : 10,000 ng/mL (참고치 : 220~740)

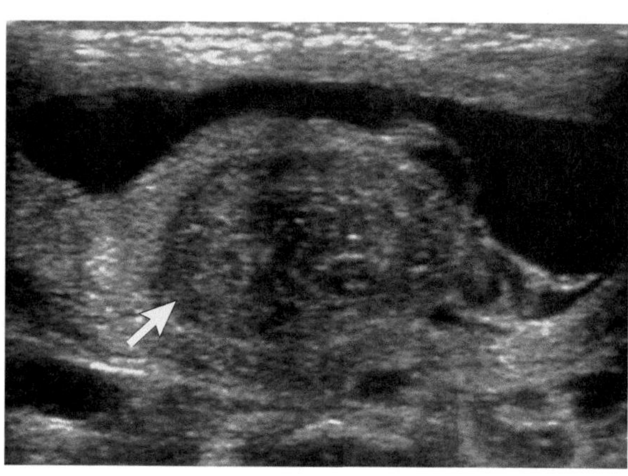

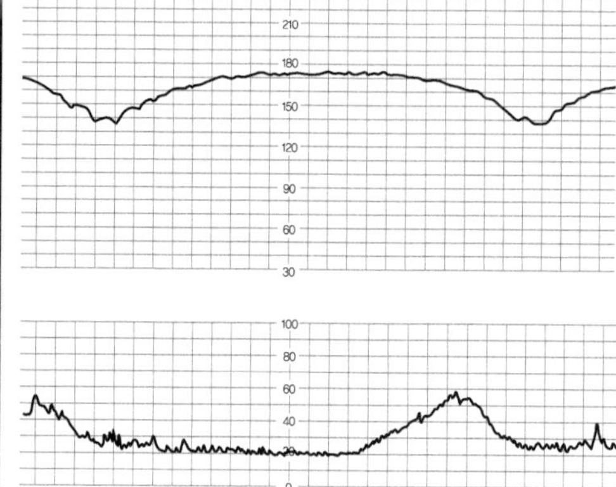

15

임신 32주인 36세 다분만부가 아랫배가 아프고 질 출혈이 있어서 병원에 왔다. 혈압 120/80 mmHg, 맥박 70회/분, 호흡 20회/분, 체온 37℃이었다. 골반 검사에서 자궁경부는 닫혀 있었고, 출혈은 보이지 않았다. 초음파 검사에서 태아는 두위, 예측 태아 몸무게 2,000 g, 양수지수 12 cm이었다. 초음파 검사 사진과 전자태아심박동–자궁수축감시 결과, 혈액 검사 결과는 다음과 같았다. 이 산모에게 가장 적절한 처치를 고르시오.(2가지)

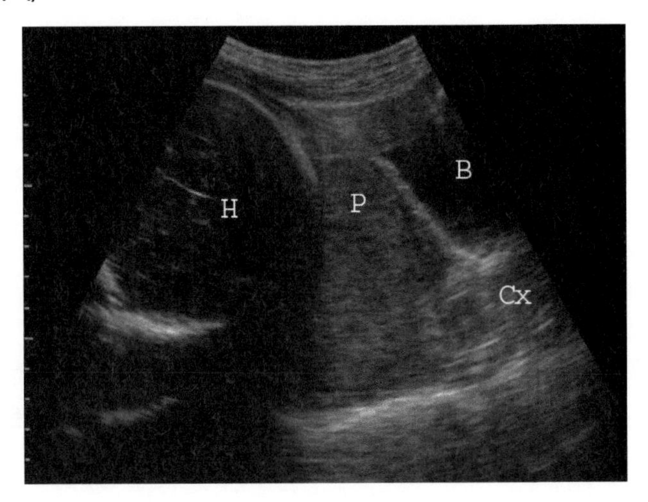

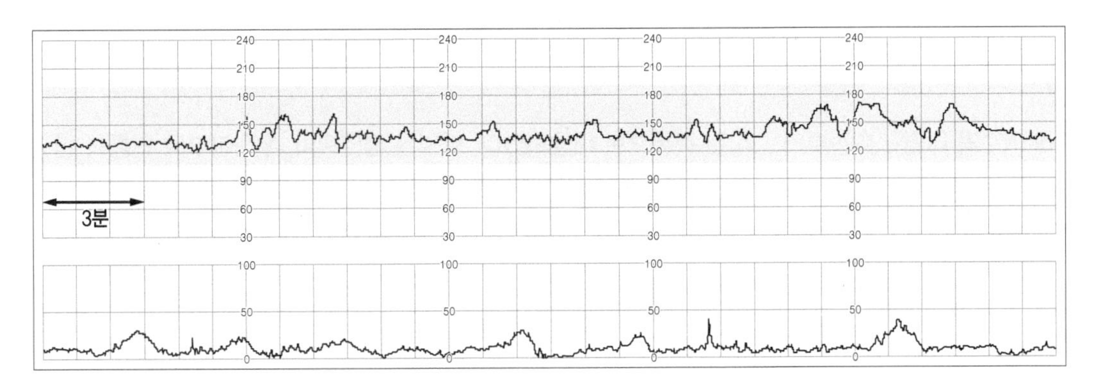

16~17 다음의 각 문항에 대한 적절한 답을 답 가지에서 고르시오.

① 절박 유산(Threatened abortion)
② 불가피 유산(Inevitable abortion)
③ 완전 유산(Complete abortion)
④ 불완전 유산(Incomplete abortion)
⑤ 계류 유산(Missed abortion)
⑥ 반복 자연유산
⑦ 반복 인공유산
⑧ 패혈 유산(Septic abortion)

16

임신 8주인 23세 여성이 하복부 통증과 질 출혈로 내원하였다. 자궁경부는 닫혀 있었으나 자궁경부로부터 소량의 출혈이 흐르는 것이 보였다. 가장 가능성이 높은 진단명은 무엇인가?(1가지)

17

산과력 1-0-0-1인 29세 여성이 하복부 통증과 질 출혈로 내원하였다. 며칠전부터 태동이 느껴지지 않았다고 한다. 초음파 검사에서 태아의 움직임이 관찰되지 않았고 태아의 심음도 들리지 않았다. 진단명은 무엇인가?(1가지)

18

32세 여자가 내원 2일 전부터 시작된 복통으로 내원하였다. 발열은 없었으나, 우하복부에 압통과 반발통이 관찰되었다. 소변 검사에서 임신 반응검사 양성 소견을 보였으나, 환자는 모르고 있었다. 이 환자에 대한 올바른 검사 및 처치로 맞는 것은 무엇인가?

① 정확한 진단을 위하여 복부단층촬영을 우선적으로 시행한다
② 유산의 위험성이 있으므로 수술은 피한다
③ 복강경 수술보다는 개복 수술이 환자에게 안전하다
④ 초음파 검사는 태아에게 위험할 수 있으므로 시행하지 않는 것이 좋다
⑤ 필요시 MRI 검사가 도움이 될 수 있다

19

저신장으로 내원한 12세 여아의 염색체 검사 결과이다. 다음 중 이 환아에 대한 설명으로 옳은 것을 고르시오.

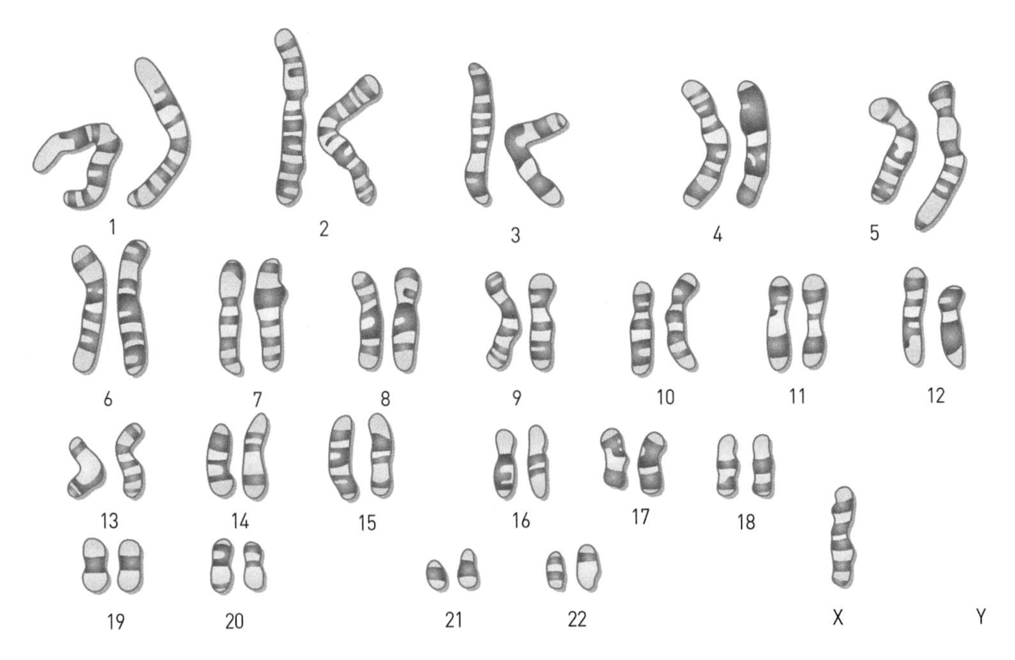

① 골연령이 역연령에 비해 낮다
② 출생체중이 임신나이에 비해 크다
③ 최근 1년간 성장속도는 6 cm/yr이다
④ 저신장은 성장 호르몬으로 치료할 수 있다
⑤ 2차 성징 발현을 위한 호르몬 치료는 필요치 않다

20

26세 여자가 1시간 전 성폭행을 당하였다고 경찰과 함께 병원에 왔다. 육안적으로 보기에도 환자는 얼굴부위에 다수의 멍과 열상 및 상의와 하의 모두 더렵혀져 있는게 확인되었다. 가장 먼저 해야 할 것은 무엇인가?

① 질 분비물 채취
② 진료 동의서 확보
③ 소변 임신 반응검사
④ 외상 부위 사진 촬영
⑤ 정신건강의학과 의뢰

21

산과력 2-0-0-2인 54세 여자가 6개월 전부터 시작된 심한 안면 홍조와 불면증, 야간 발한으로 내원하였다. 3년 전 초기 유방암으로 수술 받았다고 하였고, 2년 전 관상동맥질환으로 약물 치료 중이었다. 자궁경부 세포진 검사와 골반 초음파 검사는 정상이었다. 가장 적절한 처치를 고르시오.

① 가바펜틴

② 칼시토닌

③ 타목시펜

④ 에스트로겐

⑤ 에스트로겐-프로게스토겐 복합 제제

22

산과력 1-0-1-1인 28세 여자가 질 출혈로 병원에 왔다. 월경은 1년에 3회 정도 있었고 최종월경은 6개월 전에 있었다. 키 162 cm, 몸무게 88 kg이었다. 소변 임신반응 검사는 음성이었다. 골반 초음파 검사에서 난소는 다음 사진과 같았고 자궁내막 두께는 24 mm이었다. 우선적으로 해야 할 처치는 무엇인가?

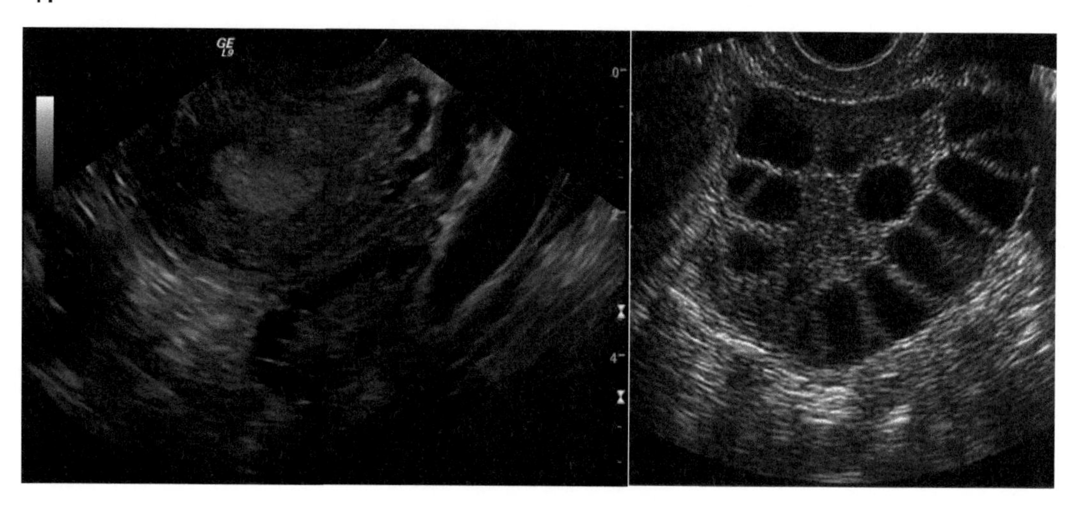

① 클로미펜　② 복강경 검사　③ 자궁내막 생검

④ 복합 경구피임제　⑤ 자궁 난관 조영술

23

산과력 1-0-3-1인 26세 여자가 임신이 안되어 병원에 왔다. 1년 전 계류유산으로 자궁 긁어냄술을 받았고 10개월 전부터 월경량이 현저히 줄었다. 남편의 정액 검사에서 특별한 이상 소견은 없었고, 골반 초음파 검사에서 자궁내막 두께는 3 mm였다. 다음으로 시행할 검사는 무엇인가?

① 자궁난관 조영술
② 자궁내막 생검
③ 자궁경관 점액 검사
④ 진단적 복강경
⑤ 혈청 프로게스테론 농도

24

32세 여자환자 산과력 0-0-0-0인 여자가 5일 전부터 시작된 복부팽만으로 병원에 내원하였다. 1주일 전에 불임증으로 과배란유도 후 자궁강내 정액주입술을 시행하였다. 활력징후는 혈압 110/70 mmHg, 맥박 90 ghl/분, 호흡 24회/분 체온 36.7도였다. 복부 둘레는 90 cm였고, 다리에 오목부종은 없었다. 골반 초음파검사사진이다. 혈액검사 결과는 다음과 같았다. 진단은?

혈색소 : 16.0 g/dL
적혈구 용적률 : 48%
백혈구 : 22,000/mm^3
혈소판 : 470,000/mm^3
아스파르테이트 아미노전달효소/알라닌 아미노전달효소 : 35/36 U/L
총 단백질/알부민 : 6.9/2.7 g/dL

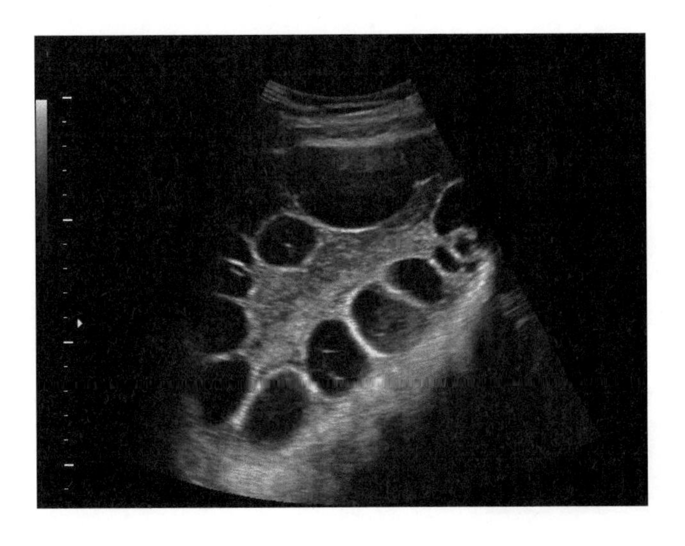

① 다낭성 난소 증후군
② 난소 과자극 증후군
③ 난소낭종 꼬임
④ 부난소 낭종
⑤ 난소난관 농양

25

산과력 0-0-0-0인 27세 미혼 여자가 진통제로 조절되지 않는 월경통으로 왔다. 통증은 월경 하루 전부터 발생하 였으며, 월경이 끝난 후에도 3~4일 가량 더 아프다고 하였다. 혈액 검사 결과 CA-125 98.0 U/mL (참고치 : <35)로 확인되었고, 골반 초음파 검사는 아래와 같았다. 이 여성에게 가장 적절한 치료를 고르시오.

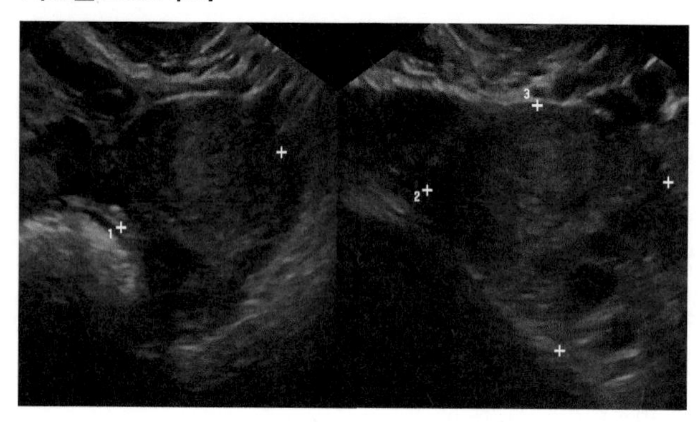

① 3개월 후 암 항원(CA)-125 재검사
② 복강경 수술
③ 낭종 흡인
④ 난소동맥 색전술
⑤ 진단적 개복술

26

산과력 2-0-3-2인 45세 여성이 2개월 전부터 시작된 복부 팽만과 소화 불량으로 왔다. 혈액 검사 결과 CA-125 2,500 U/mL (참고치 : <35)로 확인되었고, 복부 컴퓨터단층촬영 사진은 아래와 같았다 수술 소견에서 대망과 복막에 다수의 전이성 결절이 보였다. 조직검사 결과에서 오른쪽 난소에 발생한 상피성 난소암으로 진단되었고, 골반 림프절에서는 암세포가 관찰되었다. 이 환자에게 가장 적절한 치료는 무엇인가?

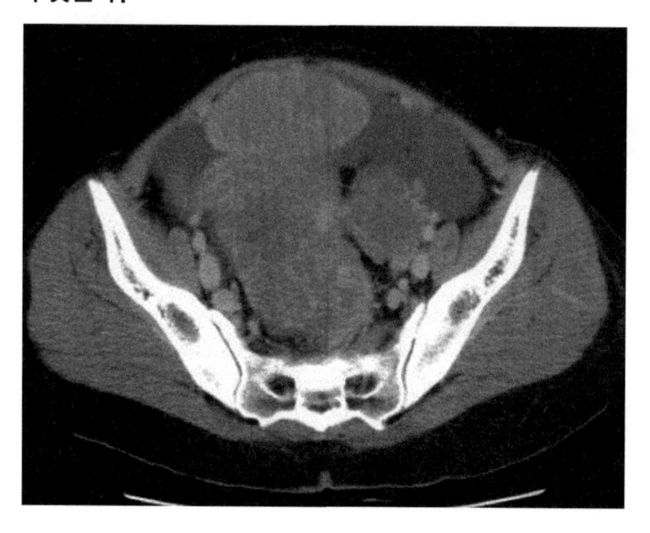

① 면역 요법
② 호르몬 요법
③ 방사선 치료
④ 복합 항암화학 치료
⑤ 동시 화학방사선 치료

27

산과력 0-0-4-0인 32세의 여성이 건강 검진을 위해 내원하였다. 환자는 이학적 검사에서 특이소견 관찰되지 않았지만, 초음파 검사에서 그림과 같은 다발성 자궁평활근종이 관찰되었다. 다음의 자궁평활근종 중 반복적인 유산을 경험한 환자의 생식력 개선을 위해 반드시 제거해야 하는 위치를 고르시오.

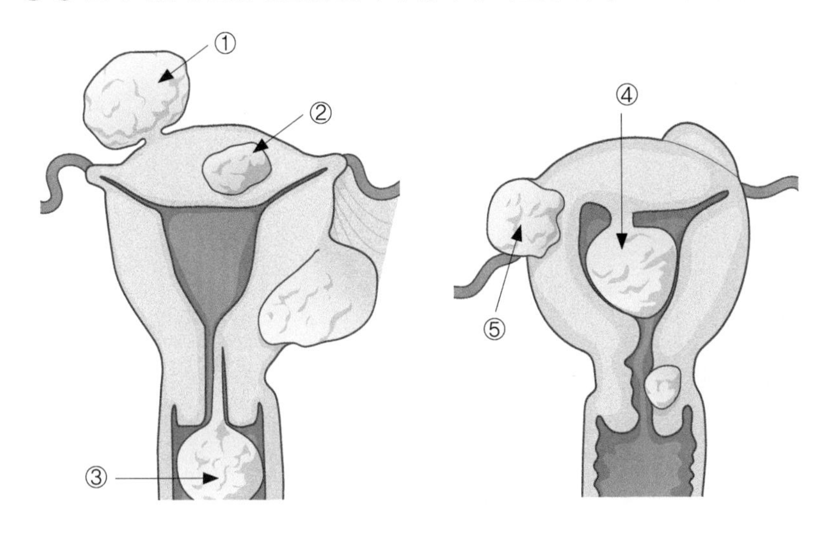

28

산과력 1-0-1-1인 28세 여자가 질 출혈로 병원에 왔다. 자궁경부 세포진 검사에서 편평상피세포암으로 나와 원추 생검을 받았고 조직 검사 상 침윤도 10 mm, 병변 크기가 30 mm인 자궁경부암으로 진단되었다. 환자는 향후 임신을 원하고 있다면 가장 적절한 치료를 고르시오.

① 근치적 자궁절제술

② 근치적 자궁목 절제술

③ 동시 항암방사선요법

④ 항암화학요법

⑤ 방사선 근접조사

29

42세 여성이 최근 외음부 소양감과 질 분비물이 안 좋다 하여 내원하였다. 이학적 검사 상 백색의 얇은 삼출액 양상의 질 분비물 소견이 관찰되고, 젖은 도말표본(wet smear) 소견은 다음과 같았다. 이와 같은 질염이 발생할 가능성이 높은 위험군을 고르시오.

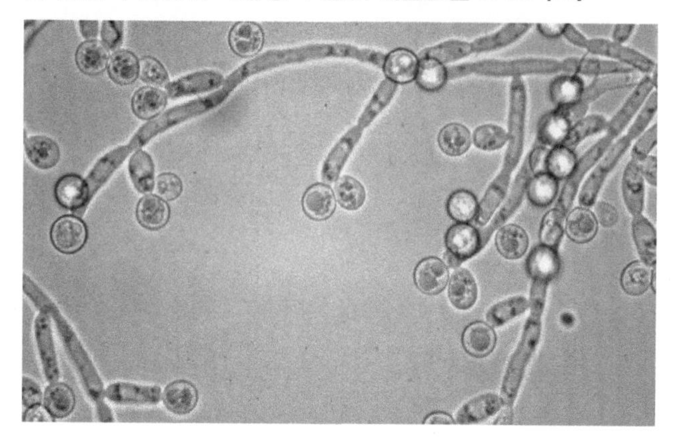

① 치질　② 고혈압 환자　③ 자궁내 피임장치 삽입
④ 피임약 복용중인 여성　⑤ 장기간 항생제 복용중인 여성

30

53세 여자가 질 분비물 및 외음부 가려움증으로 내원하였다. 질경 검사에서 생선 비린내 냄새가 나는 회색 질 분비물이 관찰되었다. 젖은 도말표본(wet smear) 소견은 아래와 같았고, KOH 첨가했을 때 아민 같은 생선냄새가 났다. 이 환자의 진단을 고르시오.

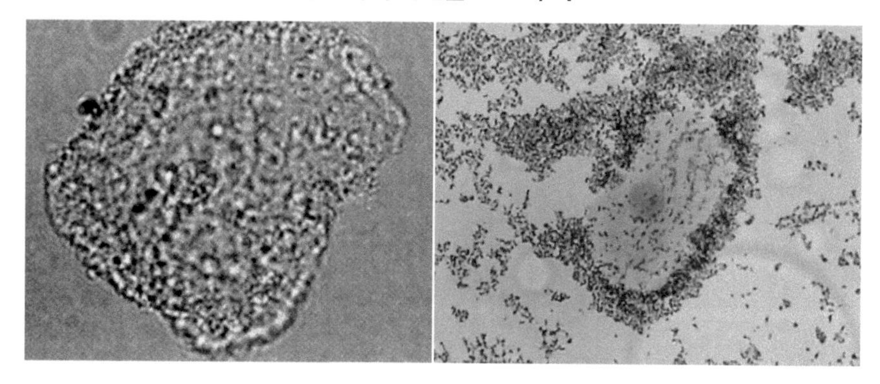

① 세균성 질증　② 위축성 질염　③ 질 칸디다증
④ 염증성 질염　⑤ 트리코모나스 질염

31

36세의 여성이 결혼하고 특별한 피임을 하지 않는데도 3년간 임신이 안되어 내원하였다. 환자는 특별한 병력이나 수술력은 없었고, 이학적 검사와 초음파에서도 특이 사항은 발견되지 않았다. 불임에 대한 원인을 찾기 위해 자궁난관 조영술(hysterosalpingography)를 시행하여 다음과 같은 소견이 관찰되었다. 이 환자의 진단명은 무엇인가?

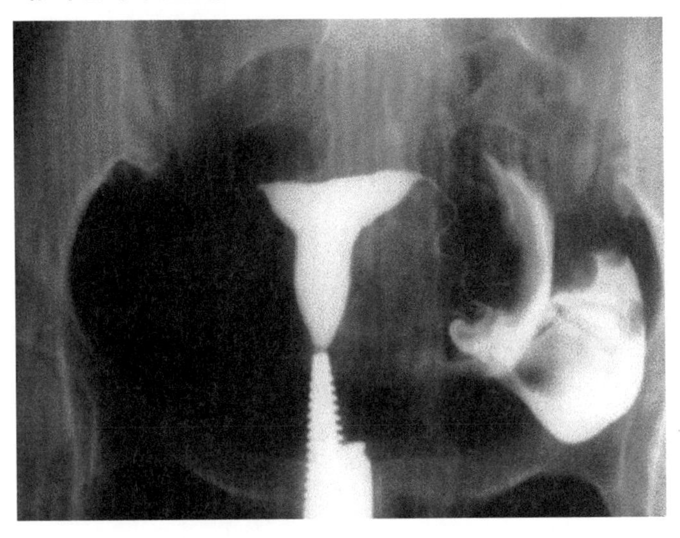

① 정상 소견 ② 중복자궁 ③ 자궁내막 유착증
④ 우측 나팔관 원위부 폐쇄 ⑤ 우측 나팔관 근위부 폐쇄

32

55세 여자가 질 출혈을 주소로 내원하여 자궁내막 긁어냄술을 시행한 결과 자궁내막암으로 진단되었다. 전자궁절제술 및 양측 골반 림프절제술을 시행하였다. 수술 후 조직검사 결과 종양이 자궁근육층 절반 이상의 침범이 있었고 분화도는 2를 보였다. 또한 자궁경부의 침윤 소견을 보였다. 그 외 골반 림프절 전이소견은 없었다. 이 환자에게 다음으로 시행할 가장 적절한 처치는 무엇인가?

① 추적 관찰 ② 호르몬 치료 ③ 방사선 치료
④ 항암 치료 ⑤ 면역 치료

33

39세 여성이 2시간 전부터 갑자기 시작된 우하복부 통증을 주소로 내원하였다. 산과력은 2-0-1-2 이였고, 과거력 상 4개월 전 건강 검진에서 우측난소 종괴가 있었다고 한다. 이학적 검사 상 우하복부에 압통은 있었으나, 반동압통은 없었다. 환자의 활력징후와 혈액검사는 정상 소견이었으며, 응급으로 시행한 수술 소견은 다음과 같다. 다음으로 시행할 처치는 무엇인가?

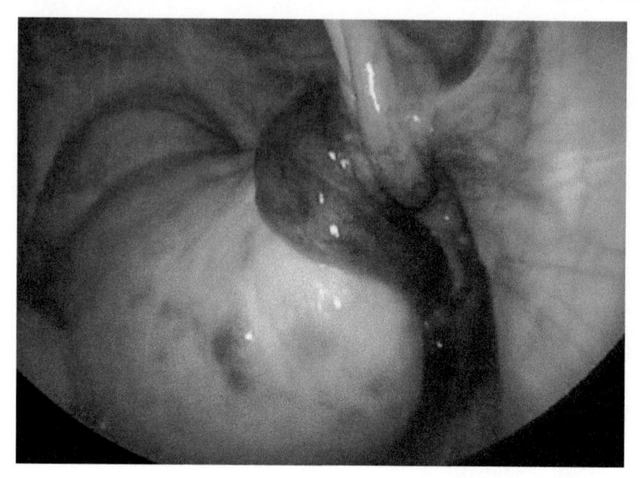

① 정상 소견이므로 수술을 종료한다

② 우측 난소 및 난관 절제술을 시행한다

③ 꼬임을 풀고 우측 난소 낭종 절제술을 시행한다

④ 악성의 가능성 있으므로 전자궁적출술 및 양측 부속기 절제술을 시행한다

⑤ 반대쪽 난소에 재발 가능성이 있으므로 양측 난소 및 부속기 절제술을 시행한다

34

34세 여성이 1주 전부터 오른쪽 외음부에 통증이 있는 덩이가 만져져 내원하였다. 환자는 가까운 병원에서 진료 후 6일 전부터 항생제와 진통 소염제를 복용하였으나, 증상의 호전 없이 덩이가 커지고 통증도 심해졌다 한다. 이학적 검사 상 체온 38.6℃와 노란색의 질 분비물이 관찰되고, 외음부 소견은 다음과 같다. 가장 적절한 처치는 무엇인가?

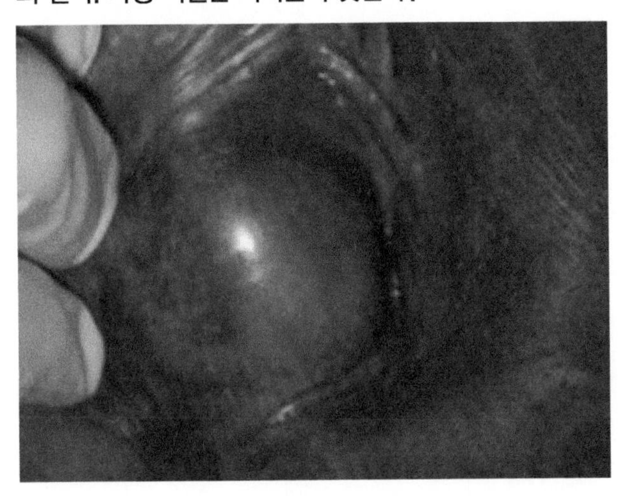

① 추적 관찰

② 에스트로겐 크림

③ 바늘 흡인(needle aspiration)

④ 주머니 형성술(marsupialization)

⑤ 절개 배농(incision and drainage)

35

임신 35주인 32세 미분만부가 1일 전부터 아랫배가 아프고, 태동이 감소하여 병원에 왔다. 초음파 검사에서 예측 태아 몸무게 1,850 g(10백분위수), 양수지수는 5 cm였다. 골반 검사에서 태아는 두위, 자궁경부 1 cm 확장, 10% 소실, 하강도 −3 이었다. 비수축 검사와 탯줄동맥 도플러 초음파 검사는 아래와 같았다. 이 산모에게 가장 적절한 처치를 고르시오.

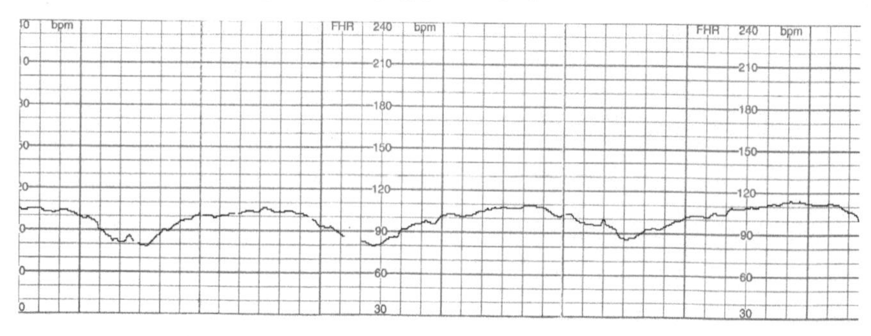

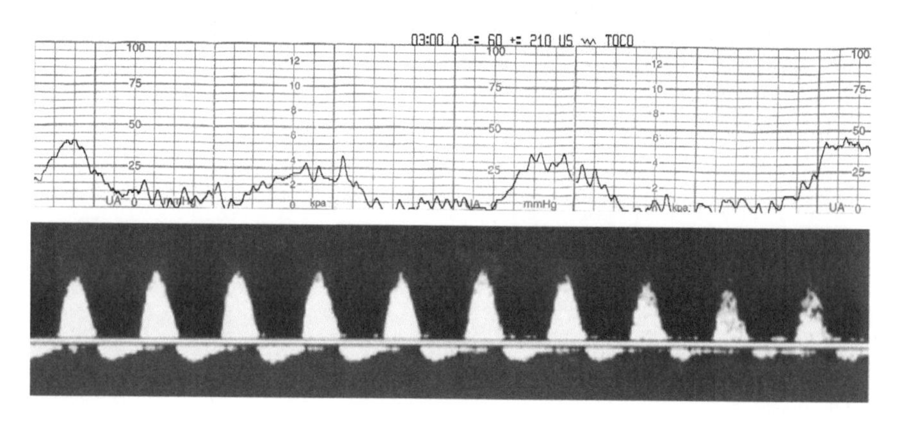

① 경과 관찰

② 양수 주입술

③ 베타메타손

④ 유도 분만

⑤ 제왕절개술

36

임신 41주인 37세 미분만부가 진통이 없어서 병원에 왔다. 산전 진찰은 규칙적으로 받았다. 초음파 검사에서 태아는 두위, 예측 태아 몸무게 3,500 g, 양수지수 2 cm, 태반은 자궁바닥에 위치하였다. 비수축 검사 결과는 반응성이었고, 골반 검사에서 자궁경부 1 cm 확장, 30% 소실, 하강도 －3이었다. 처치는?

① 1주 후 추적 관찰
② 베타메타손
③ 메틸에르고노빈
④ 유도 분만
⑤ 제왕절개술

37

임신 36주인 37세 미분만부가 운전 중 교통사고로 복부를 세게 부딪힌 후 아랫배가 아프고 질 출혈이 생겼다고 왔다. 혈압 100/70 mmHg 맥박 100회/분 체온 36.6℃였다. 골반 진찰에서 자궁경부는 1 cm 확장, 50% 소실되어 있었다. 초음파에서 태반과 자궁근층 사이에서 3 x 5 x 3 cm 크기의 저음영의 덩이가 보였으며, 태아 심박동은 90회/분이었다. 이 산모의 다음 처치로 가장 적절한 것을 고르시오.

① 절대 안정
② 리토드린
③ 옥시토신
④ 제왕절개술
⑤ 프로스타글란딘

38

32세 임신 32주 다분만부가 갑자기 발생한 질 출혈이 있어 분만실로 내원하였다. 혈압 130/80 mmHg, 맥박수 78회/분, 체온 36.5℃였다. 골반 검사에서 질경에 고일 정도의 혈액이 있었으며 더 이상의 출혈은 없었다. 혈액 검사에서 혈색소 10.5 g/dL이고, 다른 검사 소견 이상은 없었으며, 초음파 검사는 다음과 같았다. 태아 심박동은 정상이었으며, 자궁수축 검사 상 10분 간격으로 약간의 수축이 있었다. 이 산모에 대한 처지 중 옳은 것은 무엇인가?

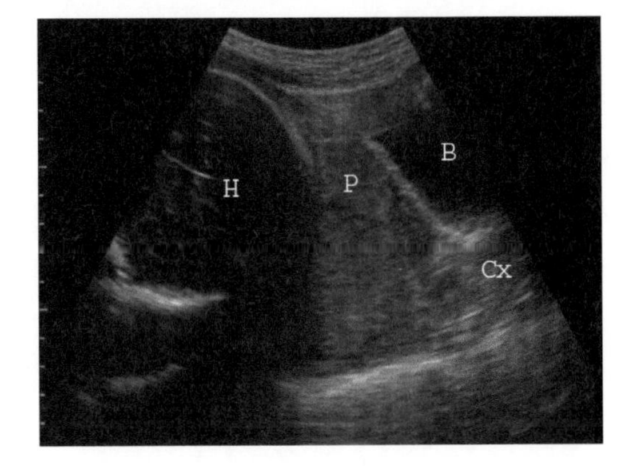

① 유도 분만을 시작한다
② 자궁수축 억제제를 투여한다
③ 응급 제왕절개술을 시행한다
④ 양수 검사를 시행한다
⑤ 내진으로 자궁경부의 변화정도를 파악한다

39

25세 초산모가 질식 분만 후 경과 양호하여 퇴원하였으나, 퇴원 후 10일째 많은 양의 질 출혈이 있다고 다시 내원하였다. 가장 의심해 볼만한 질환은 무엇인가?

① 태반 용종(placental polyp)

② 유착 태반(placenta accreta)

③ 태반부착 부위의 비정상 퇴축(involution)

④ 천공 태반(placenta percreta)

⑤ 자궁경부 열상

40

임신 32주인 29세 미분만부가 배가 아파서 왔다. 골반 검사에서 자궁경부 2 cm 확장, 70% 소실, 하강도 −3이었다. 초음파 검사에서 예측 태아 몸무게 1,300 g(10~50백분위수), 양수지수 15 cm였다. 전자태아심박동–자궁수축 감시검사에서 태아 심박동은 150회/분이었고, 자궁수축은 3분 간격으로 있었다. 자궁수축 억제제를 사용한 이후 진통이 없어졌고, 자궁수축도 없었다. 이 환자의 다음 처치를 고르시오.

① 제왕절개술

② 옥시토신 투여

③ 베타메타손 투여

④ 자궁경부 원형결찰술

⑤ 프로게스테론 투여

41

28세 임산부가 제왕절개술 다음날 갑자기 숨이 차다고 하였다. 산모의 키는 160 cm, 몸무게는 80 kg였다. 혈압 120/80 mmHg, 맥박 130회/분, 호흡 30회/분, 체온 36.8℃였고, 경피 산소포화도는 88%였다. 혈액 검사와 가슴 컴퓨터단층촬영은 아래와 같았다. 이 여성에게 가장 적절한 처치를 고르시오.

혈색소 : 10.8 g/dL
백혈구 : 12,500/mm^3
혈소판 : 185,000/mm^3
섬유소원 : 320 mg/dL (참고치 : 301～696)
D-이량체 : 3,500 ng/mL (참고치 : 130～1,700)

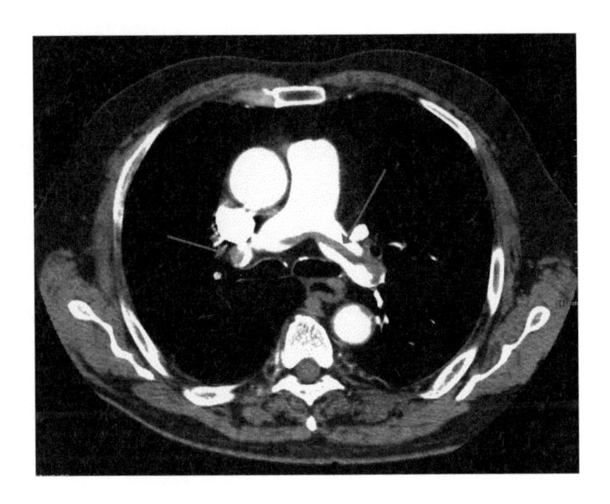

① 헤파린
② 도파민
③ 아미노필린
④ 에피네프린
⑤ 퓨로세마이드

42

무월경 9주인 36세 다분만부가 질 출혈을 주소로 병원에 내원하였다. 골반 초음파 검사에서 측정된 머리엉덩 길이는 임신 7주 크기였고, 태아 심박동이 없었다. 이 산모의 다음 처치를 고르시오.

① 베타 사람융모생식샘자극호르몬 검사

② 프로게스테론제제

③ 저용량 아스피린

④ 자궁 긁어냄술

⑤ 1주 후 초음파 추적검사

43

임신 38주인 38세 다분만부가 규칙적인 진통으로 왔다. 이전 출산을 제왕절개로 하였다고 한다. 골반 검사에서 자궁경부 10 cm 확장, 100% 소실, 하강도 +1이었다. 갑자기 진통이 없어지면서 골반 검사에서 태아 선진부가 만져 지지 않았다. 전자 태아심박동–자궁수축 감시검사 결과는 사진과 같았다. 이 산모의 진단명으로 가장 적절한 것을 고르시오.

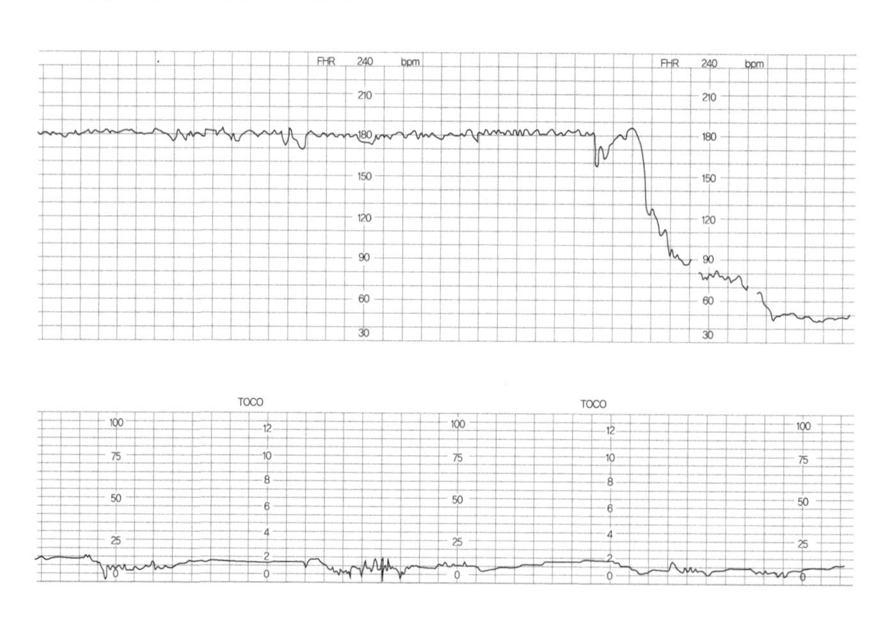

① 급속 분만 ② 자궁 파열 ③ 유착 태반

④ 태반 조기 박리 ⑤ 머리골반 불균형

44

한 달 전 첫 아이를 출산한 32세 여자가 피임 상담을 위하여 병원에 왔다. 현재 수유 중이며 터울 조정을 위하여 2년 정도 피임을 계획하고 있다. 임신 전 자궁선근증으로 월경 과다와 월경통이 있었다. 가장 적절한 피임 방법은 무엇인가?

① 체외 사정
② 난관 결찰술
③ 복합 경구 피임제
④ 프로게스테론 주사
⑤ 레보노게스트렐 자궁내 장치

45

산과력 3-0-2-3인 35세 여자가 피임 방법을 상담하러 왔다. 최종 월경 시작일은 3주 전이고, 6일 전 피임을 하지 않고 성관계를 가졌다. 가장 적절한 조치를 고르시오.

① 유즈페 방법(Yuzpe method)
② 레보노르게스트렐(Levonorgestrel)
③ 울리프리스탈 아세테이트(Ulipristal acetate)
④ 구리 자궁내장치(Copper intrauterine device)
⑤ 복합 경구 피임제(Combined oral contraceptive)

46

임신 36주인 27세 미분만부가 태동이 줄어서 병원에 왔다. 골반 검사에서 태아는 두위, 자궁경부는 닫혀 있었다. 초음파 검사에서 예측 태아 몸무게 1,800 g(5백분위수, 2,156 g), 최대 양수 수직 깊이 1 cm였다. 비수축검사 결과는 아래와 같았고, 탯줄동맥 도플러 초음파 검사에서 이완기 혈류는 보이지 않았다. 이 산모에 대한 처치로 가장 올바른 것을 고르시오.

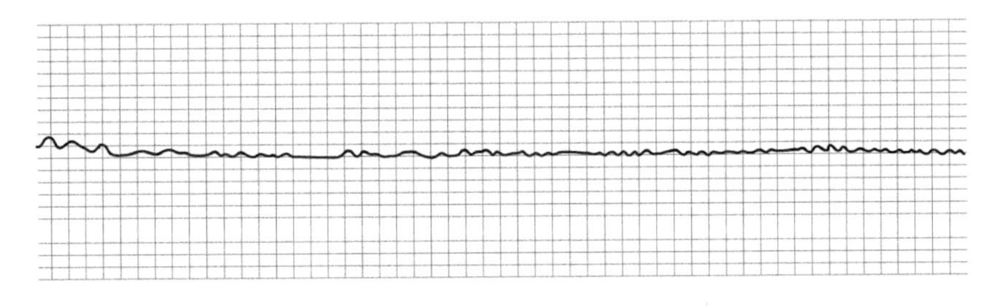

① 경과 관찰
② 덱사메타손
③ 인도메타신
④ 양수 주입술
⑤ 분만

47

쌍둥이를 임신한 임신 35주인 27세 미분만부가 산전 진찰을 위해 병원에 왔다. 초음파 검사 결과는 다음과 같았다. 비수축 검사는 두 태아에서 반응성이었고, 자궁수축은 없었다. 다음 처치로 올바른 것을 고르시오.

	첫째 태아	둘째 태아
예측 태아 몸무게	2,250 g (50 백분위수)	1,800 g (10 백분위수)
최대 양수 수직 깊이	6 cm	
태아 사이막	없음	
태아 성별	여아	여아
탯줄동맥 도플러 초음파	정상	정상
정맥관 도플러 초음파	정상	정상
태위	두위	두위

① 추적 관찰　② 유도 분만　③ 양수 감압술
④ 제왕절개술　⑤ 혈관문합 태아경 레이저 절제술

48

임신 24주인 35세 미분만부가 왼쪽 아랫배가 아파서 병원에 왔다. 혈압 120/80 mmHg, 맥박 85회/분, 체온 36.8℃이었다. 왼쪽 아랫배에 압통이 있었으나 반동압통은 없었다. 전자 태아심박동-자궁수축 감시검사에서 자궁수축은 없었고, 태아 심박동은 정상이었다. 초음파 검사에서 왼쪽 아래 자궁벽 안에 약 6cm 크기의 근종이 의심되는 저에코 덩이가 관찰되었고 양쪽 난소는 정상이었다. 검사 결과는 다음과 같았다면 이 산모에 대한 처치로 가장 적절한 것을 고르시오.

혈색소 : 12.5 g/dL
백혈구 : 10,000/mm^3
혈소판 : 150,000/mm^3
소변 적혈구 : 0~1/고배율시야
소변 백혈구 : 0~1/고배율시야

① 암피실린　② 리토드린　③ 아세트아미노펜
④ 양수 천자　⑤ 응급 개복술

49

분만 후 갑상선염에 대한 설명이다. 옳은 것을 고르시오.

① 산욕기 우울증으로 오해되어 치료가 방치될 수 있다
② 임신 전 병력인 갑상선 자가 항체 질환과는 무관하다
③ 무증상 증상보다는 심한 갑상선 기능의 변동을 보인다
④ 대부분 임신 중 섭취하는 요요드 식이 요법과 관계된다
⑤ 대부분 장기적인 경과를 보여 영구적인 항진증 혹은 저하증으로 진행된다

50

수술 전 환자 준비에 대한 설명이다. 옳은 것을 고르시오.

① 수술 부위 면도는 수술 전날이 적당하다
② 수술 장갑의 천공은 오른쪽이 흔하다
③ 수술 부위는 안에서 밖으로 닦는다
④ 전기 면도기보다 면도날이 더 좋다
⑤ 장갑의 천공은 엄지가 흔하다

51~52 다음의 각 문항에 대한 적절한 답을 답 가지에서 고르시오.

① 칸디다	② 대장균
③ 임균	④ 매독
⑤ 질 트리코모나스	⑥ A형 간염
⑦ B형 간염	⑧ C형 간염
⑨ HIV	⑩ HPV

51

39세 여자가 성교통과 배뇨통이 동반된 외음부의 심한 가려움을 호소하였다. 5년 전부터 당뇨병으로 인슐린을 투여 중이었다. 질 분비물은 치즈와 같은 양상을 띠고 있었다. 수산화칼륨 첨가시 특별한 냄새는 나지 않았다. 이 사람의 수산화칼륨 바른 표본 사진이 아래와 같다면 이 환자의 원인을 고르시오.(1가지)

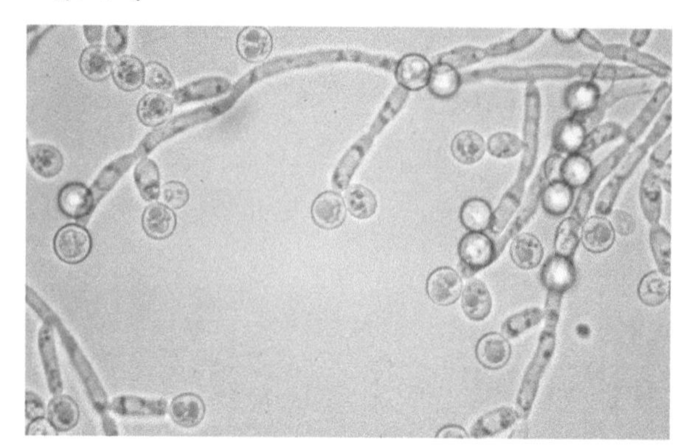

52

45세 여자가 1주일 전 성교 후 질 분비물 증가와 소양감을 주소로 내원하였다. 냄새가 심한 농성 분비물과 질, 자궁경부에 붉은 반점이 관찰되었다. KOH 추가 시 생선 비린내가 났다. 질 분비물의 현미경 사진이 아래와 같다면 이 환자의 원인을 고르시오.(1가지)

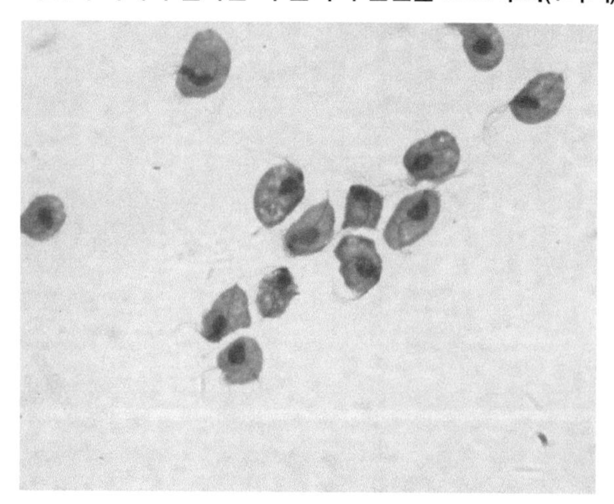

53~54 다음의 각 문항에 대한 적절한 답을 답 가지에서 고르시오.

① 저장철
② C-반응단백
③ 공복포도당
④ 혈청 크레아티닌
⑤ 이산화탄소 분압
⑥ 혈소판
⑦ 혈청 트랜스아미나제
⑧ 사구체 여과율
⑨ 혈색소
⑩ 항트롬빈 III

53

임산부는 임신 과정에서 많은 정상적인 생리적 변화를 경험한다. 임신이 진행 되면서 결과 값이 증가하는 검사실 검사 항목을 고르시오.(2가지)

54

임신 중 발생한 전자간증은 특정 검사 항목의 결과 값에 따라 심한 상태와 심하지 않은 상태로 진단할 수 있다. 어떤 결과 값이 상승하였을 때 심한 전자간증이라고 진단하는가?(2가지)

55

산과력 0-0-1-0인 50세 여자가 복부에 덩이가 만져져 병원에 왔다. 골반 진찰 및 초음파 검사에서 좌측 자궁부속기에 성인 주먹 크기의 덩이가 관찰되어 시험적 개복술을 시행하였다. 조직 검사에서 분화가 나쁜 점액성 상피성 난소암으로 진단되었다. 상피성 난소암이 생길 위험성이 적은 경우를 고르시오.(2가지)

① Increased age
② Early menarche
③ Late menopause
④ Multiparity
⑤ Family history
⑥ Nulliparity
⑦ BRCA1/BRCA2 mutations
⑧ Tubal ligation

56

선천성 풍진 증후군과 흔히 연관되는 심장 질환을 고르시오.(2가지)

① 팔로네징후
② 대혈관전위
③ 대동맥축착
④ 심실중격결손
⑤ 심방중격결손
⑥ 동맥관 개방
⑦ 엡스타인기형
⑧ 폐동맥분지 협착

57

산과력 0-0-1-0인 여성이 1주일 전부터 약간의 질 출혈이 있다고 병원에 왔다. 월경은 규칙적이었고 마지막 월경일은 6주전이었다고 한다. 방문 첫날 질 초음파 검사에 자궁은 사진과 같았고, 양측 부속기에 특별한 음영은 보이지 않았다. 자궁내막 긁어냄 검사와 β-hCG 검사를 실시하였다. 3일 후 두 번째 방문일에도 특별한 증상 없이 활력 징후도 정상이었다. 가장 적절한 치료는 무엇인가?

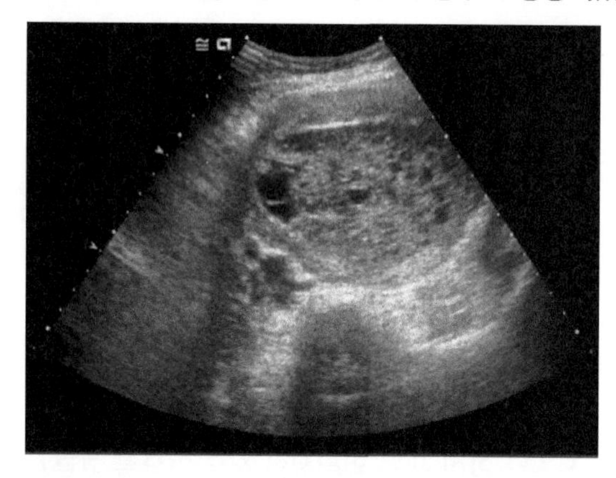

자궁내막 긁어냄 검사 (첫 방문일) : 융모막 세포 보이지 않음
β-hCG (첫번째 방문일) : 309 mIU/mL (참고치 : <5)
(두번째 방문일) : 365 mIU/mL

① 경과 관찰
② 48시간 후 재검사
③ 1주일 후 재진
④ 복강경 검사
⑤ Methotrexate 치료

58

산과력 2-0-1-2인 35세 여성이 최근에 심한 월경통과 월경 과다가 있어 병원에 왔다. 혈색소 9.0 g/dL 였으며, 초음파에서 정상 자궁 소견이었다. 과거 경구 피임제 복용 후 위장장애가 있어 고생했다고 한다. 이 환자에게 가장 적절한 피임법을 고르시오.

① 피임 격막(diaphragm)

② 콘돔

③ 구리 자궁내장치(copper IUD)

④ 레보노게스트렐 피막 자궁내장치(LNG-IUS)

⑤ 난관 결찰술

59

산과력 0-0-0-0인 여성이 체외수정 후 배아 이식 한 다음 1주일 만에 숨이 차고 배가 불러온다고 병원에 왔다. 진찰 결과 복수가 차 있고 양측 난소가 커져 있었다. 혈액 검사 결과는 다음과 같았다. 적절한 치료로 적합하지 않은 것은 무엇인가?

백혈구 : 15,200/mm^3	Na+/K+ : 130/5.2 meq/L
혈색소 : 16.2 g/dL	혈액 요소질소 : 10 mg/dL
헤마토크리트 : 49.6%	크레아티닌 : 1 mg/dL

① 헤파린 피하주사

② 절대 침상 안정

③ 복수 천자

④ 생리식염수 정맥주사

⑤ 이온음료 경구 섭취

60

29세 임신 27주 임신부로 특별한 감염성 질환의 위험에 노출되지 않았다. 권장되는 예방접종은 무엇인가?

① 파상풍-디프테리아-백일해 ② B형 간염 ③ 홍역-볼거리-풍진

④ 인유두종 바이러스 ⑤ 수두

61

39세 산과력 1-1-0-1인 임신 33주 임신부가 태동이 줄었다고 내원하였다. 비수축 검사에서 40분 동안 태아 심박동 증가가 1회 있었다. 30분간 초음파 검사를 시행하는 동안 호흡운동은 관찰되지 않았고, 태아의 움직임은 2회 있었고, 무릎을 한차례 폈다가 구부렸다. 가장 깊은 양수 주머니의 수직 깊이가 1.5 cm 이다. 이 산모의 처치로 올바른 것을 고르시오.

① 경과 관찰
② 1주 후 재검
③ 1주 2회 검사
④ 당일 검사
⑤ 분만

62

산과력 0-0-1-0인 19세 임신 32주 임신부가 숨이 차고 전신이 붓는다고 왔다. 임신 전에는 건강하였고 체중은 92 kg이었다. 혈압 170/105 mmHg, 맥박 95회/분, 호흡수 30회/분, 체온 36.6℃였다. 초음파 검사에서 태아의 예상 체중은 1,600 g이었고, 양수 지수는 7 cm이었다. 가슴 X선 사진에서 양측 폐부종이 확인되었고 검사 결과가 다음과 같았다. 이 산모에 대한 처치로 올바른 것을 고르시오.

혈색소 : 10.5 g/dL
백혈구 : 9,000/mm^3
혈소판 : 110,000/mm^3
아스파르테이트아미노 전달효소 : 35 U/L
알라닌아미노전달효소 : 30 U/L
크레아티닌 : 0.9 mg/dL
단백뇨 (–)

① 헤파린 투여 후 분만
② 스테로이드 투여 후 분만
③ 황산마그네슘 투여 후 분만
④ 아스피린 투여 후 경과 관찰
⑤ 1주마다 비수축 검사

63

임신 6주인 30세 미분만부가 교통 사고로 병원에 왔다. 내원 전 개인의원에서 좌측 엉덩이에 통증이 있어 단순 X선 촬영을 하였다. 초음파 검사에서 배아 크기는 임신 주수에 합당하였고 태아 심박동이 120회/분로 확인되었다. 이 산모에 대한 처치로 올바른 것을 고르시오.

① 단순 추적 관찰
② 정밀 초음파 검사
③ 모체 혈청 알파태아단백질 검사
④ 융모막융모 생검
⑤ 치료적 유산

64

임신 33주인 28세 미분만부가 아랫배가 자주 뭉쳐서 병원에 왔다. 초음파 검사에서 태아 예상 몸무게는 2,000 g, 양수지수는 14 cm, 두정위였다. 골반 검사에서 자궁경부의 확장이나 소실은 없었으며 나이트라진 검사는 음성이었다. 전자 태아심박동–자궁수축감시에서 30분간 자궁수축은 없었고 태아 심박동은 반응성이었다. 4시간 후에도 자궁 수축과 자궁경부의 변화는 없었다. 이 산모에 대한 처치로 올바른 것을 고르시오.

① 2주 후 재검사
② 리토드린
③ 베타메타손
④ 암피실린
⑤ 유도 분만

65

임신 35주인 28세 초산모가 태동이 줄어 병원에 왔다. 초음파 검사에서 예측 태아 몸무게는 1,600 g (5백분위수 1,900 g), 양수지수(AFI)는 2 cm이었다. 골반 검사에서 자궁경부 1 cm 확장, 50% 소실, 태아 아두 하강도 –1이었다. 비수축검사(NST)는 무반응성이었다. 이 산모에 대한 처치로 올바른 것을 고르시오.

① 경과 관찰
② 양수 주입술
③ 스테로이드 투여
④ 유도 분만
⑤ 폐성숙 확인을 위한 양수천자

66

30세 미분만부가 3,300 g의 여아를 질 분만 후 다량의 출혈이 계속되었다. 태반은 정상적으로 배출되었으며 특이 사항은 없었고 자궁경부에도 이상 소견은 발견되지 않았다. 혈압 80/50 mmHg, 맥박 110회/분, 호흡수 24회/분, 체온 37℃였다. 복부 진찰에서 자궁은 부드럽고 말랑말랑했고 자궁저부(fundus)는 배꼽 상방 10 cm에서 만져졌다. 가장 먼저 해야 할 조치는 무엇인가?

① 자궁 소파술
② 자궁저부 마사지 및 옥시토신 점적 주사
③ 자궁저부 복원술
④ 자궁동맥 색전술
⑤ 자궁적출술

67

산과력 0-0-1-0인 32세 임신 8주 산모가 우측 하복부에 불편감이 있어 병원에 왔다. 골반 진찰에서 우측 자궁부속기에 어른 주먹 크기의 덩이가 촉진되었다. 골반 초음파에서 우측 난소에 8 × 8 × 7 cm 크기의 유두상 돌출이 있는 고형성분의 난소덩이와 다량의 복수가 관찰되었다. 이 환자의 처치로 가장 적절한 것을 고르시오.

① 임신 1삼분기 이후에 수술한다

② 즉시 시험적 개복술을 시행한다

③ 만삭까지 기다렸다가 질식 분만 후 수술한다

④ 만삭까지 기다렸다가 제왕절개수술과 난소절제술을 시행한다

⑤ 분만 6주 이후 시험적 개복술을 시행한다

68

산과력 2-0-1-2인 45세 여자가 질 출혈로 병원에 왔다. 월경은 1년에 5~6회로 불규칙하였으며, 마지막 월경일은 4개월 전이었다. 골반 진찰에서 자궁이 남자 주먹 크기로 커져 있었다. 혈중 β-hCG는 210,000 mIU/mL 였다. 골반 초음파 소견가 아래와 같다면 이 환자에게 가장 적절한 처치를 고르시오.

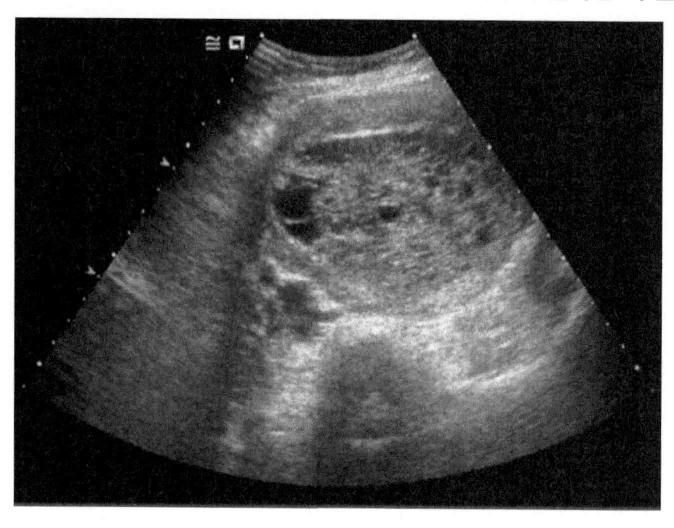

① 추적 관찰　　② 흡인 소파술　　③ 자궁절제술

④ 항암화학요법　　⑤ 골반 방사선 치료

69

46세 여자로 자궁경부암, 폐전이가 진단되어 시스플라틴과 파클리탁셀 병합 항암화학요법을 계획 중이다. 팔로노세트론이라는 항구토제를 투여하려고 한다. 적절한 투여 시기는 언제인가?

① 항암제 투여 전
② Cisplatin 투여 후
③ Paclitaxel 투여 후
④ 항암제 투여 24시간 후
⑤ 구토가 시작 시

70

산과력이 0-0-0-0인 31세 여성이 결혼 후 2년 동안 임신이 되지 않는다고 병원에 왔다. 월경은 규칙적이었고 남편 정액 검사는 정상이었다. 질 초음파 검사와 자궁내시경 소견이 다음과 같아서 수술적 치료를 결정하였다. 수술 후 합병증을 방지하기 위한 적절한 조치는 무엇인가?

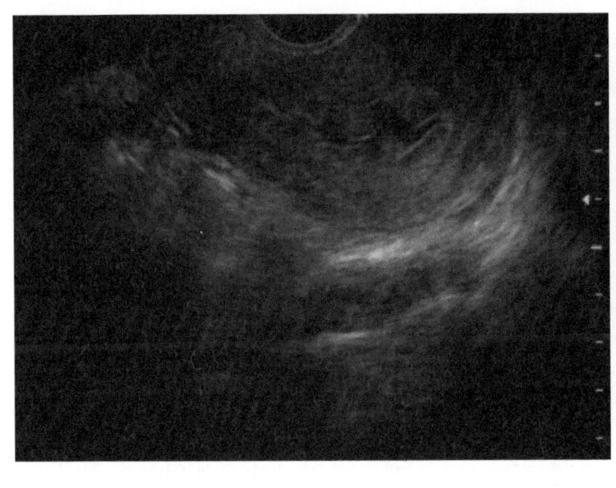

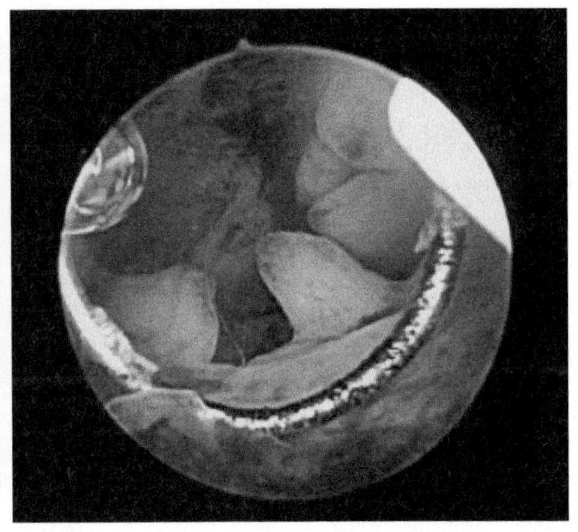

① 생식샘호르몬분비자극호르몬 작용제 투여
② 부신피질호르몬제 복용
③ 에스트로겐 복용
④ 프로게스테론 복용
⑤ 생식샘자극호르몬 주사

71

다음 단어들을 보고 연관된 가장 적합한 진단명을 고르시오.

무월경
질 형성 저하
말굽신장(horseshoe kidney)
정상 염색체(46,XX)

① 터너 증후군
② 고생식샘자극호르몬 생식샘저하증
③ 저항 난소 증후군
④ MRKH 증후군
⑤ 남성 가성 반음양증

72

50세 여성이 소변이 마려우면 참지 못하고 화장실을 가는 도중에 심한 요의와 함께 소변을 보곤 하였다. 이 여성에게 가장 적절한 치료는 무엇인가?

① Burch 수술
② 슬링 수술
③ 알파 길항제
④ 항콜린제
⑤ 골반근육강화운동

73

17세 여학생이 한번도 생리가 없다고 병원에 왔다. 환자는 4년 전에 뇌종양 수술을 받았다고 한다. 유방은 테너 2기 정도로 보였고, 음모는 정상 성인 모양이었다. 갑상샘자극호르몬(TSH)과 젖분비호르몬(prolactin)은 정상이었고 생식샘자극호르몬분비호르몬 자극검사 결과가 다음과 같았다. 가장 적절한 처치는 무엇인가?

	FSH (참고치 : 5~15 mIU/mL)	LH (참고치 : 5~20 mIU/mL)
GnRH 주사 전	0.1	0.1
GnRH 주사 60분 후	2	1
GnRH 주사 90분 후	5	6
GnRH 주사 120분 후	3	5

① 피임약
② 에스트로겐 경구 투여
③ 프로게스테론 경구 투여
④ 클로미펜
⑤ 생식샘자극호르몬분비호르몬 길항제 주사

74

산과력 0-0-0-0인 26세 임신 25주 임신부가 우측 하복부 통증으로 내원하였다. 혈압 120/80 mmHg, 맥박 100회/분, 체온 37.1℃였고, 통증 부위에 압통이 있었다. 태아, 태반, 양수의 초음파 검사에서 특이 소견은 없었다. 압통 부위의 복부 초음파와 혈액 검사 결과는 다음과 같았다. 이 산모의 치료로 가장 적절한 것을 고르시오.

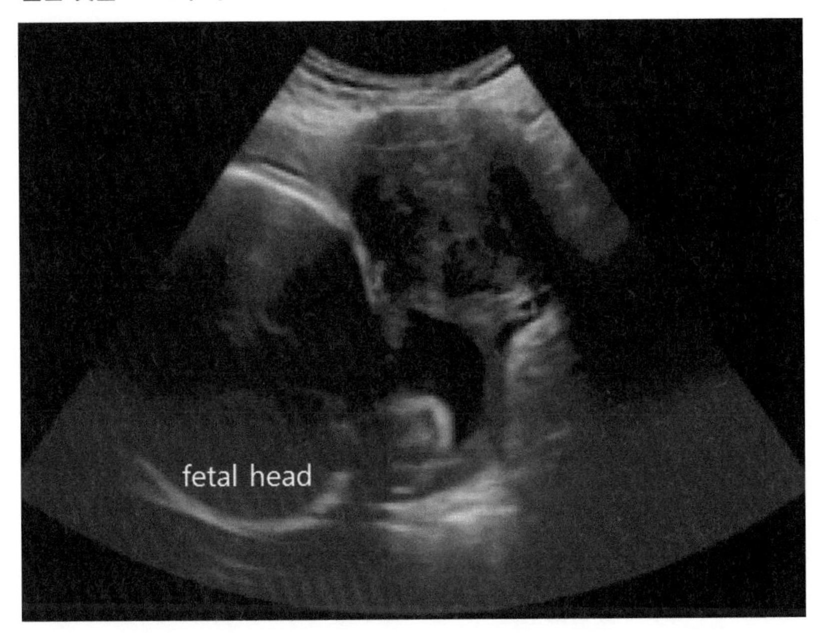

혈색소 : 12.5 g/dL
백혈구 : 10,000/mm^3
혈소판 : 350,000/mm^3

① 복강경
② 개복술
③ 진통제
④ 리토드린
⑤ 항생제

75

정상 질식 분만의 진행 경과를 보여주는 그래프이다. 진통 중인 임신부에서 C 시기에 나타나는 증상은 무엇인가?

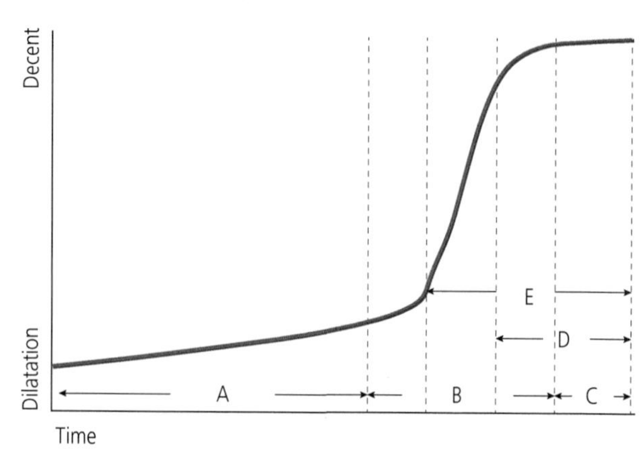

① 구토
② 발열
③ 호흡 곤란
④ 불규칙한 복통
⑤ 배변 느낌

76

산과력 1-0-0-1인 34세 산모가 2일 전 제왕절개로 분만하였다. 산모는 임신 중 전자간증이 있었고, 2일간 침상 안정 후 보행을 시작하면서 숨쉬기가 힘들다고 하였다. 혈압 170/100 mmHg, 맥박 115회/분, 호흡수 28회/분, 체온 36.7℃였다. 오른쪽 다리만 부어 있었고 압통이 있었으며 차갑게 느껴졌다. 가장 먼저 시행할 검사는 무엇인가?

① 압박 초음파
② 가슴 자기공명영상촬영
③ 가슴 컴퓨터단층촬영-혈관조영술
④ 가슴 고해상도 컴퓨터단층촬영
⑤ 환기/관류 스캔

77

37세 임신 17주인 미분만부가 산전 진찰을 위해 병원에 왔다. 초음파 검사에서 태아 크기는 임신 주수와 합당하였다. 3차례의 자연 유산 과거력이 있어 시행한 염색체 검사에서 남편은 정상이나 산모는 45,XX, rob(14q;21q)로 확인되었다. 가장 적절한 치료는 무엇인가?

① 모체혈청 알파태아단백질 검사
② 양수 천자
③ 태아 피부 생검
④ 융모막융모 생검
⑤ 탯줄 천자

78

임신 32주인 36세 다분만부가 하복부 통증과 질 출혈이 있어 병원에 왔다. 혈압 120/80 mmHg, 맥박수 70회/분, 호흡수 24회/분, 체온 37℃였다. 초음파 검사에서 예상 태아 몸무게 2,000 g, 양수지수(AFI) 15 cm, 두정위, 태반은 사진과 같았다. 골반 검사에서 자궁경부는 닫혀 있었고, 자궁경부에서 출혈은 멈춘 상태였다. 혈액 및 전자태아심박동 자궁수축감시 결과는 아래와 같다. 이 산모에게 가장 적절한 치료를 고르시오.

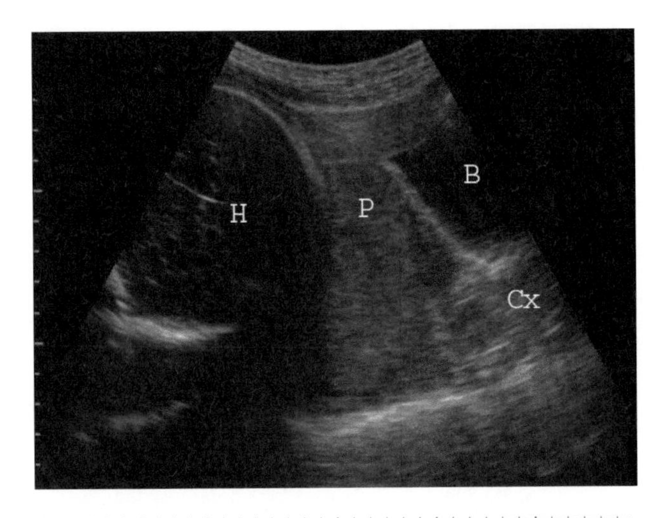

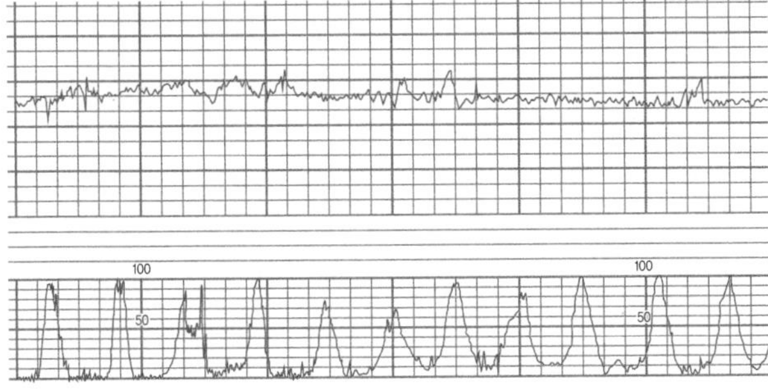

혈색소 : 12.0 g/dL
백혈구 : 10,000/mm^3
혈소판 : 150,000/mm^3

① 리토드린
② 칼슘글루콘산
③ 농축 적혈구
④ 인공 양막파수
⑤ 제왕절개술

79

임신 36주인 35세 초산부가 운전 중 추돌사고 후 하복부 통증이 있어 병원에 왔다. 복부에 지속적인 통증을 호소하였으며 골반 진찰에서 질 출혈이 있었다. 다음 처치로 가장 올바른 것을 고르시오.

① 4주 후 외래 추적검사 ② 양수인공파막 ③ 진단적 복막세정
④ 24시간 태아 심음 감시 ⑤ 양수천자술

80

산과력 3-0-0-3인 52세 여자가 4개월간 질 출혈이 지속되어 병원에 왔다. 자궁경부 생검에서 자궁경부 편평세포 제자리암종(carcinoma in situ)로 판명되어 자궁절제술을 시행 받았다. 병리조직검사에서 침윤 깊이는 2 mm, 넓이는 3 mm였다. 수술 절제면(resection margin)과 림프 혈관강(lymphovascular space)에는 암세포가 관찰되지 않았다. 다음 처치로 가장 적절한 것을 고르시오.

① 경과 관찰 ② 호르몬 요법 ③ 골반림프절 절제술
④ 동시 항암화학방사선 치료 ⑤ 근접 방사선 치료

81

산과력 2-0-1-2인 41세 여자가 불규칙한 질 출혈과 객혈로 병원에 왔다. 3개월 전 둘째 아이를 분만한 후 지속적으로 불규칙한 출혈이 지속되었다고 한다. 골반 초음파 검사에서 자궁 및 자궁 부속기는 정상이었다. 가슴 X선 검사에서 직경이 각각 4 cm, 3 cm, 3 cm인 동전형 음형 양상의 전이성 병변이 관찰되었다. 두부, 복부 및 골반 컴퓨터단층촬영 결과는 정상이었다. 혈청 표지자 검사는 β-hCG 300,000 mIU/mL (참고치 : <5)로 확인되었다. 이 환자에 대한 다음 처치로 가장 올바른 것을 고르시오.

① 경과관찰 ② 골반 방사선 요법 ③ 단일 항암 화학 요법
④ 복합 항암 화학 요법 ⑤ 폐 절제 및 자궁 절제술

82

51세 여자 환자가 기침, 무거운 것을 들 때 불수의적인 요 누출, 빈뇨, 배뇨통이 발생하여 병원에 왔다. 과거력 상 3명의 자연분만 기왕력이 있었다. 소변검사 상 적혈구 1~4/고배율시야, 백혈구 1~4/고배율시야, Q-tip test 35도, VLPP 100 cmH2O였다. 이 환자에게 가장 적절한 치료는 무엇인가?

① 요실금 수술 ② 항생제 투여 ③ 항콜린제 투여
④ 알파교감신경차단제 투여 ⑤ 바이오피드백 치료

83

산과력이 0-0-2-0인 27세 여성이 두 번의 자연유산 후 임신을 원하여 병원에 왔다. 남편 정액검사는 정상이었고 환자의 월경력은 규칙적이었으나 양이 많았다고 한다. 자궁내시경 소견이 아래와 같다면 이 여성에게 다음으로 시행해야 할 처치는 무엇인가?

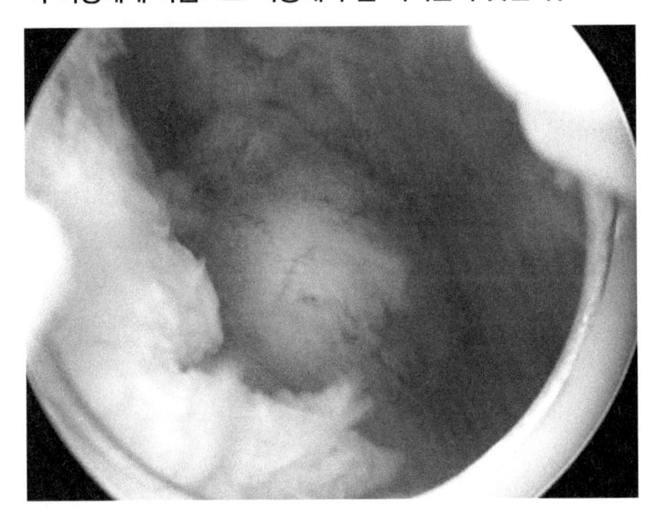

① 체외수정술
② 자궁강내 인공수정
③ 난관 조영술
④ 자궁경 수술
⑤ 배란 유도

84

19세 여성이 월경이 한번도 없어서 내원 하였다. 여성의 2차 성징 발현은 없었고, 염색체 검사는 46,XX 이었다. 생식샘자극 호르몬과 여성 호르몬 검사가 아래와 같았다. 가장 가능성 높은 진단명은 무엇인가?

FSH : 59 mIU/mL (참고치 : 5~15)
LH : 46 mIU/mL (참고치 : 5~20)
Estradiol : 17 pg/mL (참고치 : 50~200)

① 남성호르몬 불감성 증후군
② 생식샘 생성부전
③ 스와이어 증후군
④ 터너 증후군
⑤ 뮬러관 생성부전

85

산과력 0-1-0-0인 29세 임신 20주 임신부가 질 분비물이 증가하여 내원하였다. 산전 기본 검사는 정상이었고, 자궁수축은 없었다. 혈압 120/80 mmHg, 맥박 80회/분, 체온 36.6℃였다. 질경 검사가 아래와 같다면 이 산모에게 가장 적절한 치료는 무엇인가?

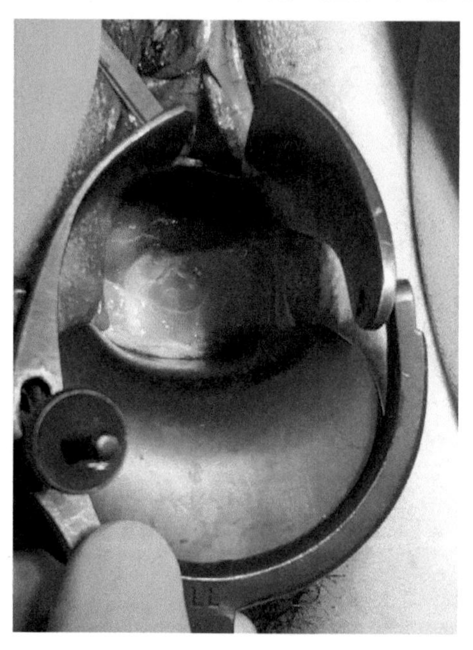

① 소파술
② 자궁경부 결찰술
③ 프로게스테론
④ 흡입 분만
⑤ 글루코코르티코이드

86

산과력 0-0-1-0인 32세 임신 22주 일융모막 이양막 쌍태아를 가진 임신부가 배가 너무 불러온다고 내원하였다. 초음파 검사에서 가장 깊은 양수 주머니의 수직 깊이는 각각 8.5 cm, 1.5 cm이었다. 양수가 적은 쪽 태아의 탯줄동맥 도플러 파형이 아래와 같다면 가장 적절한 처치를 고르시오.

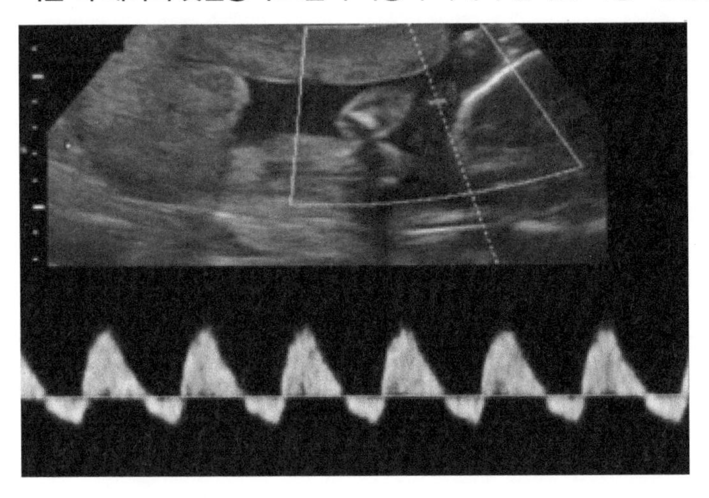

① 레이저 소작술
② 양수 주입술
③ 스테로이드
④ 태아막 절제술
⑤ 2주 후 재검

87

산과력 0-0-0-0인 32세 임신 42주 임신부가 규칙적인 자궁수축으로 내원하였다. 태아의 예상 체중은 3,700 g이었고, 양수지수는 4 cm이었다. 분만 진통 과정 중 전자태아심박동 감시장치에서 가장 흔히 보이는 양상은 무엇인가?

① 이른 태아심장박동수 감소
② 늦은 태아심장박동수 감소
③ 다양성 태아심장박동수 감소
④ 굴모양곡선 태아심장박동수
⑤ 지속되는 서맥

88

28세 다분만부가 임신 38주에 둔위로 질 분만 중이다. 태아 아두 분만을 위해 그림과 같이 시행하는 수기는 무엇인가?

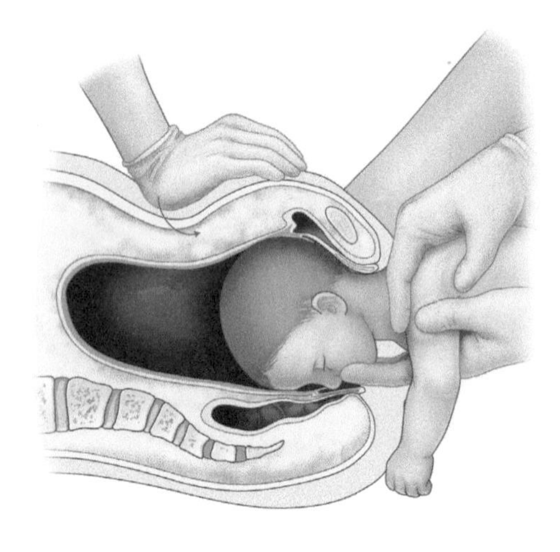

① 프라하 수기(Prague maneuver)
② 레오폴드 수기(Leopold maneuver)
③ 모리세 수기(Mauriceau maneuver)
④ 맥로버트 수기(McRobert maneuver)
⑤ 리트겐 수기(Ritgen maneuver)

89

임신 35주인 34세 다분만부가 하복부 통증과 질 출혈이 있어 병원에 왔다. 혈압 180/110 mmHg, 맥박수 90회/분, 호흡 24회/분, 체온 37℃였다. 초음파 검사에서 태아 예상 몸무게 1,500 g, 양수지수 10 cm, 두정위, 태반과 자궁내벽 사이에 5 × 8 cm 크기의 혼합 에코 음영이 보였다. 골반 검사에서 자궁경부는 닫혀 있었고, 자궁경부에서 검붉은 출혈이 지속되었다. 전자 태아심박동 자궁수축 감시결과가 아래와 같다면 가장 적절한 처치를 고르시오.

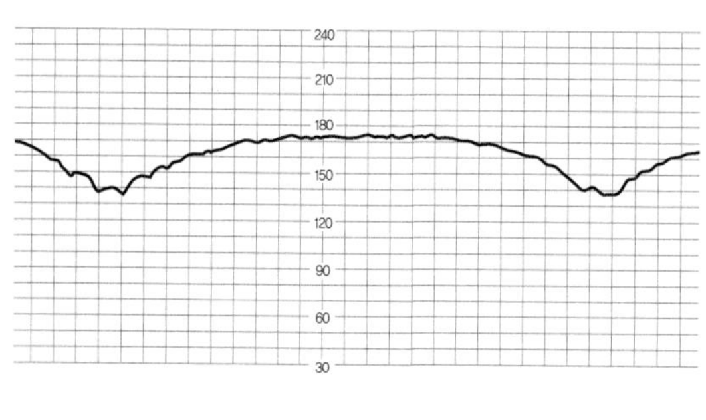

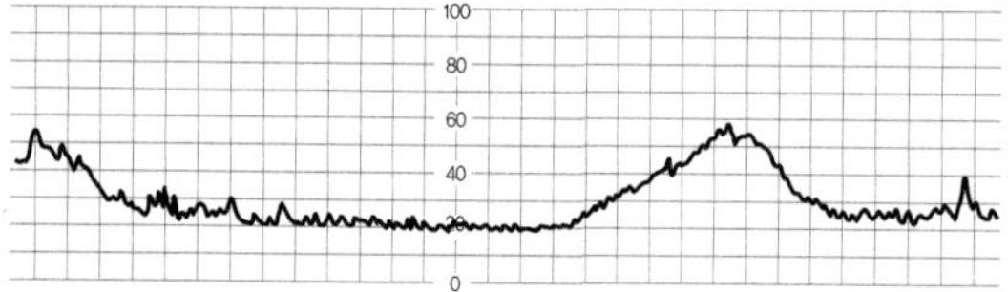

① 스테로이드
② 황산 마그네슘
③ 리토드린
④ 양수 주입술
⑤ 제왕절개술

90

산과력 2-0-0-2인 50세 여자가 3개월 동안 질 출혈이 지속되어 병원에 왔다. 골반 초음파에서 자궁내막 두께가 19 mm로 측정되어 시행한 자궁내막 생검에서 유두모양 장액암종(papillary serous carcinoma)으로 진단되었다. 이 환자의 다음 처치는 무엇인가?

① 경과 관찰

② 프로게스테론제제

③ 근접 방사선 조사

④ 자궁절제술 및 양쪽 자궁부속기 절제술

⑤ 자궁내막 지짐술(endometrial ablation)

91

17세 산과력 0-0-0-0인 여자가 배에 덩이가 만져져 병원에 왔다. 골반 진찰 및 초음파 검사에서 우측 난소에 20 × 18 cm 크기의 단단한 덩이가 관찰되었다. 혈청 표지자 검사는 다음과 같다. 가장 가능성 있는 진단은 무엇인가?

암항원(CA) 125 : 15 U/mL (참고치 : <30.2)
암항원(CA) 19-9 : 18 U/mL (참고치 : 0~37)
알파태아단백질(AFP) : 2,800 ng/mL (참고치 : <15)
β-hCG : 0 mIU/mL (참고치 : <5)

① 융모암종

② 성숙 기형종

③ 미분화 세포종

④ 내배엽동종양

⑤ 과립막 기질세포종양

Final Exam 05

모의고사 5회

01

다음은 산부인과 외래에 방문한 환자의 신체 검진을 나열한 것이다. 기본적인 검사 종류에 포함되지 않는 것은 무엇인가?

① 병력 청취 ② 유방 진찰 ③ 복강경 검사
④ 외음부의 면밀한 시진 ⑤ 양손 진찰법(Bimanual examination)

02

만 14세 여학생이 초경이 없어 내원하였다. 신체검사에서 유방 발육과 음모 발현은 약간 있었고, 그 외에 특이 소견은 없었다. 복부 초음파 검사에서 자궁 및 부속기의 존재가 확인되었으며, 혈청 난포자극호르몬(FSH) 농도는 정상이었다. 가장 가능성이 높은 진단은 무엇인가?

① 쿠싱 증후군 ② 터너 증후군 ③ 체질적 성장 지연
④ 뮐러관 발육부전(Mullerian agenesis)
⑤ 안드로겐 무감응 증후군(Androgen insensitivity)

03

45세 여자가 질 출혈로 병원에 왔다. 자궁경부 생검에서 제자리암종(carcinoma in situ)로 판명되어 자궁절제술을 시행하였다. 조직검사에서 깊이 2 mm, 너비 4 mm인 자궁경부암으로 진단되었고 림프-혈관공간(lymphovascular space)에 침범이 있었다. 다음 처치로 올바른 것을 고르시오.

① 추적 관찰 ② 항암화학 요법 ③ 방사선 요법
④ 골반림프절 절제술 ⑤ 동시성 화학방사선요법

04

임신 14주인 27세 다분만부가 우하복부 통증으로 병원에 왔다. 초음파 검사 상 이전에는 보이지 않던 10 cm 크기의 단순 낭종이 관찰되었다. 가장 적절한 처치는 무엇인가?

① 관찰　② 개복 수술　③ 낭종 흡인술
④ 치료적 인공 유산　⑤ 16주까지 개복 후 개복 수술

05

산모의 labor curve가 다음과 같고, 자궁 수축은 220 Montevideo unit으로 확인된 산모의 다음 처치로 올바른 것을 고르시오.

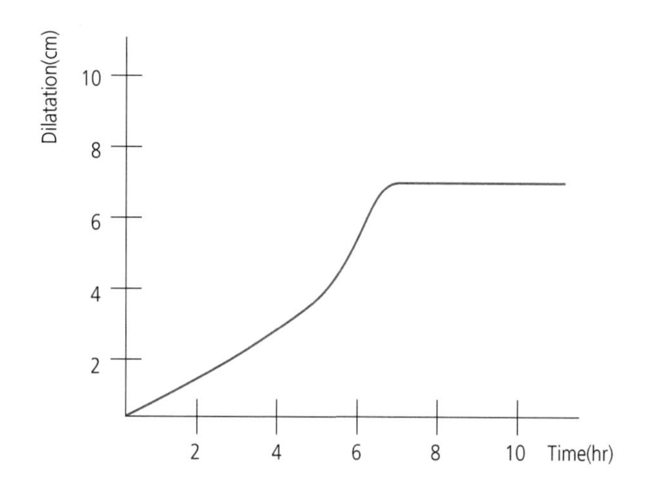

① 경과 관찰
② 옥시토신 투여
③ 리토드린 투여
④ 진통제 투여
⑤ 제왕절개 분만

06

환자-대조군 연구를 수행하는 것이 가장 적절한 것은 무엇인가?

① 지역 오존 농도와 호흡기사망과 관련성
② 규칙적인 운동 실천과 비만과의 관련성
③ 젊은 여성의 질선암과 임신 중 호르몬제재 복약 관련성
④ 중학교에서 발생한 집단 식중독 역학조사
⑤ 00전자 근로자의 유기용제 노출과 백혈병과의 관련성

07

코호트 연구의 장점은 무엇인가?

① 기존의 자료를 이용할 수 있다

② 질병의 유병률을 구할 수 있다

③ 위험 요인과 질병 간의 시간적 선후관계가 비교적 명확하다

④ 비교적 희귀한 질병이나 잠복기가 긴 질병에 대한 연구가 가능하다

⑤ 지역사회의 건강평가를 통해 보건사업의 우선순위를 정하는 데 도움이 된다

8~9 다음의 각 문항에 대한 적절한 답을 답 가지에서 고르시오.

① 정액검사
② 자궁경 검사
③ 프로락틴 검사
④ 성교 후 검사
⑤ 항정자 항체 검사
⑥ 자궁난관 조영술 검사
⑦ 황체호르몬 검사
⑧ 자궁내막 조직 검사
⑨ 갑상선 호르몬 검사
⑩ 호르몬 기초검사
⑪ 진단적 복강경 검사
⑫ 자궁경관 점액 검사

08

산과력 0-0-0-0인 28세 여성이 불임을 주소로 내원하였다. 평소 월경은 28일 간격으로 규칙적이었으며, 마지막 월경 시작일은 10일 전이었다. 월경 주기에 맞추어 볼 때 이 환자에게 시행해야 할 검사는 무엇인가?(1가지)

09

산과력 0-0-3-0인 35세 여성이 2년간 임신이 안 되어 내원하였다. 평소 월경은 28일 주기로 규칙적이었으며, 월경통은 없었다. 마지막 월경 시작은 14일 전이었다. 이 시기에 시행해야 할 검사는 무엇인가?(2가지)

10

생리주기가 불규칙적인 52세 여성이 병원에 왔다. 2년 전까지 생리 주기가 규칙적이었으나 1년 전부터 주기가 불규칙해지며 최근 부정 질출혈을 보이고 있다. 이러한 부정출혈을 보일 때 생각 할 수 있는 원인을 고르시오.(3가지)

① 무배란성 출혈 ② 칸디다 질염 ③ 에스트로젠 소퇴성 출혈
④ 프로게스테론 소퇴성 출혈 ⑤ 폐경에 의한 질 위축성 출혈 ⑥ 질 내 이물질 삽입
⑦ 자궁경부암

11

30세의 미혼 여성이 불규칙적인 복통으로 응급실로 내원하였다. 이 환자는 이전에 개인의원에서 질염으로 치료 받아 왔으며 특이사항은 없었으나 응급실 내원 하루 전부터 갑작스런 복통이 시작하였고 더욱 심해지는 양상을 띠었다. 응급실 내원 생체 징후는 정상이었고 마지막 생리는 1주 전에 끝났으며, 평상시 보다 양이 적었고 기간도 짧았다고 한다. 응급으로 시행한 소변 임신 반응 검사 상 미약한 양성 반응을 보였다. 우선 이 환자에서 의심해 볼 수 있는 질환은 무엇인가?(2가지)

① 출혈성 황체낭 ② 골반염 ③ 대장염
④ 급성 충수염 ⑤ 절박유산 ⑥ 난관염
⑦ 생리통 ⑧ 자궁외 임신

12~13 다음의 각 문항에 대한 적절한 답을 답 가지에서 고르시오.

① 자궁외 임신	② 유산
③ 정상 임신	④ 포상기태
⑤ 전치태반	⑥ 자궁경부 무력증
⑦ 태반 조기 박리	⑧ 자궁 파열
⑨ 자궁내막증	⑩ 자궁 이완성 출혈
⑪ 양수색전증	⑫ 자궁외번증

12

산과력 0-0-0-0인 산모가 임신 33주에 질 출혈로 내원하였다. 의심되는 질환은 무엇인가?(2가지)

13

산과력 0-0-0-0인 산모가 분만 직후 다량의 출혈을 보였다. 의심되는 질환은 무엇인가?(3가지)

14

임신 19주 임산부에서 시행한 초음파 결과 다음과 같은 소견이 발견되었다. 임산부는 어린이집 교사이고 9주 전 어린이집 아이들과 5일열이 발생하였다. 다음 중 시행해야 할 검사는 무엇인지 고르시오.(1가지)

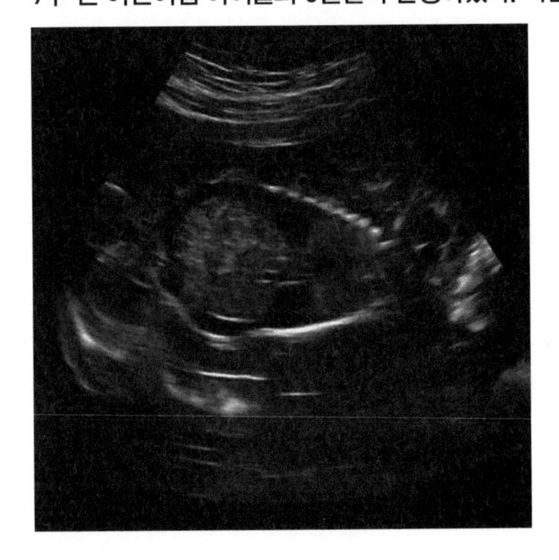

① 거대세포바이러스(CMV) 항체
② 단순헤르페스바이러스(HSV) 항체
③ 사람면역결핍바이러스(HIV) 항체
④ 소변 균배양체
⑤ 인유두종바이러스(HPV) 검사
⑥ 톡소플라스마 항체
⑦ 파보바이러스 B-19 항체
⑧ 풍진 항체

15

다음 중 임신 중 사용해서는 안 되는 약물을 고르시오.(3가지)

① 페니실린 ② 에리스로마이신 ③ 아시클로버
④ 아지스로마이신 ⑤ 테트라사이클린 ⑥ 메트로니다졸
⑦ 메소트렉세이트 ⑧ 이소트레티노인

16

산과력 0-0-0-0인 임신 8주의 산모가 왔다. 풍진 항체 검사서 IgG 양성, IgM이 약한 양성 소견을 보였다. 1주 후 추적 검사에서도 동일한 결과를 보였다면 가장 적절한 조치는 무엇인가?

① 양수천자를 시행한다 ② 유산을 시킨다 ③ IgG, IgM을 추적 관찰한다
④ IgG abidity 검사를 시행한다 ⑤ IgG와 IgM의 정량검사를 시행한다

17

66세 여성이 소변 감소로 병원에 왔다. 3일 전부터 대상포진으로 아시클로비어(acyclovir)를 복용하던 중 혈청 크레아티틴이 1.1 mg/dL에서 3.1 mg/dL로 상승하여 아시클로비어를 중단하였다. 치료로 가장 적절한 것은 무엇인가?

① 생리식염수 투여 ② 이뇨제 투여 ③ 스테로이드 사용
④ 중탄산염 사용 ⑤ N-acetylcysteine 투여

18

21세 여자가 오늘 새벽 성폭행을 당해 병원에 왔다. 임신 예방을 위해 할 수 있는 가장 적절한 처치는 무엇인가?

① 질 세척 ② 사후 피임제
③ 프로게스테론 피막 자궁내 장치 ④ 자궁 소파술 ⑤ 이식 피임제

19

47세 여자가 안면 홍조 및 야간 발한, 불면증이 3개월 정도 지속되어 병원에 왔다. 3년 전 자궁근종으로 자궁절제술을 받았고, 그 외에 특이소견은 없었다. 우선적으로 시행해야 할 검사는 무엇인가?

① 혈중 hCG 측정
② 혈중 TSH 측정
③ 혈중 FSH 측정
④ 혈중 estrogen 측정
⑤ 혈중 prolactin 측정

20

16세 여학생이 질 출혈을 주소로 병원에 왔다. 초경은 14세에 시작하였고 이차 성징은 정상적으로 관찰되었다. 연령별 발생 빈도로 미루어 볼 때 가능성이 높은 원인은 무엇인가?

① 무배란
② 자궁내막 용종
③ 갑상샘 기능 이상
④ 호르몬 제제 사용
⑤ 자궁의 해부학적 기형

21

산과력 1-0-3-1인 32세 여성이 2년 전 소파술로 인공유산을 한 후 월경양이 줄어들고 임신이 되지 않아 병원에 왔다. 우선 시행해야 할 검사는 무엇인가?

① 성교 후 검사
② 진단 복강경
③ 자궁내막 조직검사
④ 자궁난관 조영술(HSG)
⑤ 혈중 프로게스테론 측정

22

32세 여자가 심한 월경통과 불임을 주소로 병원에 왔다. 초음파 검사 소견은 다음과 같다. 가장 적절한 치료는 무엇인가?

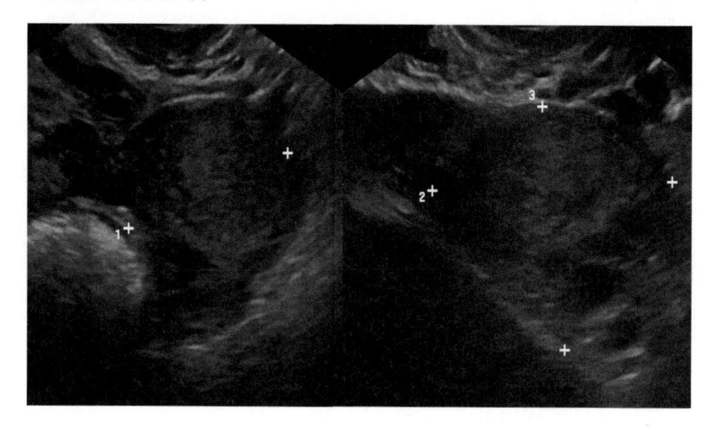

① 다나졸 투여

② 프로게스테론 투여

③ 난소낭종 절제술(cystectomy)

④ 복강경 생검(laparoscopic biopsy)

⑤ 성선자극호르몬 분비호르몬 작용제(GnRH agonist)

23

28세 기혼 여자가 정기 검진을 위해 병원에 왔다. 골반 초음파에서 6 cm 크기의 thin wall, unilocular cyst가 왼쪽 난소에서 관찰되었다. 이 환자에게 시행해야 할 조치는 무엇인가?

① 시험적 개복술

② 진단적 복강경

③ 우선 2~3개월간 추적 관찰

④ 질식 초음파 하 낭성 내용물 흡입

⑤ 생식샘자극 호르몬방출호르몬 작용제

24

다음은 난소 낭종의 초음파 소견들이다. 악성에 해당되는 소견은 무엇인가?

① 얇은 종괴 벽

② 복수 없음

③ 단순 난종

④ 에코 없음(anechoic)

⑤ 여러 개의 방(multilocular cyst)

25

53세 여성이 건강 검진 결과 자궁 초음파에서 다음과 같은 소견이 관찰되었다. 2년 전 폐경이 되었고 현재 특별한 증상은 없다. 이 환자의 처치로 가장 적절한 것은 무엇인가?

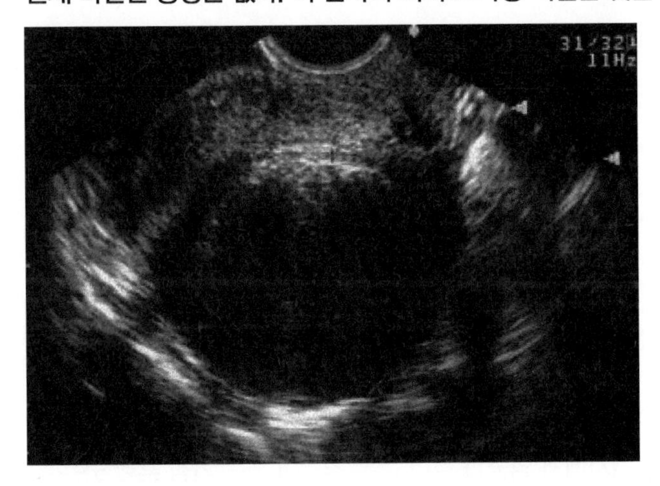

① 자궁경 검사

② 자궁절제술

③ 자궁근종 절제술

④ 경과 관찰

⑤ 성선자극호르몬 분비호르몬(GnRH) 투여

26

산과력 0-0-1-0인 28세 여자가 질 출혈을 주소로 병원에 왔다. 자궁경부 조직 생검에서 편평세포암으로 판명되었다. 신체 검진 및 자기공명영상 촬영에서 자궁주위조직(parametrium) 침범이 있었다. 다음으로 필요한 처치는 무엇인가?

① 추적 관찰

② 근치 자궁목절제술(radical trachelectomy)

③ 근치 자궁절제술(radical hysterectomy)

④ 근접 방사선 치료(brachytherapy)

⑤ 동시 항암화학방사선 치료(concurrent chemoradiotherapy)

27

다음 중 세균성 질염(bacterial vaginosis)에 대한 설명으로 맞는 것을 고르시오.

① Hyphae

② 낮은 pH에서 발생

③ 치료는 metronidazole을 사용

④ 성 파트너로 반드시 치료

⑤ Wet smear 만으로도 진단 가능

28

급성 골반 염증성 질환 중 자궁내막의 세균 검사에서 임균과 같이 중복 감염이 되는 가장 흔한 균은 무엇인가?

① E.coli

② Candidasis

③ Mycoplasma

④ Chlamydia trachomatis

⑤ Trichomonas vaginalis

29

30세 여성이 2년간의 불임을 주소로 병원에 왔다. 호르몬 기초 검사 결과와 자궁난관 조영술 검사 결과는 다음과 같다. 남편의 정액검사 결과는 정상이다. 치료로 가장 적절한 것을 고르시오.

난포자극호르몬 : 5.2 IU/L (참고치 : 5~20)
황체형성호르몬 : 9.0 IU/L (참고치 : 5~20)

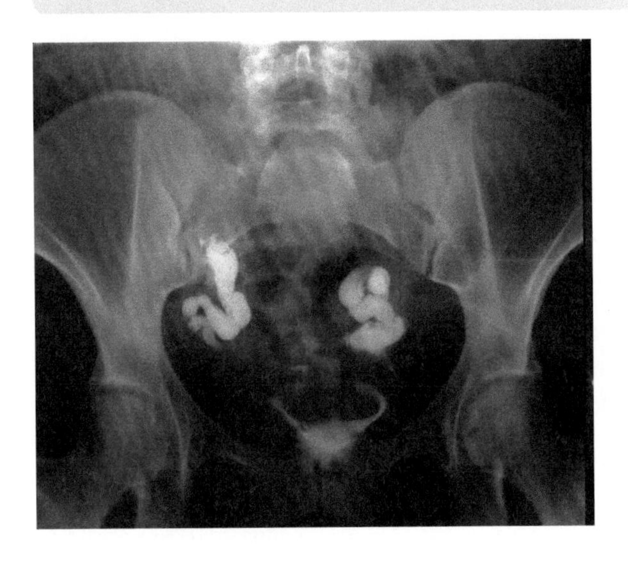

① 난자 공여
② 과배란 유도
③ 자궁강내 인공수정(IUI)
④ 생식세포 난관 내 이식(GIFT)
⑤ 체외수정 시술 및 배아이식(IVF-ET)

30

42세 여자에서 난소 종괴가 있어 진단적 개복술을 시행하였다. 난소 종괴는 장액낭샘암종으로 판명되었고 복강 세포진 검사 (+), 장막(omentum)과 복막(peritoneum)에서 종양이 발견되지 않았고 후복막 림프절에 전이를 보였다. 이 환자의 수술을 위한 병적 단계는 무엇인가?

① IC
② IIA
③ IIIA
④ IIIB
⑤ IIIC

31

45세 여자가 주기적인 하복통이 있어 병원에 왔다. 3년 전부터 시작된 월경통이 최근 들어 점점 심해지고 월경양이 증가하였다. 분만력은 2-0-1-2 이며, 최근 프로스타글란딘 합성 억제제를 복용하였으나 월경통에 대한 호전은 거의 없었다. 혈압 110/70 mmHg, 맥박 70회/분, 키 155 cm, 몸무게 65 kg이었다. 골반 자기공명영상과 혈액 검사 결과가 아래와 같다면 가장 적절한 치료를 고르시오.

혈색소 : 8.8 mg/dL,
백혈구 : 9,600/mm^3
혈소판 : 209,000/mm^3
프로트롬빈시간 : 13.5초 (참고치 : 12.7~15.4)
갑상샘자극호르몬 : 1.6 mIU/L (참고치 : 0.34~4.25)

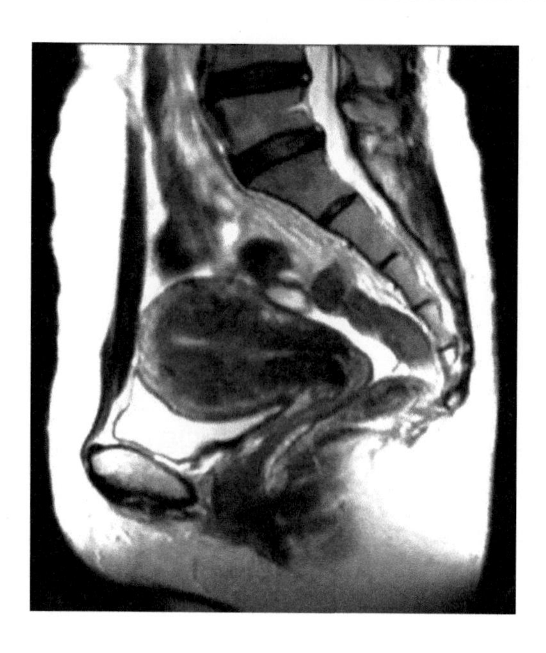

① 자궁 수축제 투여
② 자궁내막 조직 검사
③ 수혈 후 주기적 관찰
④ 주기적 난포호르몬 투여
⑤ 레보노게스트렐(Levonorgestrel) 분비 자궁내 장치 삽입

32

32세 여자가 2년간 임신이 되지 않아 병원에 왔다. 평소 월경이 불규칙하였으며, 얼굴에 여드름이 나있고 다모증 소견을 보였다. 신장 160 cm, 체중 72 kg, 골반 초음파 검사 결과 다음과 같다. 치료로 가장 적절한 것을 고르시오.

갑상샘자극호르몬 : 3.4 mIU/L (참고치 : 0.34~4.24)
프로락틴 : 15.6 ng/mL (참고치 : <25)

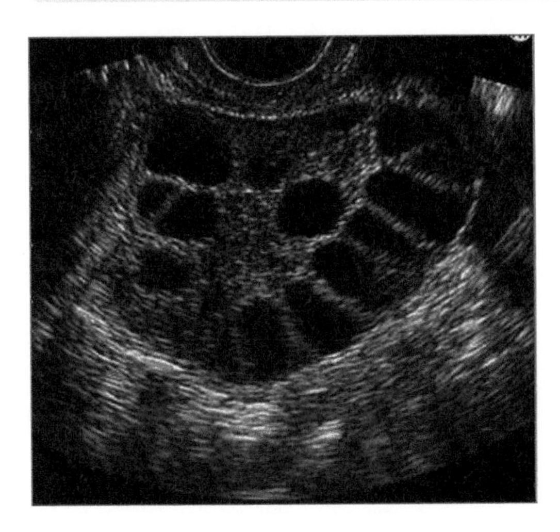

① 다나졸
② 클로미펜
③ 브로모크립틴
④ 생식샘자극 호르몬 방출 호르몬 작용제
⑤ 생식샘자극 호르몬

33

산과력 0-0-0-0인 산모가 임신 28주에 응급실에 왔다. 산모는 집에서 세 차례의 경련을 하였으며 응급실에서도 한 차례의 경련을 하였다. 산모의 의식은 명료하였고 혈압은 180/110 mmHg, 단백뇨(+++), 태아 심박동은 정상 범위였다. 이 산모에게 가장 적절한 조치는 무엇인가?

① 자궁내 태아곤란증이나 태아 성장 지연이 있는지를 보고 임신 지속 여부를 결정한다
② 항고혈압제와 $MgSO_4$를 쓰면서 분만을 시도한다
③ 태아의 폐성숙을 위해 34주까지 임신을 연장한다
④ 핍뇨증이나 산모의 폐부종이 없다면 경과를 관찰한다
⑤ 항고혈압제, 항경련제와 함께 이뇨제를 적극적으로 투여해야 한다

34

32세 초산모가 임신 42주 3일에 하복부 통증과 자궁 수축이 있어 아침 8시에 응급실을 통하여 병원에 왔다. 산모의 전신 상태는 양호하였고 활력 징후도 정상 이였다. 자궁경부는 4 cm 확장, 소실은 70~80 %, 태아 하강은 0, 태아는 두위, 태아 심음은 144회/분 이었다. 12시에 산모가 갑자기 복부 통증이 증가되면서 태아 심음은 다음과 같았다. 내진 소견에서 자궁경부와 태아 선진부가 잘 만져지지 않았다. 이 산모의 진단명으로 가장 가능성이 높은 것을 고르시오.

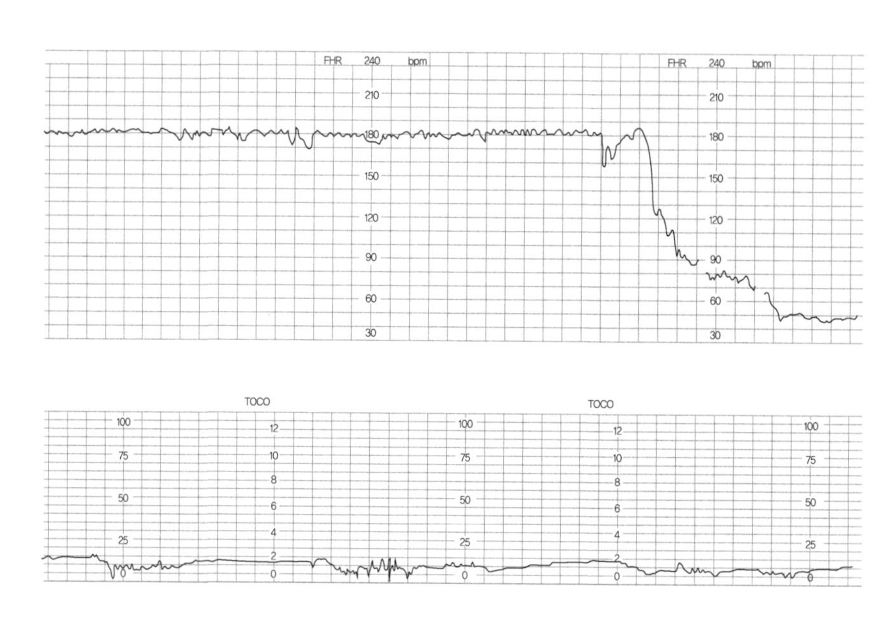

① 제대 탈출
② 자궁 파열
③ 태반 조기 박리
④ 전치혈관의 파열
⑤ 아두–골반 불균형

35

35세 초산모가 임신 39주2일에 진통이 있어 병원에 왔다. 혈압이 140/95 mmHg, 태아 심음이 146회/분 이었으나 경과 중 질 출혈과 지속성 태아 심박동 감소(prolonged deceleration) 소견을 보여 제왕절개 분만하였다. 수술 중 자궁은 다음과 같았다. 이 환자의 치료로 가장 적절한 것을 고르시오.

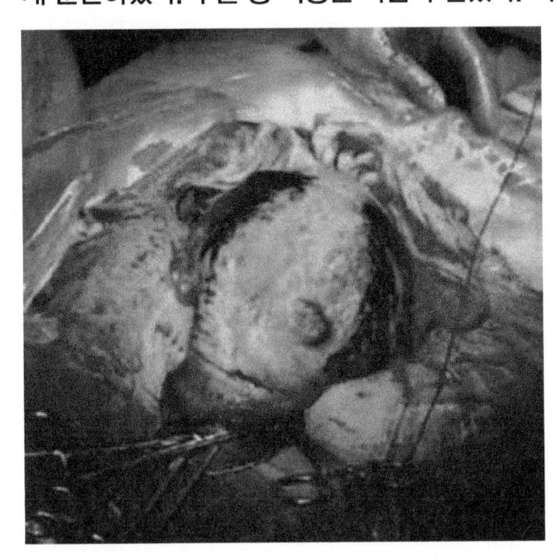

① 헤파린 투여
② 신선 혈액 수혈
③ 리토드린 투여
④ 칼슘 채널 차단제 투여
⑤ 자궁적출술

36

아래 그림을 보고 가장 가능성이 높은 태반 형태는 무엇인가?

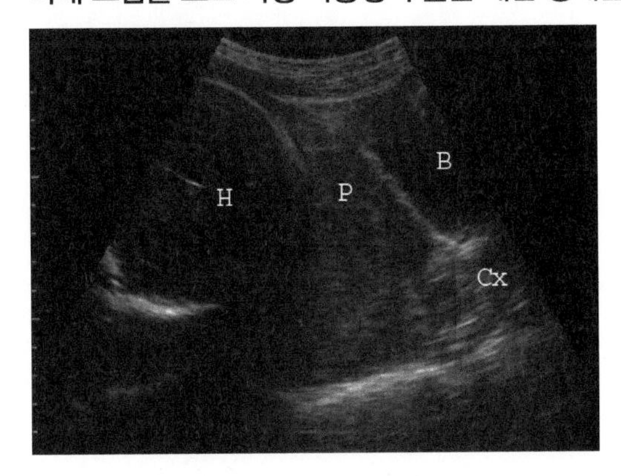

① 태반 조기 박리
② 전치 태반
③ 융모막외태반
④ 부태반
⑤ 융모막혈관종

37

32세 초산모가 임신 40주 3일에 분만 중 분만 2기에 시간이 2시간 30분 소요되어 4.3 kg 아기를 질식 분만 하였다. 분만 후 질 출혈이 있으며 혈압이 80/50 mmHg, 맥박이 100 회/분, 자궁은 부드럽게 배꼽 위에서 만져졌다. 지속적으로 자궁 수축제를 투여해도 자궁의 변화가 없고 출혈을 계속한다. 이 산모에 대한 처지로 적절한 것을 고르시오.

① 경과 관찰
② 자궁 수축제 투여
③ 컴퓨터단층촬영
④ 자궁적출술
⑤ 자궁동맥 색전술

38

임신 31주 3일인 31세 경산모가 1시간 전부터 물 같은 분비물이 있어 병원에 왔다. 나이트라진 검사(Nitrazine test)에서 파란색으로 변했고, 초음파 검사 결과 양수지표(amniotic fluid index, AFI)는 12 cm, 태아 예상 체중은 2,300 g이었다. 자궁수축은 없으며 산모의 활력 징후도 정상이었다. 이 산모에 대한 처치로 가장 적절한 것을 고르시오.

① 2주 후 경과 관찰
② 옥시토신 투여
③ 양수 주입
④ 스테로이드 투여
⑤ 프로스타글란딘 투여

39

모유수유의 금기가 아닌 것을 고르시오.

① 모체 AIDS 감염
② 활동성 결핵
③ B형 간염
④ 항암 치료
⑤ 신생아 갈락토스 혈증

40

29세 1-0-0-1 여성이 질 출혈이 있어 병원에 왔다. 초음파 검사 결과 다음과 같았다. 가장 적절한 치료는 무엇인가?

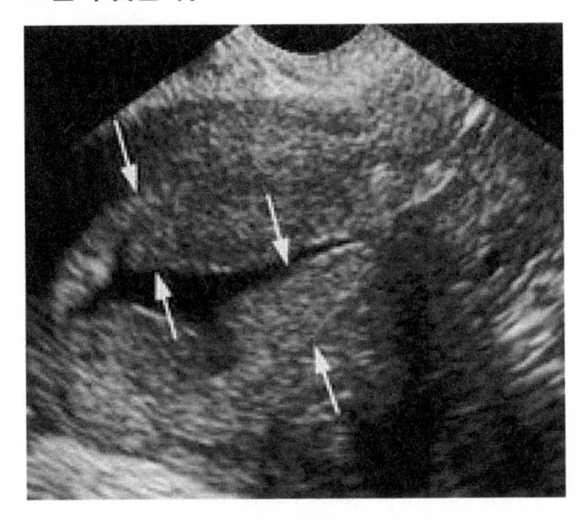

① 절대 안정
② Methotrexate 투여
③ 옥시토신 투여
④ 프로게스테론 투여
⑤ 자궁내막 소파술

41

산과력 1-0-0-1인 34세의 산모가 분만 진통을 호소하며 병원에 왔다. 산모는 약 8시간의 진통 후에 3.7 kg 건강한 남아를 분만하였다. 태반 만출 후 자궁 출혈이 심하여 산모의 혈압은 80/40 mmHg였다. 자궁수축은 비교적 양호한 편으로서 치골 상부에서 중등도로 단단한 자궁이 만져졌다. 질경 검사 상 산도의 열상은 없었으나 자궁경부가 상방으로 올라가 잘 노출이 되지 않았다. 가장 적절한 설명은 무엇인가?

① 분만 후 자궁이완에 의한 출혈로 의심되므로 자궁 수축제를 사용한다
② 잔류 태반의 가능성이 매우 높다
③ 자궁 파열의 가능성이 매우 높다
④ 자궁수축이 양호하고 산도 열상이 없으므로 관찰한다
⑤ 양수 색전증의 가능성을 의심해야 한다

42

산과력 1-0-0-1인 산모가 임신 15주에 병원에 왔다. 산모의 체중은 80 kg으로서 이전의 임신기간 동안 임신성 당뇨의 진단을 받고 식이요법과 운동요법을 병행하였으며, 남아 4.1 kg을 분만하였다고 한다. 이 산모에 대한 내용으로 적절한 설명은 무엇인가?

① 즉시 인슐린 치료 계획을 수립한다

② 첫 번째 임신에서 임신성 당뇨의 진단을 받았으므로, 임신성 당뇨에 준해서 관리한다

③ 첫 번째 임신에서 임신성 당뇨의 진단을 받았으므로, 현성 당뇨에 준해서 관리한다

④ 임신성 당뇨의 고위험군으로서 반드시 임신 24~28주에 선별 검사를 시행해야 한다

⑤ 내원 당일 임신성 당뇨의 선별검진을 시행한다

43

산과력 0-0-0-0인 26세의 여성이 질 출혈을 호소하면서 병원에 왔다. 일주일 전에 집에서 시행한 뇨 임신 반응 검사에서 양성을 보였고, 최종 월경일 기준으로 6주째였다. 질 초음파를 시행한 결과 자궁 내 임신낭은 확인되지 않았으며, 내원 당일 임신융모호르몬(hCG) 검사 결과는 980 mIU/dL이었다. 이틀 후 검사한 임신융모호르몬은 1100 mIU/dL이었고 질 초음파 상 여전히 자궁내 임신낭은 확인되지 않았다. 이 환자에 대한 적절한 설명은 무엇인가?

① 자궁외 임신 가능성이 가장 높다

② 자연유산의 가능성이 가장 높다

③ 절박유산의 가능성이 가장 높다

④ 임신융모호르몬이 아직 1,500 mIU/dL에 미치지 않은 상태로서 일 주 후 추적 관찰한다

⑤ 임신융모호르몬 양상으로 보아 정상 임신일 가능성도 배제할 수 없다

44

배란과정에서 수정 시 난자의 염색체 수는 반수체(haploid;23,n) 상태이다. 난자의 염색체가 반수체(haploid;23,n)가 되는 시기는 언제인가?

① 수정과 동시에 제 2 감수분열이 종료되면서 완성된다

② 배란과 동시에 제 2 감수분열이 완성된다

③ LH 폭발이 이루어지면서 반수체의 난자가 완성된다

④ 사춘기를 지나면서 H−P−O 축이 완성될 때 난자의 염색체도 반수체가 된다

⑤ 태생기 때부터 이미 반수체의 생식세포를 가지고 있다

45

최종 월경일 기준으로 임신 7주된 여성이 질 출혈을 호소하면서 병원에 왔다. 질 초음파 상 자궁내에 임신낭은 확인되지 않았으며 임신융모호르몬 검사 결과 내원 당일에는 250 mIU/dL, 내원 이틀 째에 270 mIU/dL 이었다. 다음 중 적절한 설명을 고르시오.

① 자궁외 임신의 가능성이 가장 높다

② 유산의 가능성이 가장 높다

③ 정상 임신이다

④ 자궁내막 소파술을 시행해야 한다

⑤ 임신 융모호르몬이 1,500 mIU/dL 미만에서는 진단이 어렵다

46

산과력 0−0−0−0인 34세의 산모가 물같은 분비물이 흐른다고 병원에 왔다. 최종 월경일 기준으로 임신 34주 1일 이었다. 질경 검사 상 투명한 액체가 질강 내 고여 있었고, 초음파 상 양수가 거의 없었다. 태아의 심박동은 정상 범위였으며, 태아의 예측 체중도 재태령과 일치하였다. 적절한 설명을 고르시오.

① 조기 양막 파수를 의심하며 즉시 분만을 시행한다

② 양수 과소증을 의심하며 임신 36주에 분만을 시도한다

③ 진통이나 열감이 있으면 분만을 시도한다

④ 폐 성숙을 위한 약물을 투여한 후 임신 37주에 분만한다

⑤ 자궁내 태아 곤란증의 유무로 임신지속 여부를 결정한다

47

52세 여성이 최근 아버지가 위암으로 돌아가셔서 본인도 이상이 없는지 알아보기 위해 병원에 내원하였다. 과거력 상 특이 사항은 없었고, 최근 2년 이내에 병원을 방문한 적이 없었고 현재 건강한 상태라고 한다. 우리나라 조기 암 검진 권고안에 따라 검사를 시행할 예정이다. 다음 중 필요하지 않은 검사는 무엇인가?

① 위 내시경 검사 ② 대장 내시경 검사 ③ 유방 촬영
④ 자궁경부 세포 검사 ⑤ 갑상선 초음파 검사

48

최근 6개월 동안의 무월경과 유즙 분비를 주소로 내원한 25세 미혼 여성의 혈중 prolactin 치가 280 ng/mL (참고치 : 3~30 ng/mL) 이고 접형동 자기공명영상검사(Sella MRI)에서 약 0.9 cm의 뇌하수체 선종소견이 있었다. 이 환자의 처치로 가장 적절한 것을 고르시오.

① 추적 관찰 ② Cabergoline 경구 투여 ③ Somatostatin 유사체 투여
④ 방사선 치료 ⑤ 경접형동 선종절제술

49

다음은 임신 중 산모, 태아, 태반 등에 생길 수 있는 상황들이다. 양수가 많아질 수 있는 경우를 모두 고르시오.(3가지)

① 태아 총담관낭(choledocal cyst) ② 태아수종
③ 전자간증 ④ 전치태반
⑤ 쌍태아간 수혈증후군 ⑥ 자궁근종
⑦ 태아 양측 콩팥무형성증 ⑧ 부태반
⑨ 태아 샘창자 폐쇄증 ⑩ 조기 진통

50~51 다음의 각 문항에 대한 적절한 답을 답 가지에서 고르시오.

① 자궁내막증	② 자궁샘 근육증
③ 자궁외 임신	④ 자궁근종
⑤ 장액성 선암	⑥ 점액성 낭종
⑦ 성숙기형종	⑧ 난소 섬유종
⑨ 골반 농양	⑩ 방광 팽창

50

산과력 1-0-2-1인 50세 여자가 심한 생리통과 복부에 덩이가 만져져 병원에 왔다. 골반 진찰 및 초음파 검사에서 자궁이 성인 주먹 크기로 증대되어 있고, 월경 과다를 동반한다면 가능성이 높은 질환을 고르시오.(2가지)

51

산과력 1-0-1-1인 30세 여자가 5일간 지속되는 발열과 하복부 통증으로 병원에 왔다. 1개월 전 자궁 내 장치를 하였으며, 복부 진찰에서 심한 복부 압통 및 반동압통이 있었다. 골반 진찰 및 초음파 검사에서 심한 압통을 수반한 우측 부속기 종괴가 촉지 되었고, 혈액 검사에서 백혈구 상승 소견이 있었다. 가능성이 높은 질환은 무엇인가?(1가지)

52~53 다음의 각 문항에 대한 적절한 답을 답 가지에서 고르시오.

① 리토드린	② 베타메타손
③ 황산마그네슘	④ 항생제
⑤ 옥시토신	⑥ 헤파린
⑦ 양수 주입술	⑧ 제왕절개술

52

38세 다분만부가 임신 36주에 하복부 통증과 질 출혈이 있어 병원에 왔다. 혈압 160/110 mmHg, 맥박 100회/분, 호흡수 24회/분, 체온 37℃였다. 골반 검사에서 자궁경부는 닫혀 있었으나, 출혈이 지속되었다. 초음파 검사에서 태아 예상 몸무게 2,500 g, 두정위, 양수양은 정상이었고 태반 초음파와 전자 태아 심박동 자궁수축 감시 결과가 다음과 같다면 가장 적절한 치료를 모두 고르시오.(2가지)

혈색소 : 9.0 g/dL
백혈구 : 10,000/mm^3
혈소판 : 80,000/mm^3

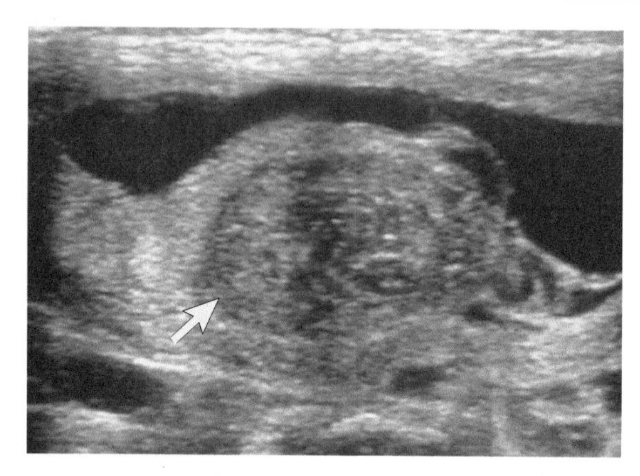

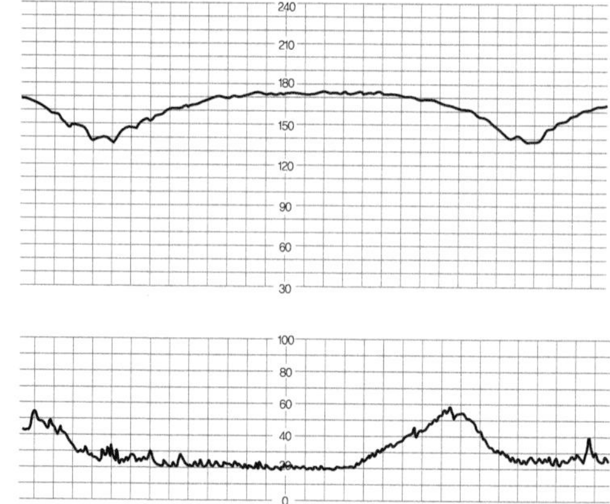

53

36세 다분만부가 임신 31주에 하복부 통증과 질 출혈이 있어 병원에 왔다. 혈압 120/80 mmHg, 맥박 70회/분, 호흡수 24회/분, 체온 37℃였다. 골반 검사에서 자궁경부 1 cm 개대, 자궁경부에서 출혈은 멈춘 상태였다. 초음파 검사에서 태아 예상 몸무게 2,000 g, 두정위, 양수양은 정상이었고 태반과 전자 태아심박동 자궁수축 감시 결과는 그림과 같다면 가장 적절한 치료를 모두 고르시오.(2가지)

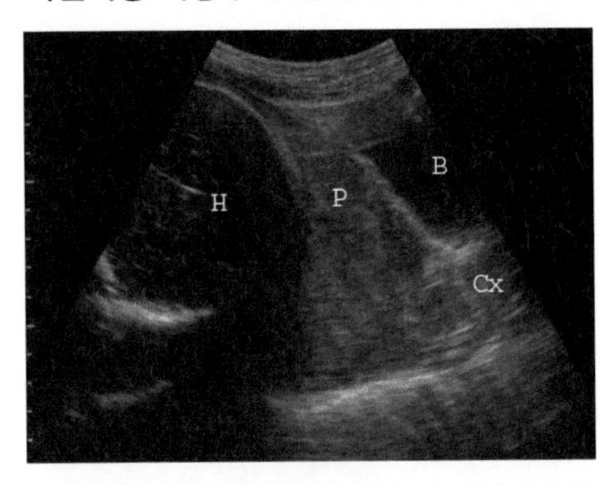

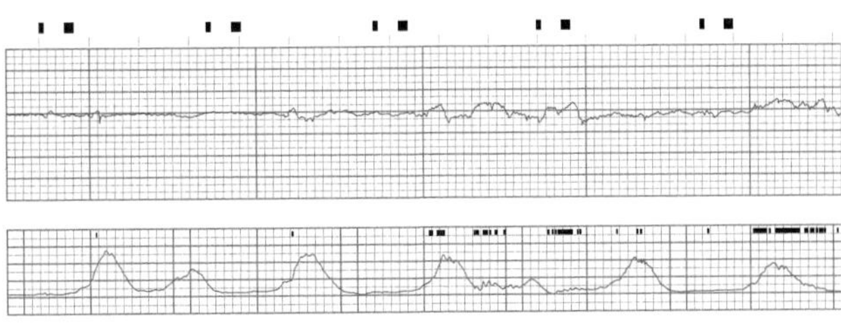

혈색소 : 11.0 g/dL
백혈구 : 11,000/mm^3
혈소판 : 150,000/mm^3

54~55 다음의 각 문항에 대한 적절한 답을 답 가지에서 고르시오.

① 클로미펜
② 타목시펜
③ 덱사메타손
④ 경구 피임약
⑤ 에스트로겐
⑥ 프로게스테론
⑦ 생식샘자극호르몬
⑧ 생식샘자극호르몬방출호르몬 작용제

54

임신을 원하는 30세 여성이 병원에 왔다. 평소 월경은 1년에 2~3회 정도 있고 직전 월경은 4개월 전에 있었다고 한다. 키 162 cm, 몸무게는 76 kg이며 얼굴에 여드름이 있었다. 혈액 검사 결과는 다음과 같았고 소변 임신 반응 검사는 음성이었다. 임신을 위해 사용할 수 있는 1차 약제를 고르시오.(1가지)

난포자극호르몬 : 5 mIU/mL (참고치 : 5~15)
황체형성호르몬 : 14 mIU/mL (참고치 : 5~20)
테스토스테론 : 90 ng/dL (참고치 : 15~80)

55

53세 여성이 6개월 전부터 시작된 안면홍조, 식은 땀, 불면증, 가슴 두근거림을 주소로 내원하였다. 5년 전 자궁근종에 의한 과다 출혈로 자궁제거술을 받았다. 혈액 검사 결과는 다음과 같았다. 가장 적절한 처치를 고르시오.(1가지)

난포자극호르몬 : 48 mIU/mL (참고치 : 5~15)
황체형성호르몬 : 34 mIU/mL (참고치 : 5~20)
테스토스테론 : 20 ng/dL (참고치 : 15~80)

56

임신 중 예방 접종(immunization)이 가능한 것을 모두 고르시오.(3가지)

① 홍역(measles)
② 볼거리(mumps)
③ 풍진(rubella)
④ 수두 대상 포진(varicella-zoster, chicken pox)
⑤ 인플루엔자(influenza)
⑥ B형 간염(hepatitis B)
⑦ 신종 플루(new flu)

57

임신 37주 2일인 미분만부가 진통 중에 다량의 질 출혈이 있으면서 다음과 같은 태아 심박동 양상을 보였다. 원인을 고르시오.

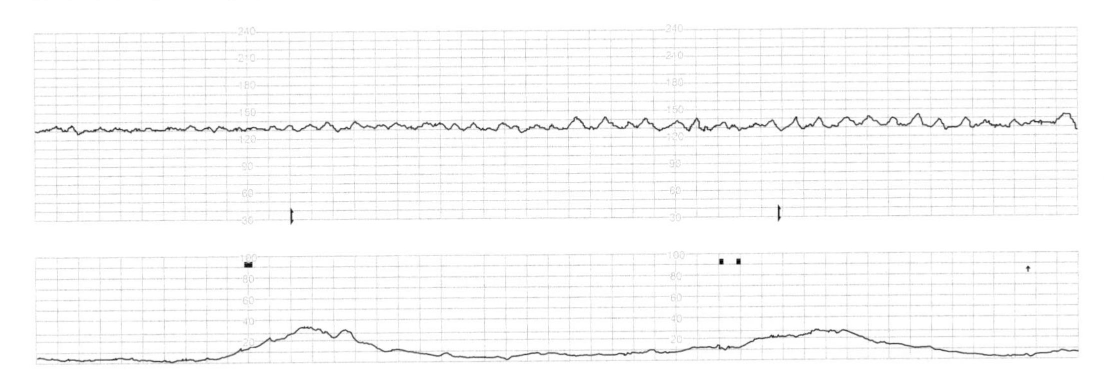

① 모체의 발열
② 태아 빈혈
③ 태아 발작성 심실상부 부정맥
④ 모체 갑상샘 기능 항진증
⑤ 양수과다증

58

산과력이 0-0-1-0인 32세의 임신 40주 다분만부가 10시간 째 분만 진통 중이다. 2분마다 수축이 오고 있으며 수축 강도는 310 Montevideo unit 이다. 오후 3시에 자궁 경부가 10 cm 개대 되었고, 태아 머리의 하강도는 −1이었다. 오후 5시에 골반 진찰을 시행하였고 태아 머리의 하강도는 여전히 −1이었다. 골반 진찰에서 산모의 엉치뼈는 편평하였으며, 양측 궁둥뼈가시는 매우 두드러지게 만져졌다. 이 산모에게 가장 적절한 처치는 무엇인가?

① 휴식
② 흡입 분만술
③ 제왕절개술
④ 옥시토신 주입
⑤ 프로스타글란딘 투여

59

다음 중 반복되는 자연 유산의 원인을 찾기 위한 기본 검사 항목이 아닌 것은 무엇인가?

① 갑상선 기능 검사
② 자궁내막 조직 검사
③ 자궁경 검사
④ 혈전형성 유전자 검사
⑤ 모체 핵형 검사

60

임신 22주 산과력이 0-1-0-0인 36세 다분만부가 7시간 전부터 시작한 소량의 질 출혈과 질 압박감이 있어서 병원에 왔다. 혈압 120/80 mmHg, 맥박 105회/분, 호흡 22회/분, 체온 36.6℃이었다. 초음파 검사에서 태아는 두위, 양수지수는 13 cm, 태반은 자궁바닥에 위치하였고, 태아의 기형은 발견되지 않았다. 자궁경부 상태를 확인하기 위해 실시한 질 초음파 검사가 다음과 같다면 이 산모에게 가장 적절한 처치를 고르시오.

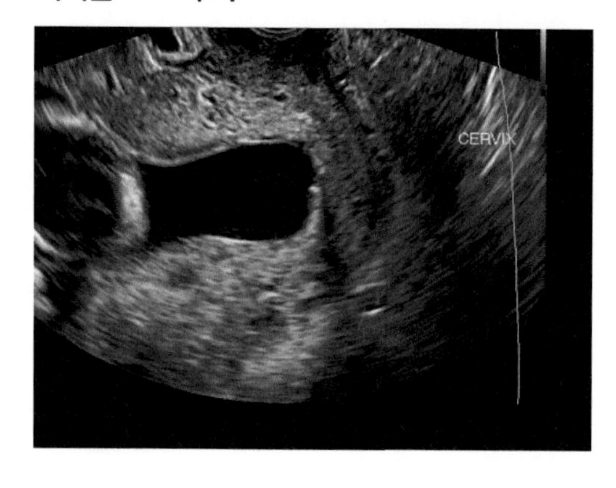

① 경과 관찰
② 프로게스테론
③ 풍선 탐폰 삽입법(balloon tamponade)
④ 자궁경부 원형 결찰술
⑤ 제왕절개술

61

임신 14주인 32세 미분만부가 갑작스럽게 발생한 오른쪽 아랫배 복통을 주소로 내원하였다. 통증은 악화와 완화를 반복하였다. 혈압 120/80 mmHg, 맥박 100회/분, 호흡 21회/분, 체온 36.5℃이었다. 오른쪽 아랫배를 압박하였을 때 통증은 더욱 악화되었다. 검사 결과가 다음과 같았을 때 가장 적절한 처치를 고르시오.

혈색소 : 13 g/dL
백혈구 : 7,500/mm^3
혈소판 : 330,000/mm^3
태아 초음파 : 자궁내 태아심박동 160회/분, 태아 넙다리뼈 길이 14주
복부 초음파 : 자궁의 우측에서 8 cm 크기의 다양한 음영을 가진 난소 낭종이 관찰되고, 색 도플러에서는 낭종으로 흐르는 혈류가 관찰되지 않음

① 리토드린 ② 프로게스테론 ③ 베타메타손
④ 복강경 ⑤ 낭종 흡입술

62

임신 27주인 29세 미분만부가 태동이 느껴지지 않는다고 내원하였다. 자궁높이는 24 cm 이었으며, 양수지수는 5 cm이었고, 두개골이 중복되어 있었고, 태아의 윤곽이 불규칙하였다. 도플러에서 태아 심음이 들리지 않았다. 필요한 검사가 아닌 것을 고르시오.

① 태아 염색체 검사 ② 태반 사진 촬영 ③ 탯줄 샘플
④ 부검 ⑤ 생물리학계(biophysical profile)

63

임신 27주 40세의 건강한 미분만부가 정기적인 산전 진찰을 위해 병원에 왔다. 태아 초음파 검사를 시작한 지 4분이 지나자 안절부절 못하며 눈앞이 흐려진다고 하였다. 혈압 90/60 mmHg, 맥박 106회/분, 호흡 25회/분, 체온 36.8℃, 산소 포화도는 98% 이었다. 이 산모의 처치로 가장 적절한 것을 고르시오.

① 좌측 측와위 ② 수액 주입 ③ 마우스 피스
④ 트렌델렌버그 자세 ⑤ 도파민

64

초기 배아 발달 과정에서 질 초음파에 의해 확인되는 구조물의 순서로 맞는 것을 고르시오.

① 임신낭 – 배아 – 난황

② 임신낭 – 난황 – 배아

③ 난황 – 임신낭 – 배아

④ 난황 – 배아 – 임신낭

⑤ 배아 – 임신낭 – 난황

65

임신 16주인 25세 초산부가 산전 검진에서 혈청 알파태아단백(AFP)이 2.1 MoM이었다. 초음파 검사에서 단태아, 양수양은 정상이었다. 임신 주수를 보정한 결과 2.6 MoM이었다. 이 산모의 다음 처치로 가장 올바른 것을 고르시오.

① 재검사

② 정밀 초음파 검사

③ 양수 내 아세틸콜린에스터레이스 검사

④ 염색체 검사

⑤ 제대 천자

66

27세 다분만부가 임신 39주에 진통이 있어 병원에 왔다. 골반 검진에서 자궁경부 2 cm 확장, 50% 숙화로 확인되었다. 입원 후 2~4분 간격으로 17시간 동안 진통이 있었으나 자궁경부 변화는 없었다. 이 산모에 대한 진단을 고르시오.

① 잠복기 지연

② 아두 하강 지연

③ 자궁경부 개대 지연

④ 속발성 개대 정지

⑤ 고장성 자궁 기능 부전

67

임신 40주인 32세 미분만부가 3분 간격의 규칙적인 하복부 통증으로 병원에 왔다. 골반 진찰로 확인할 수 있는 것은 무엇인가?

① 태아 심박동수

② 양수량

③ 태아 예측 몸무게

④ 자궁 수축력

⑤ 자궁목 개대 정도

68

임신 8주인 34세 초산부가 산전 검진을 위해 병원에 왔다. 검사결과 VDRL이 1:32로 양성이었다. 다음 단계의 처치를 고르시오.

① VDRL 재검사

② 매독균 혈구응집 검사(TPHA)

③ 간접 쿰즈검사(Indirect Coomb's Test)

④ 양수 천자

⑤ 벤자신 페니실린 투여

69

임신 8주인 36세 초산부가 산전 검진을 위해 내원하였다. 첫 번째 임신에서 임신성 당뇨병이 있었고, 4,300 g의 아이를 분만했다고 하였다. 이 산모의 다음 처치를 고르시오.

① 즉시 100 g OGTT

② 정밀 초음파 검사

③ 임신 24주에 50 g OGTT

④ 경구 혈당 강하제 투여

⑤ 인슐린 투여

70

3개월 전에 풍진 예방 접종을 한 29세 여자가 소변 임신 반응 검사에서 양성이 나와 병원에 왔다. 초음파 검사에서 임신 8주에 해당하였고 태아 심박동은 정상이었다. 이 산모의 처치로 올바른 것을 고르시오.

① 면역 글로블린 투여

② 치료적 유산

③ 항바이러스제 투여

④ 항생제 투여

⑤ 태아 초음파 추적 검사

71

산모 혈청 융모성 성선 자극호르몬(β-hCG)의 정상 임신 초기(5-6주)의 평균 doubling time과 임신 시 최고조(peak)에 이르는 시기를 고르시오.

	평균 doubling time	최고조(peak)에 이르는 시기
①	1.4~2.0 일	30~40 일
②	1.4~2.0 일	60~70 일
③	3.0~4.5 일	90~100 일
④	3.0~4.5 일	120~130 일
⑤	6.0~7.0 일	260~270 일

72

출산력(parity) 기록 시 2-1-1-2의 각 숫자의 의미가 바로 된 것을 고르시오.

	2	1	1	2
①	만삭 분만	조산	유산	현재 생존아 수
②	만삭 분만	유산	조산	현재 생존아 수
③	조산	만삭 분만	유산	현재 생존아 수
④	현재 생존아 수	조산	유산	만삭 분만
⑤	현재 생존아 수	조산	만삭 분만	유산

73

임신 38주에 정상 분만 후 자궁 수축이 되지 않아 과다 출혈로 쇼크에 빠진 임산부가 적절한 처치 후 증상이 호전 되었으나 출산 10일이 지나도 수유가 되지 않았고, 6개월 지나도 월경이 재개되지 않았다. 이 환자에서 의심할 수 있는 질환은 무엇인가?

① Sheehan syndrome

② Cushing syndrome

③ Addison disease

④ Asherman syndrome

⑤ Kallmann syndrome

74

다태 임신에서 태아사망의 원인으로 가장 흔한 것은 무엇인가?

① 분만 중 감염

② 조산

③ 자궁태반 기능부전

④ 분만 시 외상

⑤ 산전 출혈

75

임신 중 생리적으로 배뇨 장애가 잘 올 수 있는 시기는 언제인가?

① 임신 즉시

② 임신 첫 3개월과 임신 말기

③ 임신 5개월

④ 임신 7개월

⑤ 임신 9개월

76

이전 임신에서 임신 18주에 무뇌아(anencephaly)로 임신을 중절한 병력이 있어 동일한 기형의 재발 방지를 위해 임신 전부터 추천해야 할 영양소는 무엇인가?

① Vitamin A

② Vitamin C

③ Zinc

④ Calcium

⑤ Folic acid

77

다음 중 혈중 종양표지자 CA-125 농도가 증가되지 않는 경우는 어느 것 인가?

① 난소 장액성 낭선암

② 자궁내막증

③ 골반 염증성 질환

④ 자궁경부 상피내암

⑤ 자궁선근증

78

자궁내막암 발생의 위험요인이 아닌 것은 무엇인가?

① 지연 폐경

② 무배란성 월경

③ 흡연

④ 비만

⑤ 다낭성 난소증후군

79

50세 부인이 성교 후 질 출혈로 병원에 왔다. 진찰 결과 경부에 4 × 5 cm 크기 종양이 발견되었으며 질 상부를 약간 침윤한 상태이나 아직 양측 자궁방은 침범하지 않았다. 생검 후 조직검사 상 자궁경부암으로 진단되었다. 이 환자의 임상적 병기를 설명한 내용 중 옳은 것을 고르시오.

① 임상적 병기는 IB2이다
② 흉부 X선, 방광경, 골반 CT
③ 치료 경과 중에 병기가 바뀔 수 있다
④ 임상적 병기는 예후를 반영하지 않는다
⑤ 임상적 병기는 IIA2이다

80

외음부암에 대한 설명 중 옳지 않는 것을 고르시오.

① 편평세포암이 가장 많다
② 가장 흔한 증상은 궤양이다
③ 상피내암의 치료는 광범위 국소절제술이 좋다
④ 수술 요법이 방사선치료보다 좋다
⑤ 성기암 중 세 번째로 많다

81

폐경 전 여성이 세포진 검사에서 HSIL이 나온 후 시행한 질확대경하 생검에서 미세침윤암으로 확인되었다. 이 환자의 다음 처치로 적절한 것을 고르시오.

① 반복 세포진 검사
② 자궁경부 원추 절제술
③ 단순 자궁절제술
④ 근치 자궁절제술
⑤ 방사선 치료

82

미혼인 19세 여성이 월경이 한 번도 없다고 병원에 왔다. 유방 발달이 태너(Tanner) 1기, 음모 발달도 안 되어 있었으며 병력 청취를 해보니 냄새를 잘 맡지 못한다고 하였다. 가장 적저한 처치를 고르시오.

① 클로미펜 ② 경구 피임약 ③ 경과 관찰
④ 프로게스테론 ⑤ 생식샘자극호르몬

83

18세 여성이 한 번도 생리가 없어 병원에 왔다. 키 165 cm, 체중 58 kg 이었다. 유방 발달은 태너(Tanner) IV기, 음모 발달도 태너 IV기 이었다. 외음부는 이상이 없었고 복부 초음파 상 자궁이 보이지 않았으며 질강에 액체가 차 있지 않았다. 검사 결과는 다음과 같다면 다음 처치로 적절한 것을 고르시오.

난포자극호르몬 : 9 mIU/mL (참고치 : 5~15)
황체형성호르몬 : 8 mIU/mL (참고치 : 5~20)
에스트라디올 : 65 pg/mL (참고치 : 30~400)

① 처녀막 제거술 ② 질중격 제거술 ③ 질 성형술
④ 경구 피임약 ⑤ 에스트로겐

84

산과력 0-0-0-0인 30세 여성이 임신을 원하여 병원에 왔다. 2년 전에 유방암 수술 후 항암화학요법을 받은 이후 월경이 없다고 한다. 혈액 검사 결과는 다음과 같았고 남편 정액 검사는 정상이었다. 가장 적절한 처치를 고르시오.

난포자극호르몬 : 55 mIU/mL (참고치 : 5~15)
황체형성호르몬 : 48 mIU/mL (참고치 : 5~20)
에스트라디올 : 15 pg/mL (참고치 : 30~400)

① 과배란 유도 ② 배란 유도 후 자궁강내 인공수정
③ 고식적인 체외수정술 ④ 정자 직접 주입술을 사용한 체외수정술
⑤ 공여난자를 이용한 체외수정술

85

32세 여성이 결혼 후 3년 동안 임신이 되지 않는다고 병원에 왔다. 월경은 규칙적이었으나 월경통이 심하였다. 골반 검사에 자궁 크기는 정상이었으나 고착되어 움직이지 않았고 오른쪽 자궁부속기에 계란 크기의 고정된 종괴가 있었다. 혈청 CA-125는 104 ng/mL (참고치 : <35) 이었다. 확진을 위한 검사를 고르시오.

① 자궁난관 조영술　② 자궁경 검사　③ 복강경 검사
④ 골반 초음파 검사　⑤ 골반 MRI

86

산과력 0-0-2-0인 29세 여성이 질 출혈로 병원에 왔다. 최종 월경 시작일은 6주 전이었고, 월경은 28일 간격으로 규칙적이었다. 혈압 110/70 mmHg, 맥박 80회/분, 호흡 20회/분, 체온 36.7℃였다. 골반 초음파 검사에서 골반에 액체는 고여 있지 않았고 자궁 안쪽과 자궁 부속기에 특이 소견이 없었다. 2일 전에 자궁내막 긁어냄술을 하였는데 융모세포가 없었다. 혈청 베타사람융모생식샘자극호르몬 검사 결과는 다음과 같았다. 이 환자에게 가장 적절한 처치를 고르시오.

	4일 전	2일 전	오늘
ß-hCG (참고치 : <5 ng/mL)	3,450	3,800	3,750

① 에스트로겐　② 프로게스테론　③ Methotrexate
④ 자궁난관 조영술　⑤ 복강경 수술

87

산과력 0-0-1-0인 50세 여자가 복부에 덩이가 만져져서 병원에 왔다. 골반 진찰에서 우측 자궁 부속기에 남자 주먹 크기의 단단한 덩이가 촉지되어 시험적 개복술을 시행하였다. 우측 난소에 경계가 분명한 직경 12 × 10 cm 크기의 덩이가 관찰되었다. 동결 절편 검사에서 분화가 좋은 장액성 난소암으로 진단되었다. 피막은 깨끗하였으며 파열은 없고, 우측 난소, 자궁, 골반 및 복강 내 전이 소견은 없었다. 복강 세척 검사는 정상이었다. 이 환자의 수술적 병기를 고르시오.

① IA　② IB　③ IC
④ IIA　⑤ IIB

88

산과력 0-0-1-0인 28세 임신 11주 산모가 왼쪽 하복부에 불편감이 있어 병원에 왔다. 골반 내진에서 좌측 자궁 부속기에 어른 주먹 크기의 덩이가 촉진되었다. 골반 초음파에서 좌측 난소에 8 × 6 × 5 cm 크기의 유두상 돌출이 있는 고형성분의 난소덩이와 다량의 복수가 관찰되었다. 이 환자의 다음 처치로 가장 적절한 것을 고르시오.

① 임신 제 1삼분기 이후에 수술한다

② 즉시 시험적 개복술을 시행한다

③ 만삭까지 기다렸다가 질식 분만 후 수술한다

④ 만삭까지 기다렸다가 제왕절개 수술과 난소 절제술을 시행한다

⑤ 분만 6주 이후 시험적 개복술을 시행한다

89

산과력 1-0-1-1인 40세 여자가 좌측 난소 종양으로 좌측 난소 절제술을 시행 받았다. 동결 절편 병리조직 검사에서 장액샘암종(serous cystadenocarcinoma)으로 확인되었다. 이 환자의 다음 처치로 가장 적절한 것을 고르시오.

① 경과 관찰　② 면역요법　③ 방사선요법

④ 항암화학요법　⑤ 병기 설정 수술

90

산과력 0-0-0-0인 13세 여자가 배가 아파서 병원에 왔다. 초음파 검사에서 우측 난소에 20 × 10 cm 크기의 단단한 덩이가 관찰되었다. 혈청 표지자 검사는 다음과 같다면 가장 가능성이 높은 진단명을 고르시오.

CA-125 : 21 U/mL (참고치 : <30.2 U/mL)
CA 19-9 : 12 U/mL (참고치 : 0~37 U/mL)
AFP : 300 ng/mL (참고치 : <15 IU/mL)
β-hCG : 2 mIU/mL (참고치 : <5 mIU/mL)

① 융모암종　② 성숙 기형종　③ 미분화세포종

④ 내배엽동종양　⑤ 과립막 기질세포종양

91

산과력 3-0-1-3인 38세 여자가 질 출혈로 병원에 왔다. 월경은 1년에 3~4회로 불규칙하였으며, 마지막 월경일은 4개월 전이었다. 골반 진찰에서 자궁이 남자 주먹크기로 커져 있었다. 혈중 β-hCG는 132,000 mIU/mL 였다. 골반 초음파 소견은 다음과 같다면 이 환자의 다음 처치로 가장 적절한 것을 고르시오.

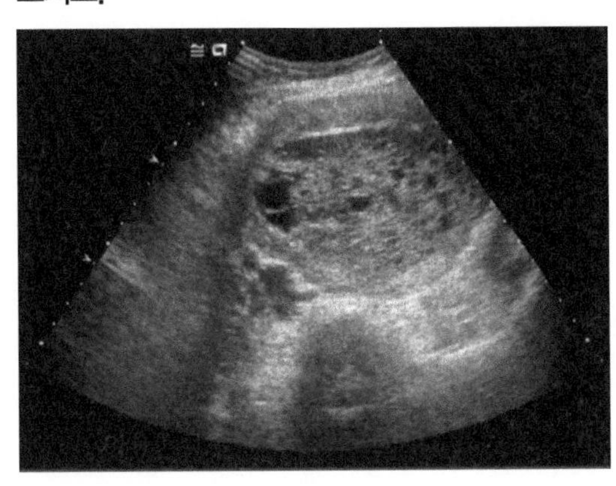

① 추적 관찰
② 흡인 소파술
③ 자궁절제술
④ 항암화학요법
⑤ 골반 방사선 치료

92

산과력 2-0-1-2인 40세 여자가 불규칙한 질 출혈과 객혈로 병원에 왔다. 3개월 전 둘째 아이를 분만한 후 지속적으로 불규칙한 출혈이 지속되었다고 한다. 골반 초음파 검사에서 자궁 및 자궁 부속기는 정상이었다. 흉부 X-ray 검사에서 직경이 각각 3 cm, 2.5 cm, 3 cm인 동전형 음형 양상의 전이성 병변이 관찰되었다. 두부, 복부 및 골반 전산화 단층 촬영 결과는 정상이었다. 혈청 표지자 검사 상 β-hCG가 200,000 mIU/mL (참고치 : <5)로 확인되었다면, 이 환자에게 가장 적절한 처치를 고르시오.

① 경과 관찰
② 골반 방사선 요법
③ 단일 항암 화학 요법
④ 복합 항암 화학 요법
⑤ 폐 절제 및 자궁 절제술

93

65세 여자가 7일 전부터 질 출혈이 멈추지 않아서 왔다. 6개월 전 뇌졸중으로 치료 받고 아스피린을 복용하고 있다. 혈압 110/80 mmHg, 맥박 90회/분, 체온 36.8℃였다. 자궁내막 조직 검사는 정상이었고, 혈액 검사 결과는 다음과 같았다. 이 환자에게 가장 적절한 치료를 고르시오.

백혈구 : 7,000/mm^3
혈색소 : 13.0 g/dL
혈소판 : 250,000/mm^3
프로트롬빈시간 : 50초 (참고치 : 12.7~15.4초)

① 엽산
② 신선 냉동 혈장
③ 비타민 B12
④ 바소프레신제제
⑤ 농축 혈소판 수혈

94

24세 여자가 우상복부의 통증을 주소로 내원하였다. 주로 기침을 하거나 숨을 들이쉴 때, 움직일 때 통증이 악화된다고 하였고, 반발 압통을 동반하였다. 복부 전산화단층 촬영 상 간 표면을 따라 띠처럼 불규칙한 조영증강 부위가 다양하게 관찰되었다. 혈액 검사 결과가 다음과 같을 때 가장 적절한 처치는 무엇인가?

혈색소 : 11.2 g/dL
백혈구 : 17,000/mm^3
C-반응단백질 : 6 mg/L (참고치 : <3)
IgM 클라미디아 항체 : 양성

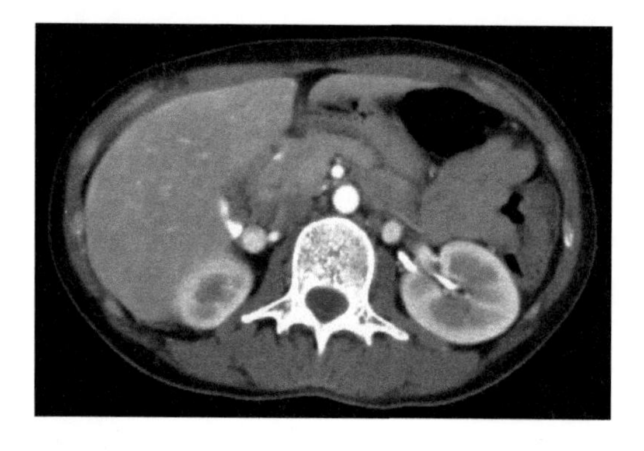

① Acyclovir
② Doxycycline
③ Interferon
④ Penicillin G
⑤ Rifampicin

95

48세 여자가 6개월 전부터 덥고 땀이 많이 나고 잠들기가 어렵다는 주소로 내원하였다. 환자는 현재 류마티스 관절염으로 치료 중이다. 월경 주기는 불규칙하였고, 골반 초음파 검사에서 자궁은 정상, 난소는 관찰되지 않았다. 혈액 검사 결과는 다음과 같았다. 이 환자의 증상 완화를 위한 처치로 가장 적절한 것은 무엇인가?

갑상샘자극호르몬 : 2.8 mIU/L (참고치 : 0.34~4.25)
난포자극호르몬 : 92 mIU/mL (참고치 : 3~26)
에스트라디올 : 5 pg/mL (참고치 : 20~443)

① 칼시토닌
② 테스토스테론
③ 방향화효소 억제제
④ 에스트로겐 단독제제
⑤ 에스트로겐, 프로게스테론 복합제제

96

9세 여자가 성폭행을 당했다고 경찰과 함께 왔다. 검사 상 모두 음성이었지만 6개월 후에도 반드시 재검사해야 하는 것은 무엇인가?

① 임질균
② 요 임신 반응 검사
③ 미코플라즈마
④ 인유두종바이러스
⑤ 후천성 면역 결핍증 항체 검사

97

25세 여자가 성폭행을 당한지 6일 만에 병원에 왔다. 이 환자에게 피임을 위한 가장 적절한 방법을 고르시오.

① RU 486
② 복합 경구 피임제
③ 구리 자궁내 장치
④ 자궁내막 소파술
⑤ 고용량 에스트로겐

98

산과력 5-0-4-5인 48세 여자가 외음부가 빠질 것 같은 불편감을 호소하였다. POP-Q score가 다음과 같다면 이 환자에 대한 처치로 가장 적절한 것은 무엇인가?

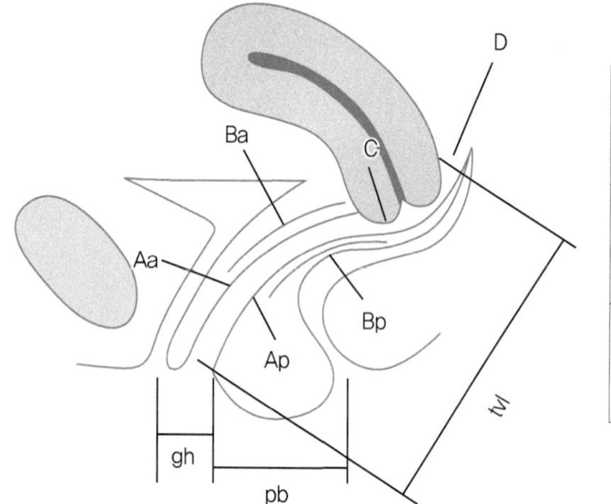

-3_{Aa}	-3_{Ba}	-6_{C}
3.5_{gh}	2_{pb}	8_{tvl}
-3_{Ap}	-3_{Bp}	8_{D}

① 케겔 운동

② 에스트로겐 질크림

③ 전질벽 협축술(anterior colporrhaphy)

④ 후질벽 협축술(posterior colporrhaphy)

⑤ 질식자궁절제술(vaginal hysterectomy)

99

코호트 연구방법을 선택해야 하는 경우를 고르시오.

① 질병의 원인 인자가 불명확할 때

② 희귀한 질병인 경우

③ 병인에 관련된 정보 획득의 전망이 밝은 경우

④ 단일 요인과 다양한 병과의 관계를 밝히는 경우

⑤ 잠복 기간이 긴 경우

Final Exam **06**

모의고사 6회

01

산과력이 3-0-1-3인 임신 41주 다분만부 산모가 내원하였다. 산모는 현성 당뇨병이 있었고, 9시간의 분만 진통 후에 태아 머리를 분만하였으나 1분이 지나도록 태아 몸통이 나오지 않고 있다. 이 산모에 시행할 수 있는 술기로 가장 적절한 것은 무엇인가?

① Prague 수기

② McRoberts 수기

③ Ritgen 수기

④ 외부 태아머리 전위법(external cephalic version)

⑤ Mauriceau 수기

02

임신한 산모의 태반에서 에스트로겐 합성이 정상보다 많아지는 경우를 고르시오.

① 태아 무뇌아(anencephaly)

② 태아 부신저형성증(adrenal hypoplasia)

③ 태아 다운증후군(Down syndrome)

④ 태아 적혈모구증(erythroblasosis)

⑤ 태반 방향효소결핍(arornatase deficiency)

03

임신 40주인 30세 미분만부가 10시간 째 분만진통 중이다. 자궁경부가 4 cm 열렸을 때 경막외마취를 실시하였다. 금일 오후 1시에 자궁경부는 10 cm 열렸고 태아 하강도는 +1이였다. 현재 오후 2시에 태아 하강도는 여전히 +1이며 기초 태아 심박동수는 분당 145회이고 변이도의 진폭은 분당 25회 이상이며 자궁수축력은 300 MVU였다. 이 산모에 대한 처치로 가장 적절한 것을 고르시오.

① 경과 관찰
② 옥시토신
③ 겸자 분만
④ 제왕절개술
⑤ 휴식

04

임신 14주인 32세 미분만부가 갑작스럽게 발생한 오른쪽 아랫배 복통이 있어서 병원에 왔다. 통증은 악화와 완화를 반복하였다. 혈압 120/80 mmHg, 맥박 100회/분, 호흡 21회/분, 체온 36.5℃이었다. 오른쪽 아랫배를 압박하였을 때 통증은 더욱 악화되었다. 검사 결과가 다음과 같았다면 이 산모에게 가장 적절한 처치를 고르시오.

혈색소 : 12 g/dL
백혈구 : 8,000/mm^3
혈소판 : 300,000/mm^3
태아 초음파 : 자궁내 태아 심박동 160회/분, 태아 넙다리뼈 길이 14주
복부 초음파 : 자궁의 우측에서 8 cm 크기의 다양한 음영을 가진 난소 낭종이 관찰되고, 색 도플러에서는 낭종으로 흐르는 혈류가 관찰되지 않음

① 리토드린
② 프로게스테론
③ 베타메타손
④ 복강경
⑤ 낭종 흡입술

05

산과력이 0-1-0-0인 36세 임신 24주 다분만부가 9시간 전부터 시작한 소량의 질 출혈이 있어서 병원에 왔다. 아랫배가 조이는 듯한 느낌이 동반된다고 하였다. 혈압 120/79 mmHg, 맥박 103회/분, 호흡 21회/분, 체온 36.6℃이었다. 초음파 검사에서 태아는 두위였고 양수지수는 12 cm, 태반은 자궁바닥에 위치하였고, 태아의 기형은 발견되지 않았다. 자궁 경부 상태를 확인하기 위해 실시한 질식 초음파 검사 결과가 다음과 같다면 이 산모에게 가장 적절한 처치를 고르시오.

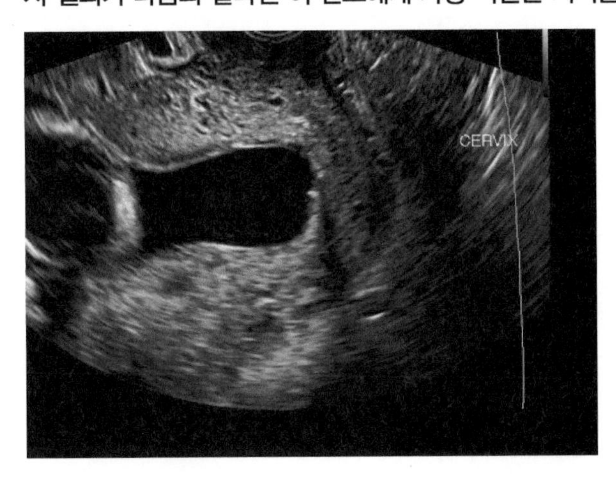

① 경과 관찰
② 프로게스테론
③ 풍선 탐폰 삽입법(balloon tamponade)
④ 자궁경부 원형 결찰술
⑤ 제왕절개술

06

임신 35주 4일인 미분만부가 간헐적으로 배가 아프다고 병원에 왔다. 혈압 150/80 mmHg, 맥박 80회/분, 호흡 20회/분, 체온 36.8℃이었다. 초음파 검사에서 태아 예상 체중은 1,800 g, 태반은 자궁바닥에 위치하고, 양수지수는 6 cm 이었다. 골반 진찰에서 태아는 두위, 경부 1 cm 개대, 20% 소실, 양막은 온전하였고, 하강도 −3 이었다. 소변 단백질은 3+이었다. 좌측 측와위 자세로 산소와 수액을 공급하며 시행한 전자태아심박동–자궁수축감시 결과가 다음과 같다면 이 산모에게 가장 적절한 처치를 고르시오.

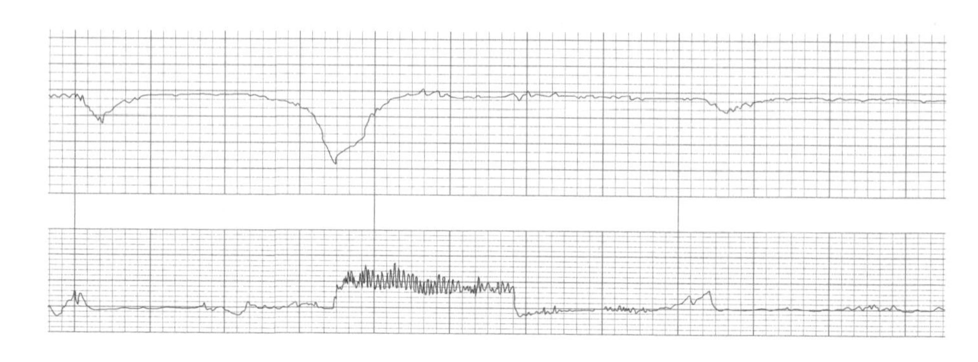

① 베타메타손
② 리토드린
③ 양수 주입술
④ 유도 분만
⑤ 제왕절개술

07

쌍둥이를 임신한 임신 24주인 40세의 건강한 미분만부가 정기적인 산전 진찰을 위해 병원에 왔다. 태아 초음파 검사를 시작한 지 5분이 지나자 안절부절 못하며 눈앞이 흐려진다고 하였다. 혈압 90/60 mmHg, 맥박 105회/분, 호흡 24회/분, 체온 36.8℃이었다. 산소 포화도는 99% 이었다. 이 산모에 대한 가장 적절한 처치는 무엇인가?

① 도파민 ② 수액 주입 ③ 좌측 측와위
④ 트렌델렌버그 자세 ⑤ 마우스 피스

08

초기 다태임신을 발견하는 데에 가장 유용한 검사 방법은 무엇인가?

① 자궁경 ② 혈청 알파태아단백 ③ 혈청 β-hCG
④ 초음파 ⑤ 월경력과 내진

09

우리나라 신생아 사망의 가장 많은 주요 원인은 무엇인가?

① 선천성 기형 ② 분만 중 저산소증 ③ 분만 중 손상
④ 전치태반 ⑤ 저체중아

10~11 다음의 각 문항에 대한 적절한 답을 답 가지에서 고르시오.

① 융모막융모 생검(chorionic villous sampling)
② 양수 천자(amniocentesis)
③ 경피제대혈 채취(percutaneous umbilical cord blood sampling)
④ 양수 주입술(amnioinfusion)
⑤ 양막절개술(amniotomy)
⑥ 양막 박리(membrane stripping)
⑦ 혈관문합태아경 레이저 절제술(fetoscopic aser ablation of vascular anastomosis)
⑧ 태아두피 혈액 채취(fetal scalp sampling)

10

임신 12주 3일인 26세 미분만부의 정기 산전 진찰 중 시행한 초음파 검사에서 태아 목뒤에 이상소견이 관찰 되었다. 이 산모에게 가장 적절한 처치를 고르시오.(1가지)

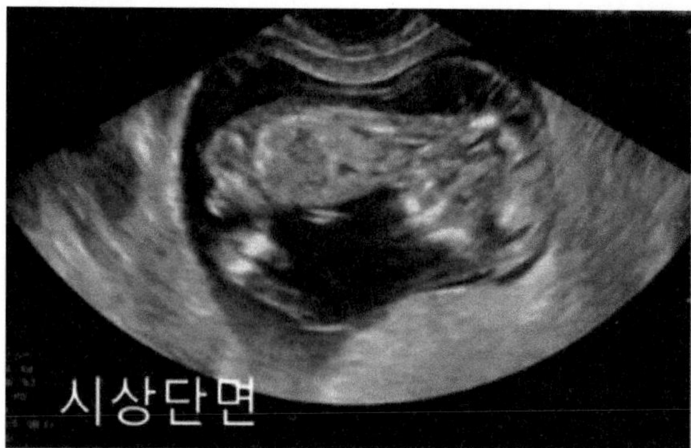

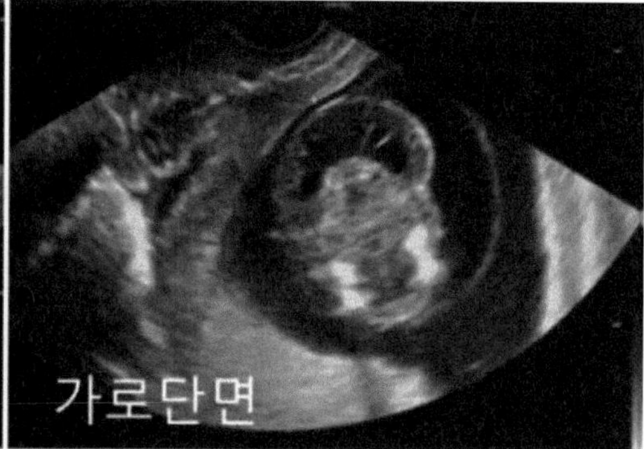

11

임신 22주 쌍둥이(단일융모막 두양막)를 임신한 31세 미분만부가 최근 배가 너무 불러와서 병원에 왔다. 초음파 검사에서 한 쪽 태아는 예상 체중이 600 g, 최대 양수 주머니 수직 깊이가 10 cm이었고, 다른 쪽 태아의 예상체중은 350 g, 최대 양수 주머니 수직 깊이는 2 cm이고 방광이 관찰되지 않았다. 가장 적절한 처치를 고르시오.(2가지)

12~13 다음의 각 문항에 대한 적절한 답을 답 가지에서 고르시오.

① 리토드린	② 라베타롤
③ 인도메타신	④ 옥시토신
⑤ 암피실린	⑥ 베타메타손
⑦ 메틸에르고노빈	⑧ 프로게스테론 질정

12

32세 미분만부가 임신 35주에 물 같은 질 분비물이 있어 병원에 왔다. 혈압 120/80 mmHg, 맥박 70회/분이었다. 나이트라진 검사는 양성이었다. 초음파 검사에서 예측 태아 몸무게 2,700 g, 양수지수 4 cm, 태아는 두정위, 태반은 자궁저부에 위치 하였다. 골반검사에서 자궁경부 3 cm 확장, 50% 소실이었다. 태아 심박동은 정상이었고 자궁수축은 없었다. 혈액 검사 결과 백혈구 9,000/mm^3, C-반응단백질 1.5 mg/L (참고치 : <3)로 확인되었다면 이 산모에게 가장 적절한 처치를 고르시오.(2가지)

13

35세 다분만부가 임신 32주에 물 같은 질 분비물이 있어 병원에 왔다. 혈압 110/80 mmHg, 맥박 80회/분이었다. 나이트라진 검사는 양성이었다. 초음파 검사에서 예측 태아 몸무게 1,800 g, 양수지수 10 cm, 태아는 둔위, 태반은 자궁 저부에 위치 하였다. 골반검사에서 자궁경부 개대 2 cm, 80% 소실이었다. 태아 심박동은 정상이었고 10분 간격의 자궁수축이 있었다. 혈액 검사 결과 백혈구 10,000/mm^3, C-반응단백질 0.5 mg/L (참고치 : <3)로 확인되었다. 이 산모에게 가장 적절한 처치를 고르시오. (3가지)

14

산과력 0-0-1-0인 56세 여자가 복부에 덩이가 만져져 병원에 왔다. 골반 진찰 및 초음파 검사에서 좌측 자궁부속기에 성인 주먹 크기의 덩이가 관찰되어 시험적 개복술을 시행하였다. 조직 검사에서 분화가 나쁜 점액성 상피성 난소암으로 진단되었다. 상피성 난소암이 생길 위험성이 적은 경우를 모두 고르시오.(2가지)

① Increased age
② Breast feeding
③ Late menopause
④ Early menarche
⑤ Multiparity
⑥ Family history
⑦ BRCA1/BRCA2 mutations
⑧ Nulliparity

15

외음부에서 관찰되는 구조물을 모두 고르시오.(2가지)

① Bartholin's gland cysts
② Nabothian cysts
③ Skene's gland cysts
④ Müllerian cysts
⑤ Folliclular cysts
⑥ Corpus luteal cyst
⑦ Gartner's duct cysts
⑧ Morgagni's cysts

16

임신과 관계된 갑상선 기능 변화에 대한 설명 중 옳지 않은 것은 무엇인가?

① 임신 초기 갑상선 기능 항진증이 발생할 수 있다
② 분만 후 갑상선 기능 이상이 발생할 수 있다
③ 임신 중 그레이브씨 갑상선 기능 항진증은 관해 되는 경향이 있다
④ 임신 중 갑상선 호르몬 요구량은 증가한다
⑤ 태아의 갑상선 호르몬 생산은 first trimester에 시작된다

17

정상적인 월경 주기를 가진 30세 여성이 무월경 9주로 병원에 왔다. 임신 반응 검사는 양성이었으며, 임신 주수를 확인하려고 하는 경우 이 시기에 초음파 검사에서 가장 적합한 지표는 무엇인가?

① 재태낭 크기(gestational sac size)

② 두정둔부 길이(crown to rump length)

③ 아대두 횡경(biparietal diameter)

④ 대퇴골 길이(femur length)

⑤ 자궁의 크기

18

임신 38주에 질식 분만 후 자궁 이완증에 의한 과다 출혈로 쇼크에 빠진 임산부가 적절한 처치 후 증상이 호전 되었으나 출산 10일이 지나도 모유가 나오지 않고, 6개월이 지나도 월경이 재개되지 않았다. 가장 가능성이 높은 진단명은 무엇인가?

① Sheehan's syndrome

② Cushing's syndrome

③ Addison's syndrome

④ Asherman's syndrome

⑤ Kallmann's syndrome

19

월경이 규칙적인 여성이 3주전 심한 감기로 항히스타민제와 부실피질호르몬이 함유된 감기약을 3일간 복용하였다. 이후 기대 월경이 없어 시행한 질 초음파 검사에서 임신낭이 자궁내에서 보이고 임신 5주로 진단을 받았다. 약물이 태아에 미칠 영향에 대하여 심하게 걱정하고 있었다. 이후 조치로 가장 적절한 것을 고르시오.

① 2주 후 질 초음파 시행

② 계류유산으로 소파술 시행

③ 기형의 위험성 때문에 소파술 시행

④ 융모막 융모 생검

⑤ 혈청 hCG 측정

20

출산력(parity) 기록 시 2-1-0-3의 각 숫자의 의미로 올바른 것을 고르시오.

① 2 – 만삭 분만, 1 – 조산, 0 – 유산, 3 – 현재 생존아 수

② 2 – 만삭 분만, 1 – 유산, 0 – 조산, 3 – 현재 생존아 수

③ 2 – 조산, 1 – 만삭 분만, 0 – 유산, 3 – 현재 생존아 수

④ 2 – 현재 생존아 수, 1 – 조산, 0 – 유산, 3 – 만삭 분만

⑤ 2 – 현재 생존아 수, 1 – 조산, 0 – 만삭 분만, 3 – 유산

21

37세 다분만부가 임신 28주에 병원에 왔다. 임신 27주에 실시한 경부 당부하 검사에서 임신성 당뇨로 진단되었다. 자가 혈당 검사는 공복 70~90 mg/dL, 식후 2시간 110~120 mg/dL로 확인되었다면 가장 적절한 처치는 무엇인가?

① 식이요법
② 경구 혈당 강하제
③ 인슐린
④ 수분 섭취 제한
⑤ 유도 분만

22

40세 미분만부가 임신 32주에 발생한 심한 두통과 부종으로 병원에 왔다. 혈압 160/90 mmHg, 단백뇨 3+였다. 임신 전에혈압 140/90 mmHg, 단백뇨는 음성이었다. 혈액 검사는 다음과 같다면 가장 가능성이 높은 진단은 무엇인가?

혈색소 : 10 g/dL
백혈구 : 8,500/mm^3
혈소판 : 50,000/uL

① 자간전증
② 임신성 고혈압
③ 만성고혈압
④ 자간증
⑤ 중복 자간전증

23

생리가 규칙적이었던 27세 미분만부가 무월경 15주에 병원에 왔다. 이 시기의 예정일을 정하는데 가장 정확한 초음파 지표는 무엇인가?

① 양쪽 마루뼈 지름(BPD) ② 대퇴골 길이(FL) ③ 복부 둘레(AC)
④ 머리 둘레(HC) ⑤ 상완골 길이(HL)

24

1주일 전 만삭 분만한 초산부가 질 출혈이 있어 병원에 왔다. 혈압 110/70 mmHg, 맥박 90/분이었고 자궁저부는 배꼽 위치에 있었다. 초음파 검사에서 자궁 내 약간의 혈괴 소견 이외에 다른 이상은 없었다. 이 환자에게 가장 적절한 처치를 고르시오.

① 혈압 상승제 ② 자궁수축제 ③ 자궁내막 긁어냄술
④ 자궁동맥 색전술 ⑤ 자궁적출술

25

초기 배아 발달 과정에서 질 초음파에 의해 확인되는 구조물의 순서로 올바른 것을 고르시오.

① 임신낭 – 배아 – 난황 ② 임신낭 – 난황 – 배아 ③ 난황 – 임신낭 – 배아
④ 난황 – 배아 – 임신낭 ⑤ 배아 – 임신낭 – 난황

26

임신 35주인 30세 초산부가 태동이 줄어 병원에 왔다. 초음파 검사에서 태아 예상 체중은 1,500 g, 양수지수는 3 cm, 다른 태아기형은 없었다. 태아건강 상태를 알아 보기위해 도플러 검사를 시행 하려고 한다. 적당한 태아 혈관 부위는 어느 부위 인가?

① 폐 동맥 ② 동맥관 ③ 하대 정맥
④ 배꼽 동맥 ⑤ 복부 대동맥

27

임신 11주인 34세 미분만부가 임신 제 1삼분기 산전 검진을 하였다. 다운증후군 발생 위험도가 1 : 28(cut-off, 1 : 41) 이었다. 초음파 검사에서 태아는 임신 11주 크기였다. 다음 단계로 권유해야 할 처치는 무엇인가?

① 모체 혈청 알파태아단백질 검사 ② 사중 검사 ③ 양수 천자
④ 융모막융모 생검 ⑤ 탯줄 천자

28

산과력 0-0-1-0인 20세 여자가 좌측 난소 종양으로 좌측 난소 절제술을 시행 받았다. 조직 검사에서 종양 표면의 파열이 있는 투명세포암으로 확인되었다. 이 환자의 다음 처치로 가장 적절한 것을 고르시오.

① 경과 관찰
② 면역 요법
③ 항암화학요법
④ 병기 설정 수술
⑤ 방사선 요법

29

산과력 1-0-1-1인 31세 임신 24주 산모가 우쪽 하복부에 불편감이 있어 병원에 왔다. 골반 내진에서 우측 자궁부속기에 어른 주먹 크기의 덩이가 촉진되었다. 골반 초음파에서 우측 난소에 8 × 7 × 6 cm 크기의 유두상 돌출이 있는 고형성분의 난소덩이와 다량의 복수가 관찰되었다. 이 환자의 다음 처치로 가장 적절한 것을 고르시오.

① 즉시 항암화학요법을 시행한다
② 즉시 시험적 개복술을 시행한다
③ 만삭까지 기다렸다가 질식 분만 후 수술한다
④ 만삭까지 기다렸다가 제왕절개수술과 난소 절제술을 시행한다
⑤ 분만 6주 이후 시험적 개복술을 시행한다

30

56세 산과력 2-0-0-2인 폐경 여성이 질 출혈과 배가 아파 병원에 왔다. 골반 초음파에서 좌측 난소에 10 cm 크기의 덩이가 관찰되었고, 낭성 성분과 고형 성분이 섞여 있었다. 자궁내막 조직 검사에서 자궁내막 증식증이 관찰되었다. 병리 소견은 다음과 같다면 이 환자의 가장 가능성이 높은 진단명을 고르시오.

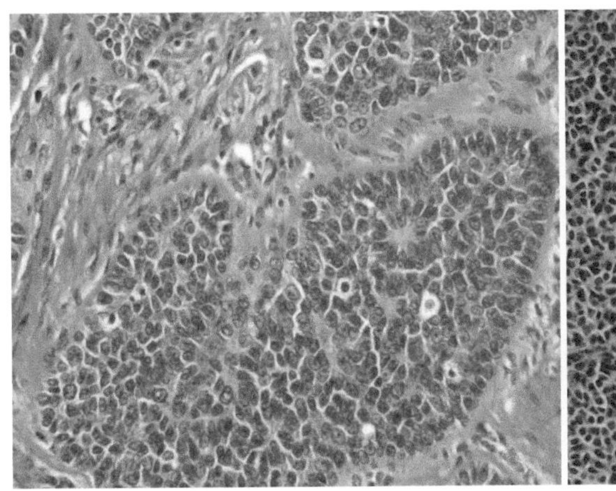
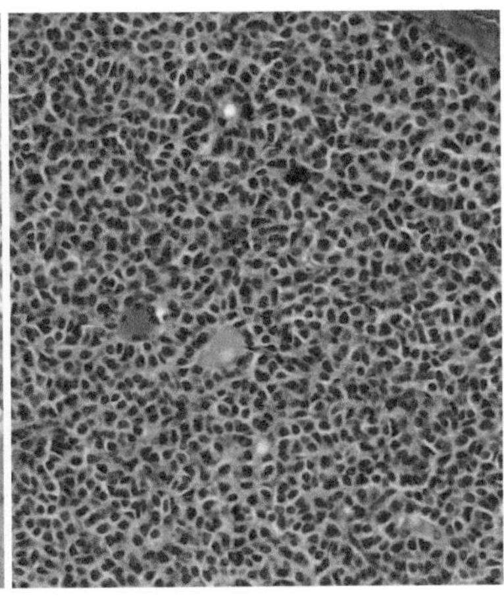

① 미분화 세포종(dysgerminoma)
② 내배엽동 종양(endodermal sinus tumor)
③ 융모암종(choriocarcinoma)
④ 성숙 기형종(dermoid cyst)
⑤ 과립막 세포 종양(granulosa cell tumor)

31

12세 산과력 0-0-0-0인 여자가 배가 아파서 병원에 왔다. 골반 내진 및 초음파 검사에서 좌측 난소에 15 × 15 cm 크기의 단단한 덩이가 관찰되었다. 혈청 표지자 검사는 다음과 같다. 가장 가능성이 높은 진단은 무엇인가?

CA-125 : 21 U/mL (참고치 : <30.2 U/mL)
CA 19-9 : 12 U/mL (참고치 : 0~37 U/mL)
AFP : 8,000 ng/mL (참고치 : <15 IU/mL)
β-hCG : 2 mIU/mL (참고치 : <5 mIU/mL)

① 미분화세포종(dysgerminoma)
② 성숙 기형종(dermoid cyst)
③ 융모암종(choriocarcinoma)
④ 난황낭종(yolk-sac tumor)
⑤ 과립막 세포 종양(granulosa cell tumor)

32

산과력 3-0-1-3인 47세 여자가 질 출혈로 병원에 왔다. 월경은 1년에 3~4회로 불규칙하였으며, 마지막 월경일은 4개월 전이었다. 골반 진찰에서 자궁이 남자 주먹 크기로 커져 있었다. 혈중 β-hCG는 152,000 mIU/mL이었다. 골반 초음파 소견이 다음과 같다면 이 환자에게 가장 적절한 처치를 고르시오.

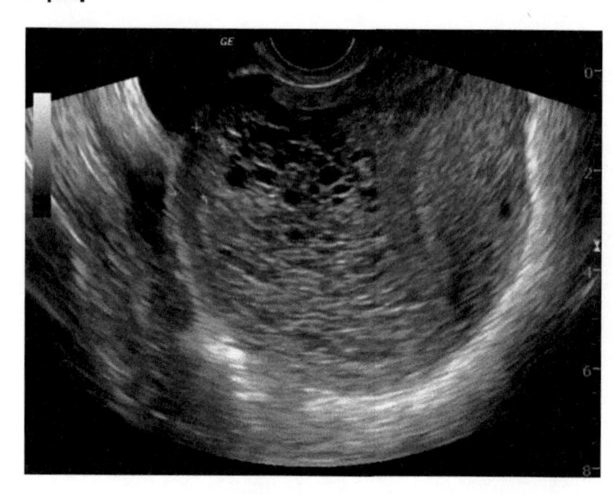

① 추적 관찰
② 흡인 소파술
③ 자궁절제술
④ 항암화학요법
⑤ 골반방사선 치료

33

통증을 못 느끼던 자궁근종을 갖고 있던 환자가 통증과 압통을 호소하였다. 다음 중 원인으로 가능성이 적은 것은 무엇인가?

① 순환 장애로 인한 국소괴사
② 염증성 변화로 인한 유착
③ 장막하 근종 염전
④ 육종성 변성
⑤ 신경절 압박

34

자궁내막암 발생의 위험 요인이 아닌 것은 무엇인가?

① 지연 폐경 ② 난소 과립세포종양 ③ 흡연
④ 비만 ⑤ 다낭성 난소증후군

35

외음부암에 대한 설명 중 옳지 않는 것은 무엇인가?

① 편평세포암이 가장 많다

② 가장 흔한 증상은 궤양이다

③ 상피내암의 치료는 광범위 국소 절제술이 좋다

④ 수술 요법이 방사선 치료보다 좋다

⑤ 성기암 중 세 번째로 많다

36

임신 20주 임산부에서 특별한 증상은 없었고, 자궁경부 육안소견도 정상이었으나 세포검사 결과가 HSIL로 나왔다. 이 산모에게 향후 시행해야 할 처치는 무엇인가?

① 분만 후 추적 검사 ② 반복 세포진 검사 ③ 질확대경하 조직 검사

④ 자궁경부 소파술 ⑤ 자궁경부 원추 생검

37

50세 부인이 성교 후 질 출혈로 병원에 왔다. 진찰 결과 경부에 4 × 5cm 크기 종양이 발견되었으며 질 상부를 약간 침윤한 상태이나 아직 양측 자궁방은 침범하지 않았다. 시행한 생검에서 경부암으로 진단되었다. 이 환자의 임상적 병기를 설명한 내용 중 옳은 것은 무엇인가?

① 임상적 병기는 IB2이다

② 흉부 X-선, 방광경, 골반 CT를 시행한다

③ 치료 경과 중에 병기가 바뀔 수 있다

④ 임상적 병기는 예후를 반영하지 않는다

⑤ 마취 하에서 골반을 관찰한다

38

41세 여성이 건강검진 중 우연히 외음부 좌측 대음순 하부에 통증이 없는 대추 크기의 부드러운 혹이 발견되었다. 이 환자의 처치로 가장 적절한 것을 고르시오.

① 정기적 검진　② 항생제 복용　③ 복합 경구 피임약 복용
④ 도관(catheter) 설치　⑤ 조대술(marsupialization)

39

60세 여자가 최근 시작된 성교통과 가려움증, 흰색 질 분비물로 병원에 왔다. 질 분비물의 10% KOH 젖은 펴바름 표본검사 소견은 그림과 같다. 이 환자의 진단명은 무엇인가?

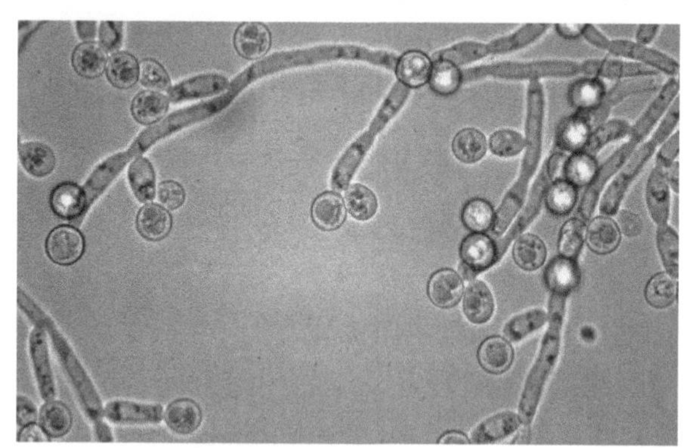

① 세균성 질염
② 위축성 질염
③ 자궁경부염
④ 칸디다 질염
⑤ 트리코모나스 질염

40

산과력 1-0-4-1인 28세 여자가 3일 전부터 아랫배 통증과 화농성 질 분비물이 있어서 병원에 왔다. 체온 38.4℃, 신체 진찰에서 갈비척추각 압통은 없었고, 두덩위압통(suprapubic tenderness)과 자궁목을 움직일 때 심한 통증이 있었다. 골반 초음파 검사에서 곧창자오목(cul-de-sac)에 액체고임 외에 다른 소견은 없었다. 원인균으로 가장 흔한 것을 고르시오.

① 대장균(E. coli)　② 질편모충(T. vaginalis)　③ 황색포도알균(S. aureus)
④ 헤모필루스듀크레이(H. ducreyi)　⑤ 클라미디아트라코마티스(C. trachomatis)

41

48세 여자가 최근 얼굴이 자주 붉어지며 땀이 많이 난다고 병원에 왔다. 1년 전 오른쪽 유방암으로 유방 절제술을 받았고 타목시펜을 계속 복용 중이었다. 환자는 6개월 전부터 월경이 없었다고 하였다. 골반 초음파 검사에서 자궁과 난소는 정상이었다. 혈액 검사 결과는 다음과 같았다. 증상 완화를 위한 치료제는 무엇인가?

갑상샘자극호르몬 : 3.6 mIU/L (참고치 : 0.34~4.25)
난포자극호르몬 : 85 mIU/mL (참고치 : 3~26)
에스트라디올 : 6 pg/mL (참고치 : 20~443)

① 티볼론
② 가바펜틴
③ 에스트로겐
④ 에스트로겐-프로게스테론 제제
⑤ 비스포스포네이트

42

35세 산과력 2-0-4-2인 여자가 피임 상담을 위해 병원에 왔다. 월경 주기는 28~35일로 불규칙하였고, 골반염으로 2개월 전 입원 치료를 받았다. 1년 전 인공판막 대치술을 받고 항응고제를 복용하고 있었다. 이 환자에게 가장 적절한 피임법은 무엇인가?

① 콘돔
② 월경 주기법
③ 복합 경구 피임제
④ 구리 자궁내 장치
⑤ 레보노르게스트렐 자궁내 장치

43

산과력 2-0-4-2인 35세 성폭행 피해자가 피임 상담을 위해 병원에 왔다. 성폭행 후 3일이 경과 되었으며, 이후에도 지속적인 피임을 원한다. 가장 적절한 피임법은 무엇인가?

① beta-hCG 확인 후 경과 관찰
② 경구 복합 피임약
③ 고용량 프로게스테론
④ Mifepristone 10 mg
⑤ 자궁내 장치 삽입

44

17세 여학생이 불규칙한 자궁 출혈로 병원에 왔다. 초경 나이는 14세이고, 초경 때부터 생리가 1년에 불규칙적으로 4~5회였고, 그 양이 많았다고 한다. 신체 검사에서 키 160 cm, 체중 50 kg 이었고, 유방 및 음모의 발달은 정상적이었다. 골반 초음파에서 특이 소견 없었다. 이 여학생에게 가장 적절한 치료는 무엇인가?

FSH : 7.5 mIU/mL (참고치 : 5~20)
LH : 6.2 mIU/mL (참고치 : 5~20)
Prolactin : 5.7 ng/mL (정상 : <25)
혈색소 : 12.5 g/dL
적혈구 용적율 : 31%
혈소판 : 200,000/mm^3

① 주기적으로 난포호르몬 경구 투여
② 프로스타글란딘 억제제
③ 먹는 피임약을 주기적으로 투여
④ 클로미펜 투약
⑤ 생식샘호르몬분비호르몬 피하주사

45

31세 여성이 체외수정 시술을 위해 과배란 유도제 사용 후 아랫배가 불러오며 숨이 차고 복부 팽만감이 있다고 병원에 왔다. 혈압 100/80 mmHg, 맥박 100회/분, 호흡 22회/분, 체온 36.5℃이었다. 질 초음파 검사에 복수가 있었으며 양측 난소가 커져 있었다(그림). 혈액 검사 결과는 다음과 같았다. 가장 적절한 치료는 무엇인가?

혈색소 : 15.8 g/dL
적혈구 용적률 : 49%
백혈구 : 9,000/mm^3
혈소판 : 450,000/mm^3
아스파르테이트아미노전달효소/알라닌아미노전달효소 : 32/38 U/L
총 단백질/알부민 : 6.8/2.6 g/dL

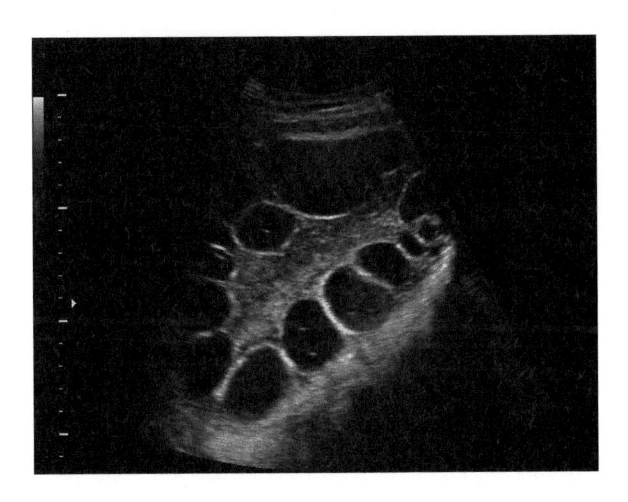

① 복강경 수술
② 글루코코르티코이드
③ 고리작용 이뇨제
④ 바소프레신
⑤ 알부민

46

체외수정술을 하면서 아래 그림과 같은 시술이 필요한 경우를 고르시오.

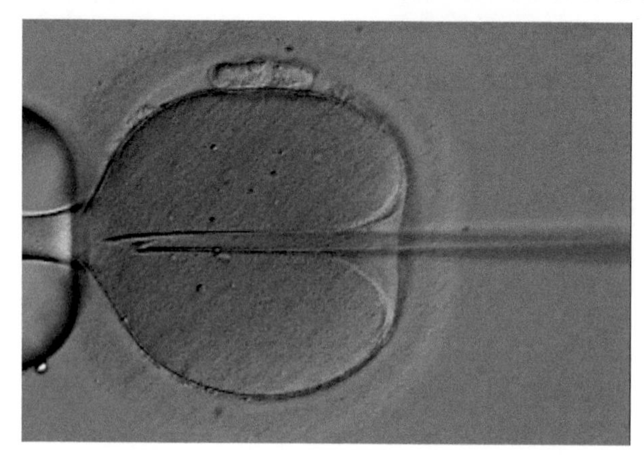

① 자궁경부 인자에 의한 불임
② 난관 패쇄에 의한 불임
③ 심한 자궁내막증에 의한 불임
④ 난소 인자에 의한 불임
⑤ 정자수 감소에 의한 불임

47

개복 자궁절제술에 비해 복강경을 이용한 자궁절제술의 장점으로 옳지 않은 것은 무엇인가?

① 수술 시간이 짧다
② 입원 기간이 짧다
③ 수술 후 통증이 적다
④ 일찍 걸을 수 있다
⑤ 외부 상처가 작다

48

27세 여성이 결혼 후 3년 동안 임신이 되지 않는다고 내원하였다. 평소 월경통이 심하였고, 골반 검사 결과 자궁은 움직이지 않았다. 오른쪽 자궁 부속기에 계란 크기의 고정된 종괴가 있었다. 혈청 CA-125는 115 ng/mL (참고치 : <35)이었다. 이 환자의 확진을 위한 검사는 무엇인가?

① 자궁경 검사
② 복강경 검사
③ 골반 초음파 검사
④ 자궁내막 조직 검사
⑤ 골반 전산화단층촬영

49

다음 중 면역계에 대한 설명으로 옳은 것을 고르시오.

① 인간백혈구항원(HLA) 분자는 세포질내에 위치한다

② 세포는 여러 개의 주조직적합복합체(MHC) Class I을 발현한다

③ 핵을 가진 모든 세포는 주조직적합복합체(MHC) class II를 발현한다

④ CD 8+ T cell은 주조직적합복합체(MHC) class II 분자가 제시하는 펩타이드를 인식한다

⑤ 항원제시세포는 주조직적합복합체(MHC) class I 분자에 항원을 제시한다

50

예정된 수술에서 예방적 항생제를 투여하는 가장 적절한 시기는 언제인가?

① 수술 전날 밤

② 수술 당일 아침 기상 후

③ 수술부위 절개 30분 전

④ 수술부위 절개 시행 직후

⑤ 상처 봉합 직전

51

자궁경부 점액을 채취하여 슬라이드에 도말한 사진이다. 사진과 같이 특징적인 소견을 보이는 시기는 언제인가?

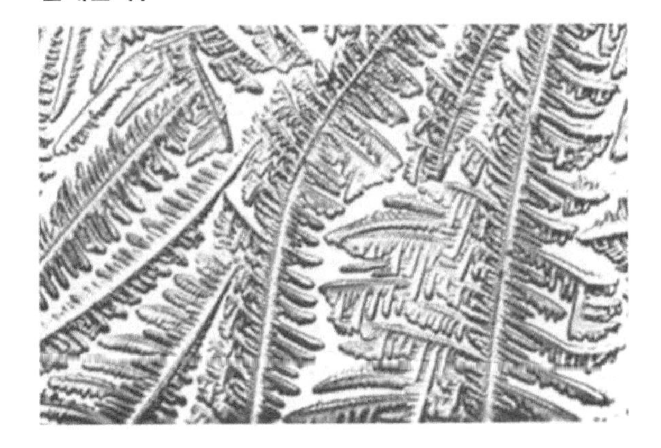

① 임신 시

② 생리 시작 시

③ 월경 2~6일

④ 월경 7~18일

⑤ 월경 19~21일

52

사진(사진 3)에서 수정된 배아가 자궁강 내로 들어가는 발달 단계의 번호는 어느 것인가?

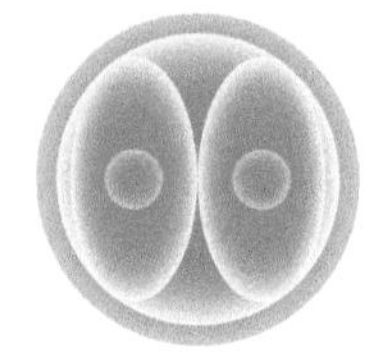
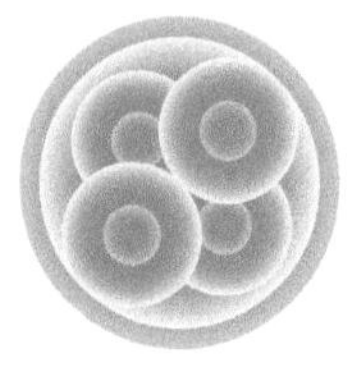
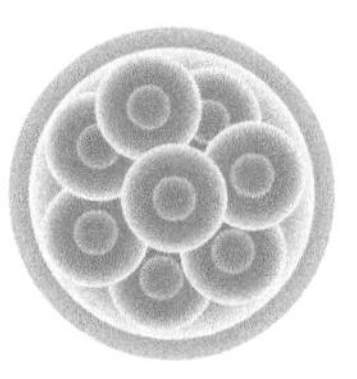
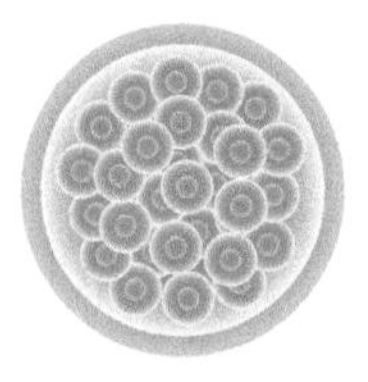
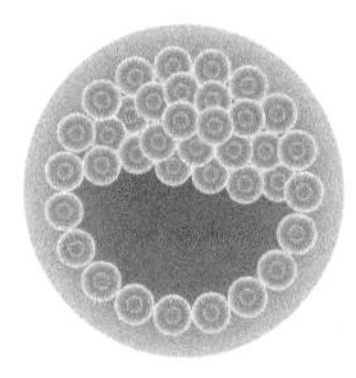

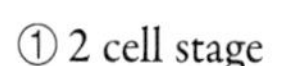
① 2 cell stage ② 4 cell stage ③ 8 cell stage ④ Morula ⑤ Blastocyst

53

62세의 여성이 최근 3개월 동안 간헐적으로 보이는 질 출혈을 주소로 내원하였다. 이 환자는 49세에 폐경이 되었고, 폐경 후 안면홍조와 야간발한 등의 혈관운동증상(vasomotor symptom)이 심하여 3년 동안만 호르몬 치료를 하였다고 한다. 폐경 여성에서 질 출혈의 이환율을 고려하였을 때, 이 환자에서 질 출혈의 원인으로 가장 먼저 의심되는 것은 무엇인가?

① 위축성 질염
② 호르몬 치료
③ 자궁경부 용종
④ 자궁내막 용종
⑤ 자궁내막 증식증

54

27세 여성이 외음부 종괴를 주소로 내원하였다. 환자는 종괴가 점점 커지고 있으며, 통증이 심하다고 한다. 이학적 검사 상 질 분비물은 정상 소견이며, 외음부의 소견은 그림과 같을 때, 부어있는 이 부분은 어느 기관에서 유래된 것인가?

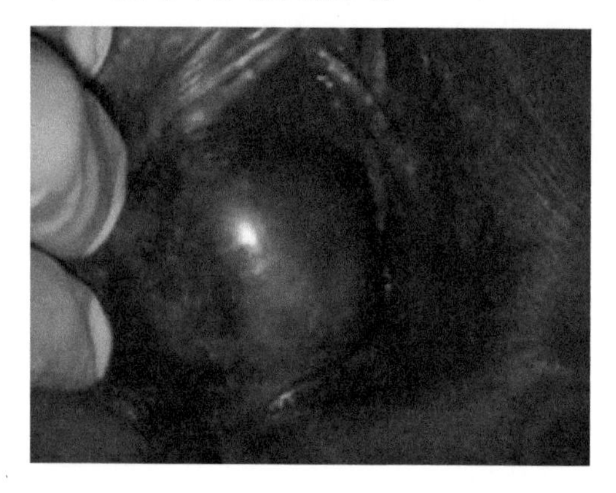

① 대음순(Labium majora)
② 스케네선(Skene's gland)
③ 가르트너관(Gartner duct)
④ 나보트낭(Nabothian duct)
⑤ 바르톨린선(Bartholin's gland)

55

38세 여성이 4일전부터 발생한 하복부 불편감과 통증을 주소로 내원하였다. 이학적 검사 상 특이 소견은 관찰되지 않았고, 활력 징후 또한 정상소견이다. 초음파 검사에서 자궁 주위에 액체집적(fluid collection)이 관찰되고 있어, 다음과 같은 시술(사진5)을 시행하였다. 이 검사명은 무엇인가?

① 자궁경 검사법(Hysteroscopy)

② 더글라스와 천자술(Culdocentesis)

③ 자궁내막 생검(Endometrial biopsy)

④ 자궁 긁어냄술(Dilatation & curettage)

⑤ 바늘 흡인 세포검사(Needle aspiration cytology)

56

산과력 0-0-2-0인 29세의 여성이 비정상적인 질 출혈로 내원하였다. 시행한 이학적 검사에서는 특이사항이 없었고, 초음파 검사는 다음과 같았다. 이와 같은 자궁기형은 배발육(embryo development) 과정 중 어느 기관 이상에 의해 발생하는가?

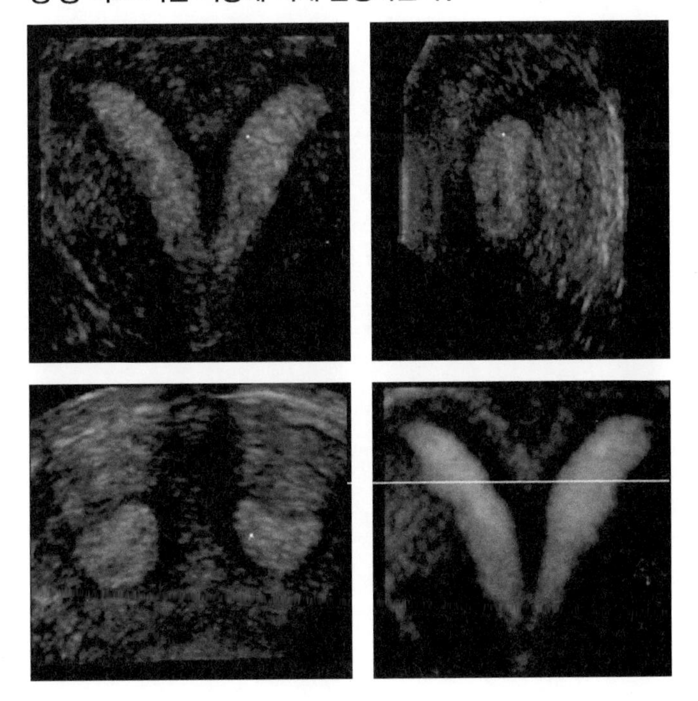

① 배설강(Cloaca)

② 볼프관(Wolffian duct)

③ 뮐러관(Mullerian duct)

④ 가트너관(Gartner's duct)

⑤ 원시 생식소(Primitive gonad)

57

다음은 자궁에 정상적으로 착상된 태아의 그림이다. 사진의 (A)와 (B)는 임신 중 일정한 시기가 되면 융합하여 공간이 폐쇄되는데, 그 시기는 언제인가?

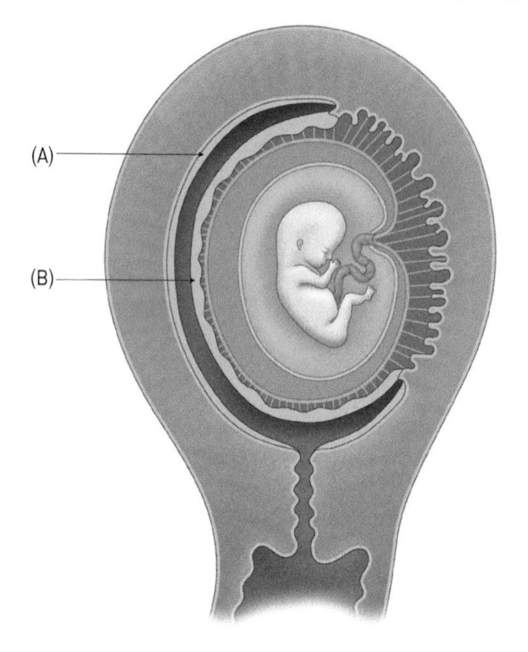

① 9~11주
② 12~13주
③ 14~16주
④ 17~18주
⑤ 19~20주

58

17세 여성이 이차 성징의 발달이 지연되고, 초경이 없다고 내원하였다. 환자의 키는 5 percentile 미만이었고, 약간의 지적 장애를 보였다. 시행한 염색체 검사와 환자의 외형은 다음과 같다. 이 환자의 진단명은 무엇인가?

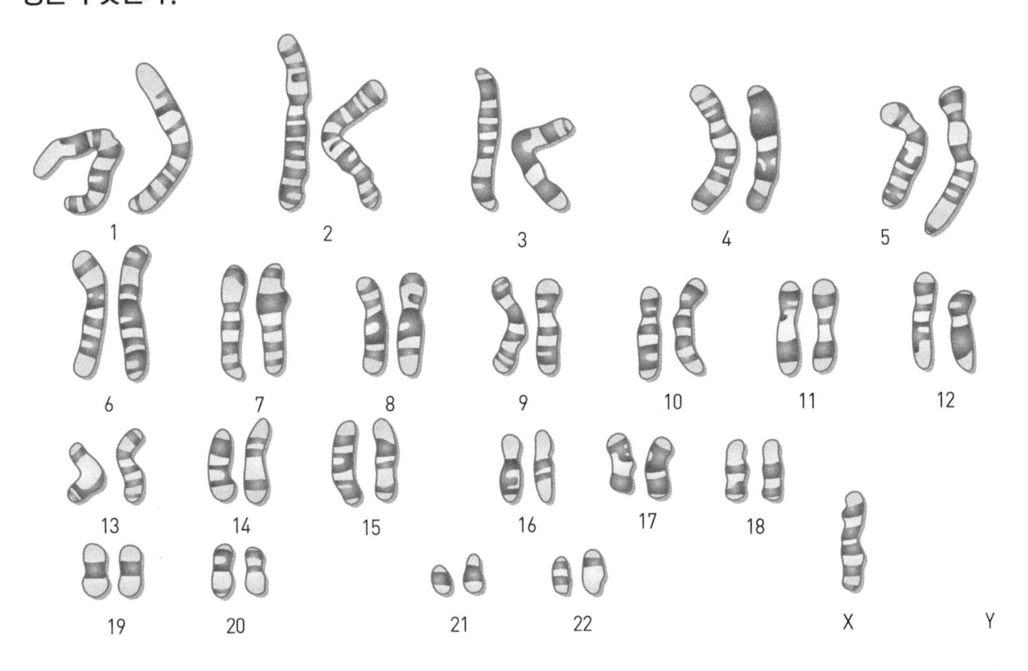

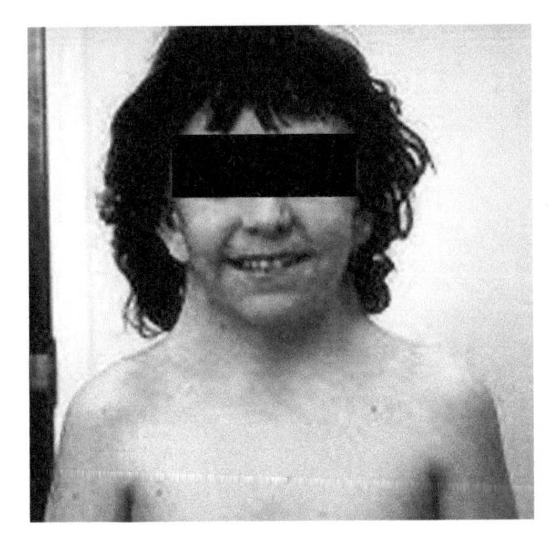

① 다운증후군(Down syndrome)

② 터너증후군(Turner's syndrome)

③ 칼만증후군(Kallmann syndrome)

④ 안드로겐 불감성 증후군(Androgen insensitivity syndrome)

⑤ 마이어-로키탄스키-쿠스터-하우저 증후군(MRKH syndrome)

59

다음과 같은 방법을 통해 최소화 시킬 수 있는 바이어스(bias)는 무엇인가?

특정 변수에 관해 짝짓기를 한다
무작위 표본 추출을 하여 특정 변수의 영향을 상쇄시킨다
특정 변수에 대해 층화 시킨다
연구 대상을 특정 집단으로 제한한다

① 끝수 선호도 바이어스
② 연구자 바이어스
③ 교란 바이어스
④ 정보 바이어스
⑤ 선택 바이어스

60

46세 여자가 수일간 지속된 좌하복부의 통증을 주소로 내원하였다. 이학적 검사에서 fever 및 좌하복부의 압통이 있었다. WBC는 15,000/mm^3 였다. 이 환자의 적절한 치료 및 진단 방법을 고르시오.(2가지)

① Ultrasonography
② Barium enema
③ Colonoscopy
④ MRI
⑤ Abdominal CT
⑥ Immediate laparotomy
⑦ 항생제 투여 및 보존적 치료
⑧ 장 절제술

61~62 다음의 각 문항에 대한 적절한 답을 답 가지에서 고르시오.

① 호흡 억제(Respiatory depression)
② 폐 부종(Pulmonary edema)
③ 저칼륨 혈증(Hypokalemia)
④ 심 정지(Cardiac arrest)
⑤ 간염(Hepatitis)
⑥ 심부정맥(Arrhythmias)
⑦ 저혈당(Hypoglycemia)
⑧ 신부전(Renal failure)

61

임신 30주인 29세 경산부가 배가 아파서 병원에 왔다. 혈압 150/110 mmHg, 맥박 95회/분, 호흡 21회/분, 체온 36.5℃이었다. 자궁저부의 높이는 29 cm이었으며, 비수축 검사에서 태아 심음은 150 회/분, 자궁수축은 2~3분 간격으로 규칙적이었다. 골반 진찰에서 자궁경부 2 cm 개대, 80% 소실되었고, 나이트라진 검사는 노란색이었다. 5년 전부터 당뇨로 인슐린 치료를 받고 있었다. 소변 검사 결과 포도당 (++), 단백질 (+++), 백혈구 (−), 적혈구 (−)로 확인되었다. 자궁수축 억제를 위해 황산 마그네슘을 투여할 때 발생할 수 있는 합병증을 모두 고르시오.(3가지)

62

산과력 0−0−0−0인 임신 31주 산모가 하복부 통증을 주소로 내원하였다. 검진 상 자궁경부는 약 20% 개대(effacement)되어 있었고, 2 cm 정도 확장(dilatation)되어 있었으며 자궁수축 검사는 아래와 같았고, 나이트라진 검사는 노란색이었다. 이 산모의 처치로 리토드린을 투여할 때 발생할 수 있는 합병증을 모두 고르시오.(3가지)

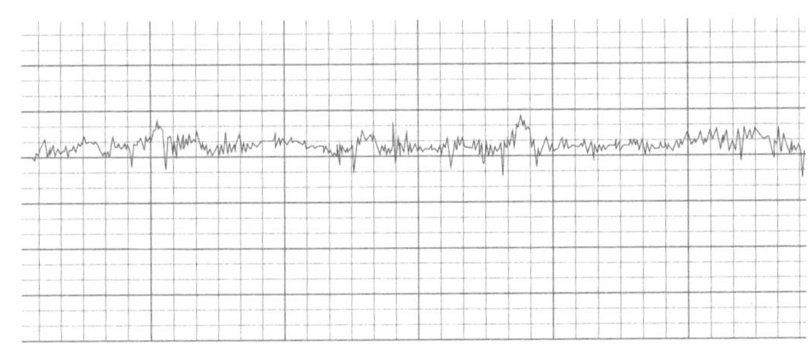

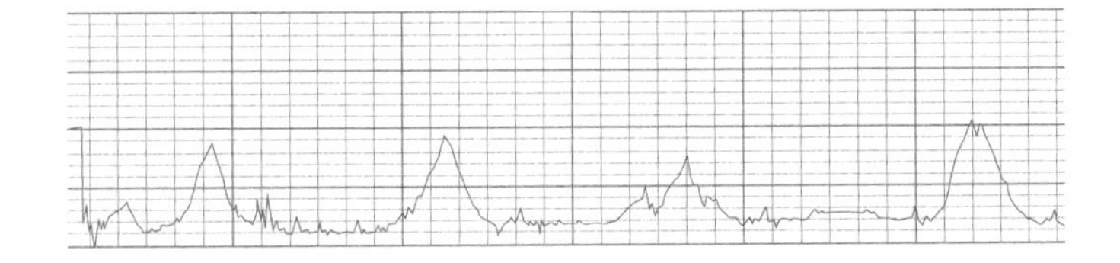

63

다음 중 뇌하수체 전엽(pituitary anterior lobe)에서 분비되는 호르몬을 모두 고르시오.(3가지)

① 생식샘자극호르몬 분비호르몬(GnRH)
② 난포자극호르몬(FSH)
③ 젖분비호르몬(Prolactin)
④ 갑산선자극호르몬 분비호르몬(TRH)
⑤ 성장호르몬(GH)
⑥ 엔도르핀(Endorphin)
⑦ 옥시토신(Oxytocin)
⑧ 알긴 바소프레신(Arginine vasopressin)

64

다음 중 복부대동맥에서 직접 분지하는 동맥을 고르시오.(2가지)

① 폐쇄 동맥(obturator artery)
② 난소 동맥(ovarian artery)
③ 중천골 동맥(middle sacral artery)
④ 자궁 동맥(uterine artery)
⑤ 중간 곧창자 동맥(middle rectal artery)
⑥ 질 동맥(vaginal artery)
⑦ 바깥 엉덩 동맥(external iliac artery)
⑧ 속 엉덩 동맥(internal iliac artery)

65

임신 37주의 산모가 정기 검진에서 아래와 같은 태아감시 소견을 보일 때, 원인을 모두 고르시오. (2가지)

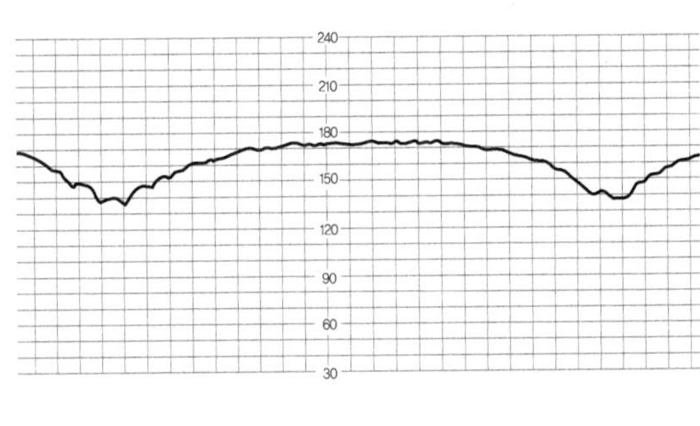

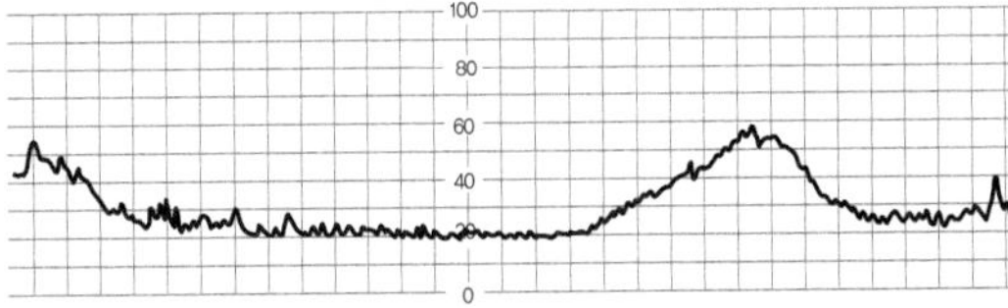

① 태아가 자는 경우(Sleeping fetus)
② 진통제(Analgesic drug)
③ 태반 조기 박리(Placental abruption)
④ 중증 태아 빈혈(Severe fetal anemia)
⑤ 태아머리압박(Fetal head compression)
⑥ 탯줄의 압박(Umbilical cord compression)
⑦ 태아 두개강 내 출혈(Fetal intracranial hemorrhage)
⑧ 옥시토신투여 후 자궁의 과다활동(Uterine hyperactivity caused by oxytocin)

66~67 다음의 각 문항에 대한 적절한 답을 답 가지에서 고르시오.

① 근치적 자궁절제술
② 근치적 자궁목절제술
③ 경과 관찰
④ 냉동 요법
⑤ 단순 자궁절제술
⑥ 동시 항암방사선요법
⑦ 레이저 치료
⑧ 방사선 치료
⑨ 전기소작술
⑩ 원추 절제술

66

산과력 2-0-0-2인 50세 여자가 성교 후 질 출혈로 병원에 왔다. 자궁경부 질세포진 검사에서 편평상피암으로 나왔고 질 확대경 찍어냄 생검에서 자궁경부 편평상피암으로 진단되었다. 부인과신체 검사에서 아래와 같은 병기를 보였다. 가장 적합한 치료는 무엇인가?(1가지)

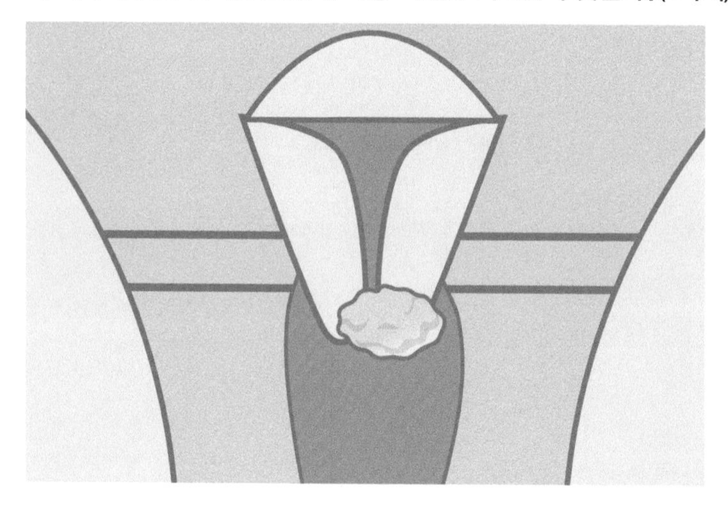

67

산과력 0-0-0-0인 30세 여자가 개인 병원에서 시행한 자궁경부 질세포진 검사에서 비정형샘세포(Atypical glandular cell)로 나와 병원에 왔다. 질확대경하 찍어냄 생검에서 자궁경부 제자리암종(adenocarcinoma in situ)으로 판명되었고 자궁경부 안긁어냄술은 정상을 보였다. 이 환자에게 적합한 처치를 고르시오.(1가지)

68

임신 20주인 32세 미분만부가 외음부와 항문의 가려움증과 통증으로 병원에 왔다. 외음부 사진이 아래와 같다면 이 여성에게 가장 적절한 치료를 모두 고르시오.(3가지)

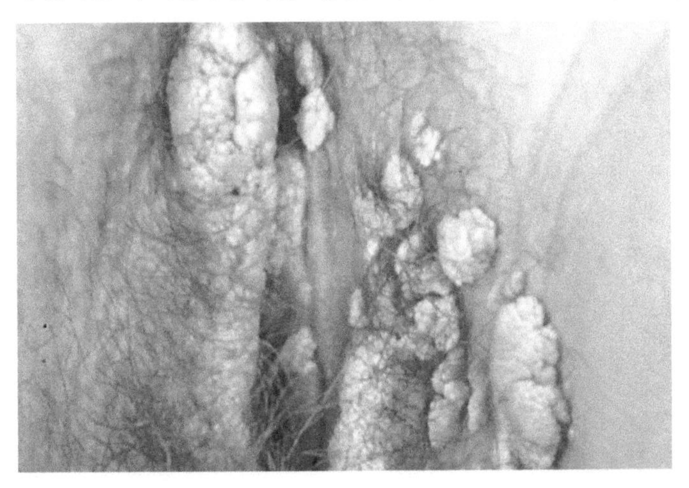

① 근치 외음부 절제술(Radical vulvectomy)
② 냉동 요법(Cryotherapy)
③ 레이저 치료(Laser therapy)
④ 포도필린(Podophyline)
⑤ 프로게스테론(Progesterone)
⑥ 에스트로겐(Estrogen)
⑦ 아시클로버(Acyclovir)
⑧ 삼염화 아세트산(Trichloroacetic acid)

69

38세의 여성이 임신 전 상담을 위하여 내원하였다. 다음은 환자와의 대화 내용이다. 이 대화 내용을 보고, 환자의 산과력을 4지형으로 맞게 표현한 것을 고르시오.

의사 : 현재 자녀분은 어떻게 됩니까?
환자 : 7살 된 남자아이와 2살 여자아이, 두 명 있어요.
의사 : 출산은 어떻게 하셨나요?
환자 : 첫째는 임신 38주에 자연 분만했고요. 둘째, 전치태반으로 출혈 때문에 임신 36주에 제왕절개 했어요.
의사 : 네. 그러면, 다른 임신은 없었나요?
환자 : 첫째 아이 갖기 전에, 임신 10주경에 자연유산 한 번 있었고, 그리고, 4년 전에 쌍태아 임신이었는데, 임신 28주 쯤 갑자기 태반 조기 박리로 둘 모두 자궁내에서 사망한 적이 있었어요.
의사 : 안타깝네요. 죄송합니다.

① 2 − 0 − 2 − 2
② 2 − 2 − 1 − 2
③ 1 − 2 − 1 − 2
④ 1 − 3 − 1 − 2
⑤ 1 − 1 − 2 − 2

70

산과력 1-0-2-1인 33세 산모가 26주경 산전 진찰을 위해 초음파 검사를 시행하였다. 환자는 임신 16주경 태아 기형아 검사에서 고위험의 다운증후군을 확인하였지만, 양수 검사는 시행하지 않은 상태이다. 초음파 검사에서 다음과 같이 양수과다증이 관찰되었다. 가장 가능성이 높은 진단은 무엇인가?

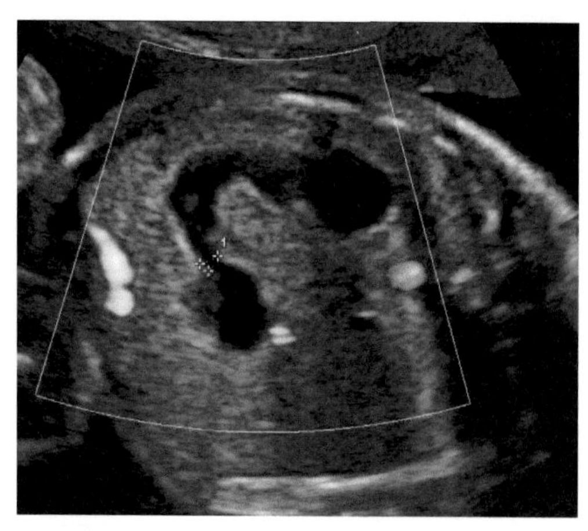

① 배꼽 탈출(Omphalocele)
② 척수막류(Meningocele)
③ 척추 분리증(Spina bifida)
④ 요로 폐쇄(Urinary tract obstruction)
⑤ 선천성 십이지장 폐쇄증(Duodenal atresia)

71

산과력 0-0-1-0인 임신 38주의 산모가 간헐적인 자궁수축과 하복부 불편감을 주소로 내원하였다. 내진 상 자궁경부는 2 cm 개대, 30% 소실, 태아 아두 하강도는 -3이었다. 전자태아심박동-자궁수축감시는 아래와 같았다. 15시간 지난 후에도 자궁경부 변화가 없을 때, 환자의 처치로 가장 적절한 것을 고르시오.

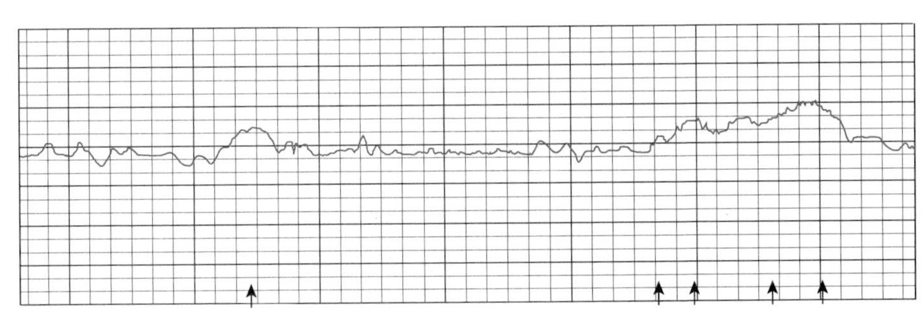

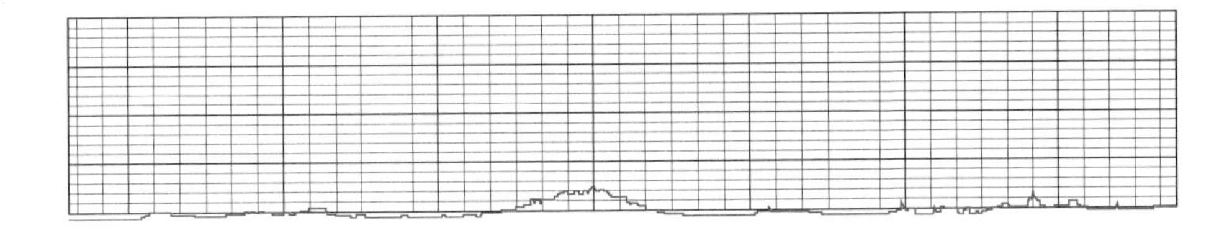

① 경과 관찰
② 양막 파수
③ 산소 공급
④ 제왕절개술
⑤ 옥시토신 투여

72

산과력 0-0-0-0인 37세 여성이 결혼 후 4년 동안 임신이 되지않아 내원하였다. 과거력 상 골반염으로 입원 치료를 수차례 받은 것 외에는 다른 기왕력은 없었다. 환자의 월경주기는 28~30일로 규칙적이고, 신체 검진 상 특이 사항은 없었으며, 남편의 정액 검사는 정상이었다. 자궁 조영술 결과가 아래와 같을 때, 임신을 위해 해야 할 치료는 무엇인가?

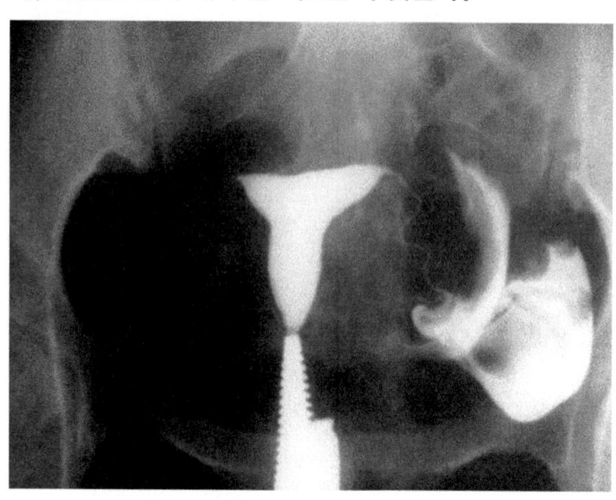

① 항생제
② 과배란 유도
③ 자연 임신 시도
④ 체외수정 시술
⑤ 인공 정자 주입

73

51세 여자가 5일 전부터 질 안이 따갑고 질 분비물이 많아져 내원하였다. 자궁경부 질경 소견과 질 분비물 젖은 펴바른 검사는 다음과 같았다. 이 환자의 치료로 가장 적절한 것을 고르시오.

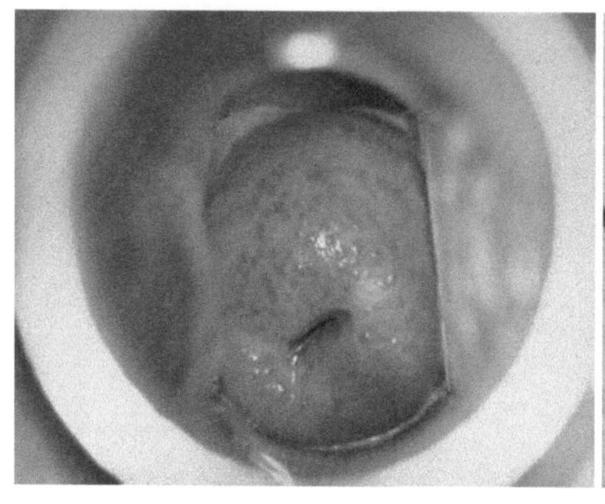

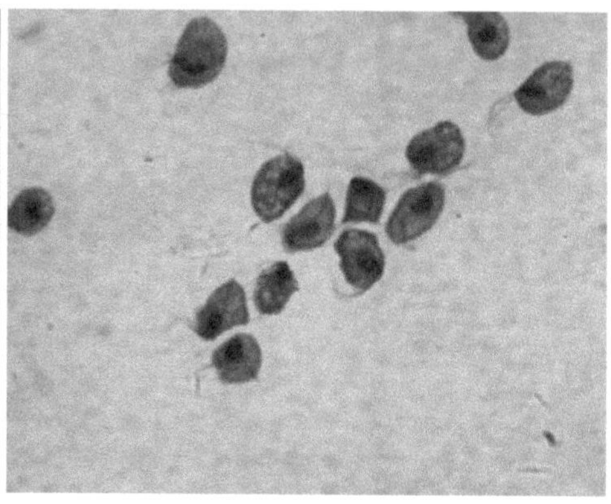

① 클로트리마졸(clotrimazole) 질정
② 메트로니다졸(metronidazole)
③ 에스트로겐(estrogen) 질 크림
④ 테트라사이클린(tetracycline)
⑤ 플루코나졸(Fluconazole)

74

48세 여자가 30일 동안 지속된 간헐적인 복통을 주소로 내원하였다. 최근 3개월 전부터 약 5 kg의 체중 감소가 있었고 복부 팽만, 발열이 동반되었다. 진단적 복강경 수술 시 복막에 광범위한 결절, 복수와 심한 유착이 있었다. 수술 소견과 조직 검사가 다음과 같다면 이 환자의 진단명은 무엇인가?

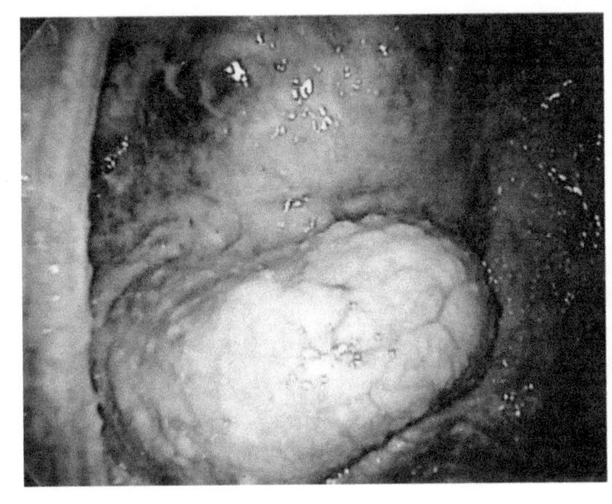

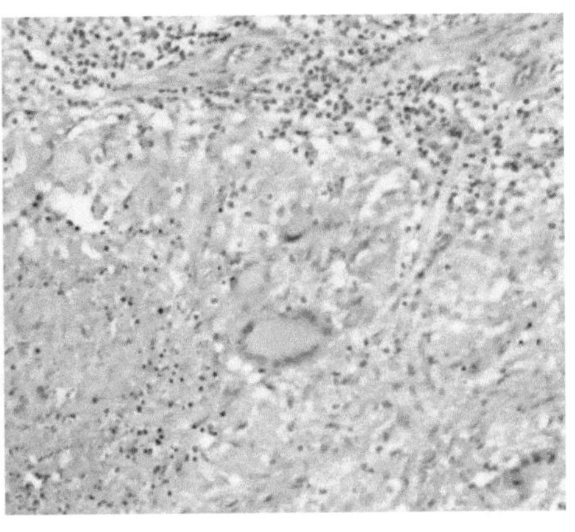

① 원발 복막암
② 복막 가성점액종
③ 결핵 복막염
④ 자궁내막증
⑤ 난소난관 고름집 파열

75

60세 여자가 7일 전부터 발생한 소량의 질 출혈로 병원에 왔다. 당뇨나 고혈압 등의 질환은 없었다. 52세에 폐경이 되었고 호르몬 치료를 받은 적은 없었다. 질 출혈의 원인으로 가장 높은 원인은 무엇인가?

① 자궁내막 증식증
② 자궁내막암
③ 자궁내막 용종
④ 자궁경부암
⑤ 위축성 자궁내막염

76

산과력 2-0-1-2인 40세 여자가 6개월 전부터 시작되어 점차 심해지는 월경통과 생리 과다로 병원에 왔다. 부인과 신체 진찰에서 자궁은 전반적으로 커져서 임신 12주 크기였고 비교적 단단하게 만져졌다. 자궁 부속기에 덩이는 만져지지 않았다. 골반 자기공명영상은 다음과 같다. 가장 의심되는 질환은 무엇인가?

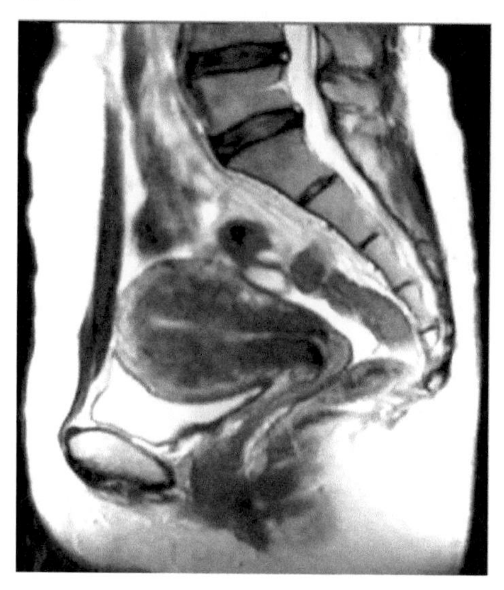

① 자궁선근증
② 자궁근종
③ 자궁내막암
④ 자궁육종
⑤ 자궁내막증

77

35세 산과력 1-0-0-1인 여자가 생리 과다와 아랫배에 덩이가 만져져 병원에 왔다. 골반 초음파에서 약 6 cm 크기의 덩이가 자궁벽에서 관찰되었다. 자궁근종으로 생각하고 근종 절제술을 시행하였는데 덩이의 경계가 자궁근육층에서 쉽게 박리되지 않고 자궁근육층을 침범하는 소견을 보여 덩이의 응급 동결절편(frozen section)을 시행하였고 조직 검사에서 10개의 고배율 현미경시야(HPF)에서 유사 분열상(mitotic figure) 수가 20개를 보이는 평활근육종(leiomyosarcoma)로 진단되었다. 가장 적절한 치료는 무엇인가?

① 경과 관찰
② 자궁절제술
③ 자궁보존 후 항암화학요법
④ 자궁보존 후 방사선 치료
⑤ 자궁보존 후 프로게스테론제제

78

20세 여자가 정기 검진에서 실시한 자궁경부 세포진 검사에서 고등급 편평상피내병변(HSIL)이 발견되어 병원에 왔다. 질확대경 검사에서 변형대가 전체적으로 잘 관찰되었고 찍어냄 생검에서 자궁경부 상피내종양(CIN) 1단계를 보였다. 이 환자의 다음 처치로 가장 적절한 것을 고르시오.

① 원추 절제술
② 인유두종바이러스(HPV) 검사
③ 냉동 치료
④ 6개월 뒤 질확대경 검사 및 자궁경부 세포진 검사
⑤ 레이저 치료

79

산과력 0-0-0-0인 26세 미혼 여자가 3개월간 지속된 질 출혈로 병원에 왔다. 신체 진찰은 정상이었고 골반 초음파에서 자궁내막이 20 mm로 두꺼워져 있어서 자궁내막 흡입 긁어냄술을 시행하였고 조직검사에서 분화도 1인 자궁내막모양샘암종(endometroid adenocarcinoma)로 나왔다. 추가로 시행한 골반 자기공명영상에서 자궁근육층을 침범했으이나 골반 림프절 전이 소견은 보이지 않았다. 다음 처치로 가장 적절한 것을 고르시오.

① 경과 관찰
② 자궁절제술
③ 항암화학요법
④ 방사선 치료
⑤ 고용량 프로게스테론

80

45세 여자가 건강 검진에서 시행한 골반 초음파에서 오른쪽 난소에 7 cm 크기의 덩이를 보여 병원에 왔다. 초음파가 다음과 같다면 이 여성의 다음 처치로 가장 적절한 것을 고르시오.

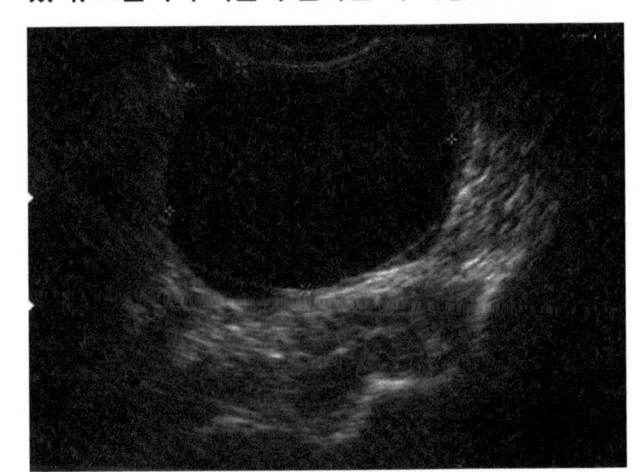

① 낭종 절제술
② 낭종 흡인술
③ 골반 자기공명영상 촬영
④ 추적 초음파 검사
⑤ 프로게스테론

81

17세 여자가 아랫배에서 덩이가 만져져 병원에 왔다. 골반 초음파에서 오른쪽 난소에 10 cm 크기의 고형성 덩이가 관찰되었다. 종양 표지자 검사는 다음과 같다. 이 환자의 진단명으로 가장 가능성이 높은 것을 고르시오.

암세포표면항원(CA)–125 : 23 U/mL
알파태아단백질(α–fetoprotein) : 450 ng/mL
베타사람융모생식샘자극호르몬(β–HCG) : 0 mIU/mL
암배아항원(CEA) : 0.1 ng/mL

① 내배엽동종양(endodermal sinus tumor)
② 과립막세포종(granulosa cell tumor)
③ 미성숙 기형종(immature teratoma)
④ 이상종자세포종(dysgerminoma)
⑤ 융모막암종(choriocarcinoma)

82

외음부암의 예후 결정에 가장 중요한 것은 무엇인가?

① 환자의 나이
② 림프절 침범
③ 조직 분화도
④ 암 침범 깊이
⑤ 암 발생 부위

83

산과력 3–0–0–3인 40세 여자가 부인과 검진을 위해 병원에 왔다. 평소 월경은 규칙적이었고 월경량은 정상이었다. 또한 어지러움이나 빈뇨 등의 증상은 없었다. 골반 초음파 검사에서 5 cm 크기의 장막밑 근종(subserosal myoma)과 4 cm, 3 cm 크기의 벽내 근종(intramural myoma)이 관찰되었다. 이 환자의 처치로 가장 적절한 것을 고르시오.

① 경과 관찰
② 자궁절제술
③ 근종절제술
④ 고주파 근종용해술
⑤ 자궁동맥 색전술

84

55세 여자가 10일 전부터 발생한 질 출혈로 병원에 왔다. 3년 전 유방암이 발생하여 치료를 받았고 현재 타목시펜(tamoxifen)을 복용하고 있었다. 골반 초음파에서 자궁내막이 15 mm로 두꺼워져 있었고 자궁부속기는 정상이었다. 이 환자의 처치로 가장 적절한 것을 고르시오.

① 경과 관찰

② 프로게스테론(progesterone)투여

③ 에스트로겐(estrogen) 투여

④ 타목시펜(tamoxifen) 중단

⑤ 자궁내막 흡입 긁어냄술(suction curettage)

85

산과력 3-0-2-3인 45세 여자가 2주간 지속된 질 출혈로 병원에 왔다. 마지막 생리일은 8주전이었다. 골반 초음파에서 자궁은 임신 12주 크기로 커져 있었고 양측 자궁 부속기에 7 cm, 8 cm 크기의 다낭성(multicystic) 낭종이 관찰되었다. 종양 표지자 검사와 초음파가 다음과 같다면 가장 가능성이 높은 진단명을 고르시오.

암세포표면항원(CA)-125 : 10 U/mL
알파태아단백질(α-fetoprotein) : 0 ng/mL
베타사람융모생식샘자극호르몬(β-HCG) : 130,000 mIU/mL
암배아항원(CEA) : 0.1 ng/mL

① 자궁내막암(endometrial cancer)과 난소 전이

② 상피성 난소암(epithelial ovarian cancer)

③ 포상기태 임신(molar pregnancy)

④ 내배엽동종양(endodermal sinus tumor)

⑤ 평활근육종(leiomyosarcoma)

86

다음 중 분만 후 신생아의 평가 및 처치에 대해 옳은 것은 무엇인가?

① 아프가 1분, 5분 점수는 향후 신경학적 예후를 추정할 수 있다

② Vit.K는 신생아 황달을 예방하기 위하여 출생 1시간 내에 투여한다

③ 제대혈 산도는 만삭아에서 태아 상태를 판단하는데 아프가 점수보다 가치가 있다

④ 태변이나 소변이 12시간 이내에 나오지 않으면 항문 폐쇄나 요도 판막과 같은 선천성 결함을 시사한다

⑤ 임신부가 HBsAg 양성인 경우 신생아에게 B형간염 백신과 면역글로불린을 함께 12시간 이내에 투여해야 한다

87

임신 27주에 임신성 당뇨로 진단을 받고 인슐린 치료를 권유 받았던 산모가 치료 및 산전 진찰를 받지 않고 임신 36주에 갑자기 태동이 느껴지지 않는다고 병원에 왔다. 초음파 검사에서 태아 심박동이 들리지 않고, 태동도 없었다. 다음 설명 중 옳은 것을 고르시오.

① 태아사망 직후부터 섬유소원 보충이 필요하다

② 일반적으로 자연적인 진통이 2주 이내에 나타난다

③ 자궁절개술을 시행할 경우 수술 직전에 헤파린을 투여한다

④ 태아사망 직후 옥시토신으로 유도 분만 할 경우 혈액응고장애 위험이 높아진다

⑤ 다태 임신에서 한 태아가 사망한 경우 단태 임신의 경우에 비해 혈액응고장애 빈도가 증가한다

88

분만 중, 이후의 처치로 맞는 것을 고르시오.

① 질식 분만 8시간 후에 고형음식을 섭취할 수 있다

② 제왕절개술 시 태아 만출 후 예방적 항생제를 투여한다

③ 감염과 출혈의 위험 때문에 분만 후 4주간 금욕해야 한다

④ 활력징후는 분만 후 4시간 간격으로 24시간 동안 시행한다

⑤ 정상적으로 산욕기에는 출혈이 많기 때문에 수액을 많이 투여하여야 한다

89

임신 36주인 28세 초산모가 양막 파수로 병원에 왔다. 선진부는 두위, 자궁경부는 닫혀 있었다. 유도 분만을 시행하였으며 분만 진통 중 20시간 만에 질식 분만을 하였다. 분만 후 3일째에 발열과 오한이 발생하였고, 악취가 나는 황색 질 분비물과 아랫배 통증이 있었다. 혈압 130/70 mmHg, 맥박 90회/분, 체온 38.5℃였다. 검사 결과는 다음과 같았다. 가장 가능성이 높은 진단명은 무엇인가?

혈색소 : 9.8 g/dL
백혈구 : 21,000/mm³
혈소판 : 280,000/mm³
C-반응단백질 : 15.0 mg/L (참고치 : <3)
소변 : 백혈구 0-1/고배율시야, 적혈구 0-1/고배율시야

① 유방염(mastitis)
② 무기폐(atelectasis)
③ 자궁내막 주위 조직염(endoparametritis)
④ 깊은 정맥 혈전증(deep vein thrombosis)
⑤ 급성 깔때기콩팥염(acute pyelonephritis)

90

분만력 2-0-0-2인 35세 여성이 피임에 대한 상담을 원하여 병원에 왔다. 1년 전 자궁외 임신으로 인한 혈복강으로 복강경하 좌측 난관 절제술을 시행한 과거력이 있으며, 하루 15개피 이상의 담배를 피우고 있고, 생리 기간은 10일이며, 생리 첫 2일간은 아이 기저귀를 사용할 정도로 생리양이 많고 생리통도 심하다고 한다. 이 환자에게 적절한 피임 방법은 무엇인가?

① 콘돔
② 월경 주기법
③ 복합 경구 피임약
④ 프로게스틴 단일 경구 피임약
⑤ 레보노게스트렐 분비 자궁내장치(LNG-IUS)

Final Exam 07

모의고사 7회

01

월경 주기에 따른 호르몬의 변화를 나타낸 그림이다. (A)는 무엇에 해당하는가?

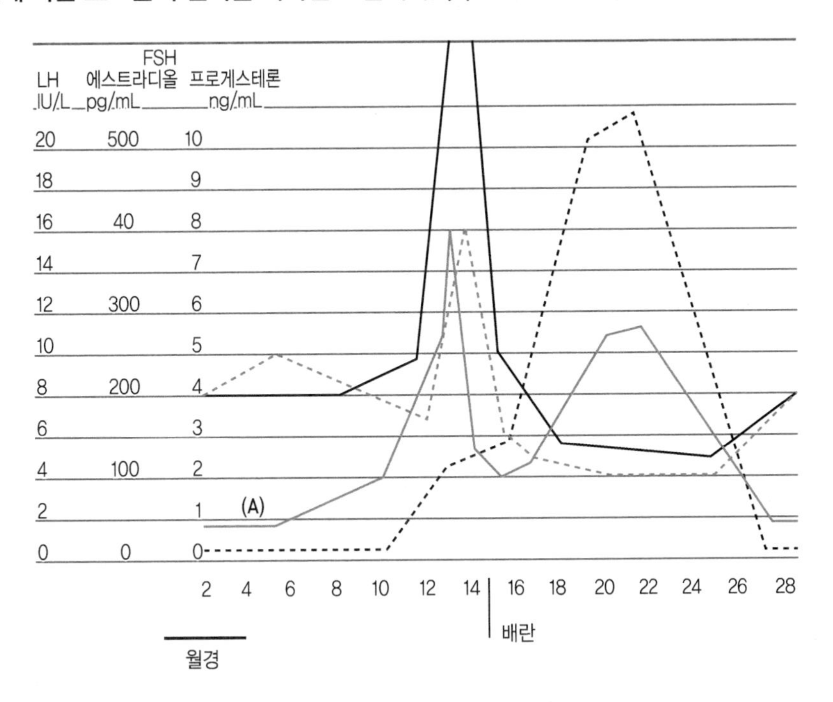

① hCG
② 에스트라디올
③ 프로게스테론
④ 황체형성호르몬
⑤ 난포자극호르몬

02

49세 여자가 수개월 전부터 안면홍조, 발한 및 심한 불면증이 지속되어 병원에 왔다. 10년 전 자궁근종으로 자궁적출술을 받았으며, 그 외 다른 특이 소견은 없었다. 이 여성에게 가장 적절한 검사를 고르시오.

① 인히빈(Inhibin) ② 황제형성호르몬(LH) ③ 난포자극호르몬(FSH)
④ 에스트라디올(Estradiol) ⑤ 테스토스테론(Testosterone)

03

경구 피임약을 사용할 수 있는 경우를 고르시오.

① 40세의 흡연 여성
② 혈압이 200/160 mmHg인 38세 여성
③ 임신성 당뇨 과거력이 있는 30세 여성
④ 원인을 알 수 없는 질 출혈이 있는 42세 여성
⑤ 아버지가 혈전 색전증으로 치료받고 있는 27세 여성

04

과배란 유도를 할 때 난소 반응을 감시하기 위해 측정하는 혈중 호르몬은 무엇인가?

① 황체호르몬 ② 여성호르몬 ③ 황체형성호르몬
④ 난포자극호르몬 ⑤ 유즙분비호르몬

05

산과력 3-0-0-3인 41세 여성이 질 출혈로 병원에 왔다. 자궁경부 생검에서 침윤성 편평상피 자궁경부암으로 진단되었다. 골반 진찰에서 자궁경부에 3 cm 크기의 침윤암이 관찰되었으며 내진 상 자궁방 침윤이나 질 침윤 소견은 보이지 않았다. 자기공명촬영(MRI) 상 자궁방 침윤이 의심되고 좌측 골반 림프절이 커져 있는 소견이 보였다. 이 환자의 병기를 고르시오.

① IB1 ② IB2 ③ IIA
④ IIB ⑤ IIIC

06

13세 여자가 아랫배 덩이가 만져져서 병원에 왔다. 초경은 없었다. 복부 초음파 검사에서 왼쪽 난소에 15 cm 크기의 덩이가 보였고, 자궁과 오른쪽 난소는 정상이었다. 종양 표지자 검사 결과는 다음과 같았다. 가장 가능성이 높은 진단명은 무엇인가?

알파태아단백질(a-fetoprotein) : 750 ng/mL (참고치 : <8.5)
암세포표면항원(CA)-125 : 15 U/mL (참고치 : <35)
베타사람융모생식샘자극호르몬 : 570 mIU/mL (참고치 : <5)
암배아항원 (CEA) : 2 ng/mL (참고치 : <5)

① 미분화세포종(dysgerminoma)
② 미성숙 기형종(immature teratoma)
③ 내배엽굴종양(endodermal sinus tumor)
④ 배아암종(embryonal carcinoma)
⑤ 과립막세포종양(granulosa cell tumor)

07

1년 전 자궁내 장치를 삽입한 41세 여성이 건강 검진을 위해 병원에 왔다. 골반 검사는 정상이었고, 자궁경부 세포검사에서 방선균(actinomyces)이 확인되었다. 적절한 처치는 무엇인가?

① 경과 관찰
② 자궁내장치 제거
③ 경구 페니실린
④ 자궁내장치 제거 및 경구 페니실린
⑤ 자궁적출술

8~9 다음의 각 문항에 대한 적절한 답을 답 가지에서 고르시오.

① 반복 자궁경부질 세포진 검사	② 사람유두종바이러스 검사
③ 질확대경 검사	④ 자궁난관 조영술
⑤ 복부 컴퓨터단층촬영	⑥ 자궁내막 긁어냄술
⑦ 원추 절제술	⑧ 복강경검사

08

41세 여자가 성교 후 질 출혈로 병원에 왔다. 자궁경부질 세포진검사에서 비정형샘세포(atypical glandular cell)로 판명되었다. 다음으로 시행할 검사를 모두 고르시오.(3가지)

09

41세 여자가 성교 후 질 출혈로 병원에 왔다. 자궁경부질 세포진검사에서 저등급 편평상피내병터(low grade squamous intraepithelial lesion, LSIL)로 판명되었다. 사람유두종 바이러스 검사에서 양성으로 나왔다. 다음으로 시행할 검사를 고르시오.(1가지)

10~11 다음의 각 문항에 대한 적절한 답을 답 가지에서 고르시오.

① 성교 후 검사
② 기초 체온 측정
③ 소변 LH 검사
④ 기저 호르몬 검사
⑤ 자궁난관 조영술
⑥ 골반 초음파 검사
⑦ 황체호르몬 검사
⑧ 자궁내막조직검사

10

26세 여자가 결혼 후 3년째 임신이 되지 않아 병원에 왔다. 오늘은 월경 3일째이다. 오늘 가능한 검사를 모두 고르시오.(2가지)

11

37세 여자가 결혼 후 3년째 임신이 되지 않아 병원에 왔다. 월경 주기는 28일이며, 다음 월경 예정일이 7일 후 이다. 오늘 가능한 검사를 모두 고르시오.(2가지)

12~13 다음의 각 문항에 대한 적절한 답을 답 가지에서 고르시오.

① *Chlamydia trachomatis*
② *Ureaplasma urealyticum*
③ *Mycoplasma hominis*
④ *Trichomonas vaginalis*
⑤ *Candida albicans*
⑥ *Gardnerella vaginalis*
⑦ *Herpes simplex*
⑧ *Neisseria gonorrhoeae*

12

27세 미혼 여성이 회음부가 가렵고 분비물이 늘었다며 병원에 왔다. 3주 전에 발바닥 피부가 찢어져 일차 봉합 후 10일간 항생제를 복용했다. 질경 삽입 후 사진이 다음과 같다면 원인균을 고르시오.(1가지)

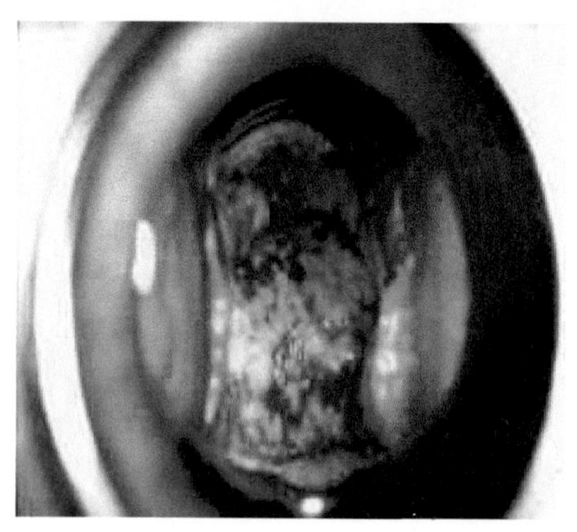

13

33세 미혼 여성이 밑이 따갑다며 병원에 왔다. 2년 전에도 비슷한 증상이 있었지만 특별한 치료 없이 저절로 나았다고 한다. 외음부 진찰 사진이 다음과 같다면 원인균을 고르시오.(1가지)

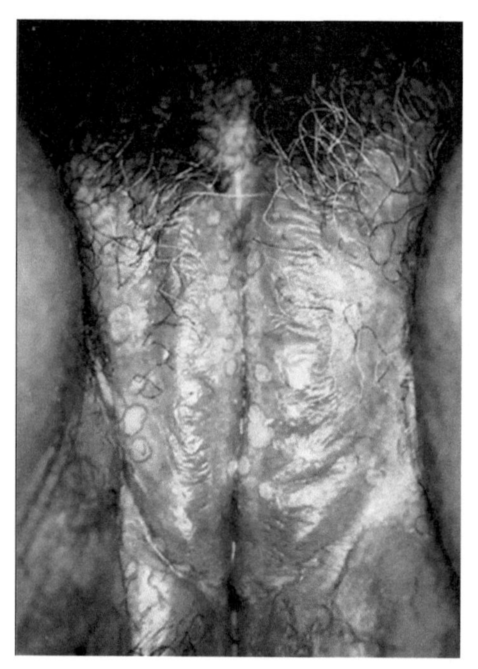

14~15 다음의 각 문항에 대한 적절한 답을 답 가지에서 고르시오.

① 글루콘산칼슘
② 리토드린
③ 베타메타손
④ 항D면역글로불린
⑤ 옥시토신
⑥ 제왕절개술
⑦ 농축 적혈구
⑧ 양수 주입술

14

임신 27주인 32세 미분만부가 아랫배가 아프고 질 출혈이 있어서 병원에 왔다. 혈압 120/80 mmHg, 맥박 80회/분, 호흡 20회/분, 체온 36.5℃이었다. 골반 검사에서 자궁경부는 닫혀 있었고, 출혈은 멈춰 있었다. 2시간 전에 운전 중 교통사고로 핸들에 배를 부딪혔다고 하였다. 초음파검사에서 태아는 두위, 예측 태아 몸무게 1,000 g(50 백분위수), 양수지수 12 cm이었다. 20분 동안 전자 태아심박동–자궁수축감시 결과와 초음파 결과, 혈액검사 결과는 다음과 같았다. 이 산모에게 가장 적절한 처치를 모두 고르시오.(2가지)

혈색소 : 13.0 g/dL
백혈구 : 10,000/mm^3
혈소판 : 170,000/mm^3
피브리노겐 : 550 mg/dL (참고치 : 301~696)
D–이량체(D–dimer) : 400 ng/mL (참고치 : 220~740)
혈액형 Rh (–) AB형

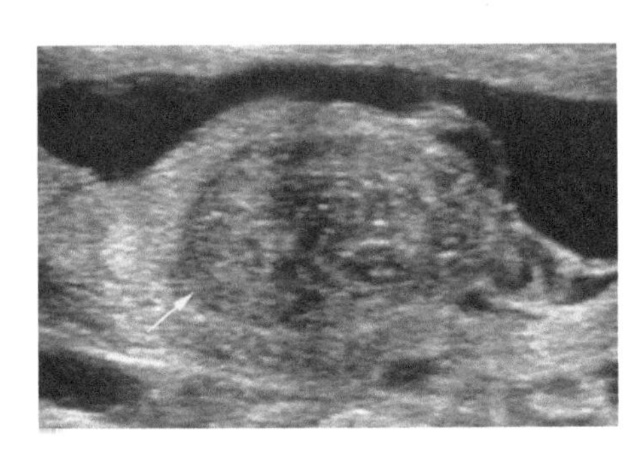

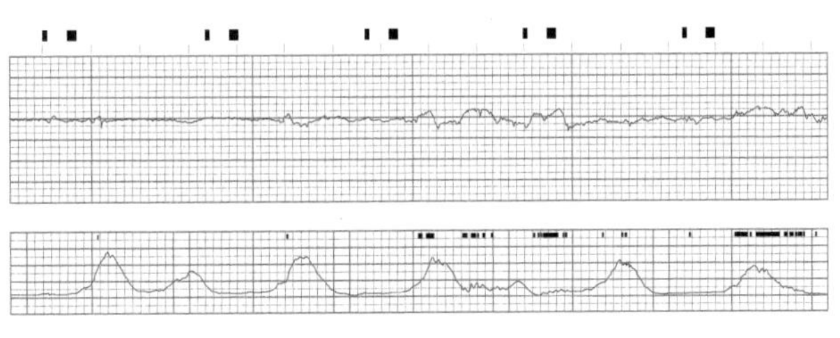

15

임신 27주인 30세 미분만부가 아랫배가 불편하고 질 출혈이 있어서 병원에 왔다. 혈압 120/80 mmHg, 맥박 100회/분, 호흡 20회/분, 체온 36.5℃이었다. 골반 검사에서 자궁경부는 닫혀 있었고, 출혈은 보이지 않았다. 초음파 검사에서 태아는 두위, 예측 태아 몸무게 1,050 g(50 백분위수), 양수지수 10 cm이었다. 20분 동안 전자 태아심박동–자궁수축감시 결과와 초음파 결과, 혈액 검사 결과는 다음과 같았다. 이 산모에게 가장 적절한 처치를 모두 고르시오.(2가지)

혈색소 : 8.0 g/dL
백혈구 : 10,000/mm^3
혈소판 : 190,000/mm^3
피브리노겐 : 350 mg/dL (참고치 : 301~696)
D–이량체(D–dimer) : 600 ng/mL (참고치 : 220~740)
혈액형 Rh (+) O형

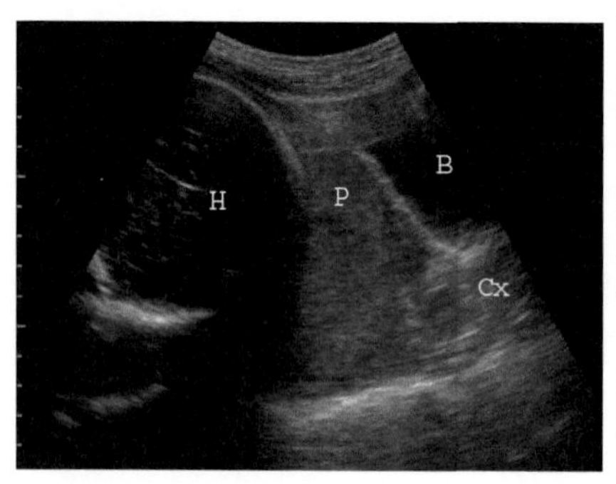

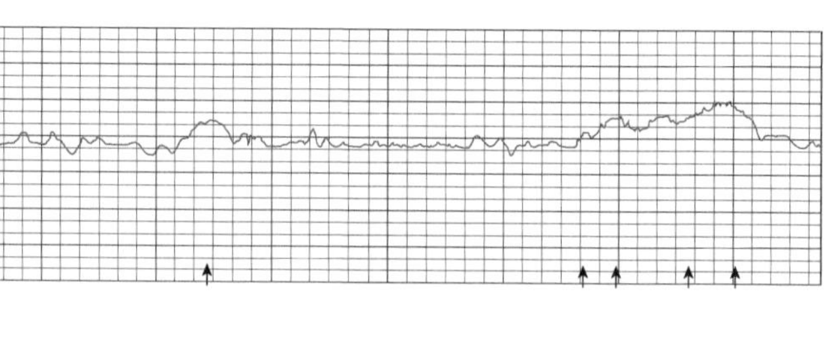

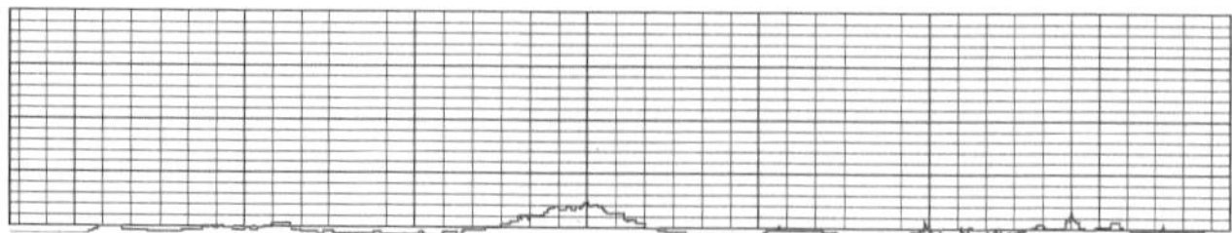

16

59세 여자가 자궁적출술 후 24시간 동안 소변이 250 mL로 요량 감소증을 보였다. 혈압 100/70 mmHg, 맥박 105회/분, 호흡 20회/분, 체온 36.7℃였다. 도뇨관으로 0.9% 생리식염수를 주입하였을때 저항 없이 주입되었으며, 초음파 검사에서 수신증이나 요관 확장은 보이지 않았다. 검사 결과가 다음과 같다면 이 환자에게 가장 적절한 치료는 무엇인가?

혈색소 : 13.0 g/dL
백혈구 : 13,500/mm^3
혈소판 : 400,000/mm^3
Na/K/Cl : 140/4.5/100 meq/L
혈액 요소질소 : 38 mg/dL
크레아티닌 : 1.4 mg/dL
소변 Na : 10.0 meq/L
소변 크레아티닌 : 70 mg/dL

① 도뇨관 교체
② 이뇨제 사용
③ 콩팥 창냄술 시행
④ 저용량 도파민 사용
⑤ 0.9 % 생리식염수 정맥 주입

17

47세 건강한 여자가 예방접종을 위해서 병원에 왔다. 10세 이후 예방접종의 과거력 및 기록이 없었다. 현재 이 사람에게 추천할 예방접종은 무엇인가?

① 대상포진 백신
② 폐렴알균 다당질 백신
③ 사람유두종바이러스 백신
④ 헤모필루스 인플루엔자 백신
⑤ 파상풍–디프테리아–백일해 백신

18

43세 여자가 1주간 지속된 발열과 하복부 통증으로 병원에 왔다. 체온 38.2℃, 맥박 85회/분이었고, 좌측 자궁 부속기에 심한 압통이 있으면서 계란 크기의 덩이가 만져졌다. 초음파 검사 상 다음과 같은 직경 4 cm의 덩이가 관찰되었다. 이 환자에게 우선적인 처치로 적절한 것을 고르시오.

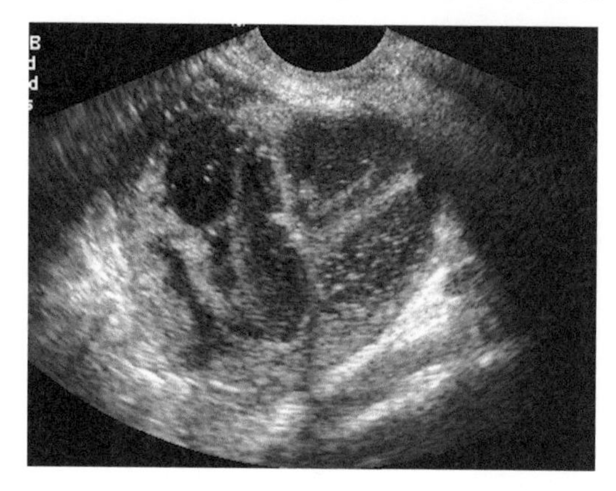

① 추적 관찰
② 광범위 항생제
③ 좌측 난소난관 절제술
④ 양측 난소난관 절제술
⑤ 자궁절제술 및 양측 난소난관 절제술

19

임신 8주인 41세 여자가 자궁경부질 세포진검사에서 저등급 편평상피내병터(low grade squamous intraepithelial lesion, LSIL) 소견, 자궁경부 생검에서 자궁경부 상피내종양 1단계(cervical intraepithelial neoplasia I, CIN1)로 진단되었다. 이 환자에게 가장 적절한 처치는 무엇인가?

① 12주 후인 임신 20주에 재검사 ② 분만 후 재검사 ③ 레이저 치료
④ 냉동 치료 ⑤ 원추 절제술

20

산과력 0-0-0-0인 41세 여자가 간헐적인 질 출혈로 병원에 왔다. 골반 초음파 검사에서 자궁내막의 두께는 13 mm, 자궁 부속기에 덩이는 관찰되지 않았다. 자궁내막 생검 결과는 비정형자궁내막증식증(atypical endometrial hyperplasia)이었다. 이 환자에게 가장 적절한 처치는 무엇인가?

① 3개월 후 자궁경 검사 ② 타목시펜 ③ 에스트로겐
④ 프로게스테론 ⑤ 자궁내막절제술(endometrial ablation)

21

산과력 2-0-0-2인 41세 여자가 왼쪽 자궁 부속기 절제술을 받는 중에 동결절편 병리조직 검사에서 난소의 장액샘암종(serous adenocarcinoma)으로 판명되었다. 이 환자의 다음 처치로 가장 적절한 것을 고르시오.

① 추적 관찰

② 병기설정 수술

③ 항암화학요법

④ 방사선 치료

⑤ 항암화학요법과 방사선 동시 치료

22

41세 여자가 3개월 전부터 시작된 간헐적 질 출혈로 병원에 왔다. 골반 초음파 검사에서 자궁내막이 13 mm로 두꺼워져 있었고 자궁내막 생검에서 자궁내막암으로 진단되었다. 자궁절제술과 양측 난소난관 절제술 및 림프절 절제술을 받았다. 병리조직 검사에서 종양은 분화도 1이고 자궁내막에 국한되어 있었고, 다른 장기로의 침범은 없었다. 이 환자에게 가장 적절한 조치는 무엇인가?

① 경과 관찰

② 프로게스테론 투여

③ 질원개 방사선 조사(vaginal vault irradiation)

④ 외부 골반 방사선 조사(external pelvic irradiation)

⑤ 항암화학요법

23

41세 여성이 질 출혈로 병원에 왔다. 자궁경부 생검 상 상피내암(CIS)으로 진단되어 자궁절제술을 시행하였다. 조직검사 상 깊이 2 mm의 침윤을 보이는 자궁경부암이었고 림프혈관강 침윤은 없었다. 이 환자에 대한 다음 처치로 가장 적절한 것을 고르시오.

① 추적 관찰 ② 항암제 치료 ③ 방사선 치료

④ 골반 림파선 절제술 ⑤ 동시 항암화학방사선 치료

24

병기 설정 수술을 시행하여 병기 IA로 판명된 난소암 중 항암화학요법이 필요한 종양은 다음 중 무엇인가?

① 미분화 세포종(dysgerminoma)

② 과립막세포종양(granulosa cell tumor)

③ 경계성 점액종양(borderline mucinous tuimor)

④ 분화도 1인 미성숙 기형종(immature teratoma)

⑤ 분화도 1인 내배엽굴종양(endodermal sinus tumor)

25

전신홍반루푸스의 진단 기준에 합당한 것은 무엇인가?

① 레이노 현상
② 백혈구 4,500/ul
③ 하루 0.5 g의 단백뇨
④ LE 세포 검사 양성
⑤ 만성 질환에 의한 빈혈

26

임신 8주인 29세 여자가 산전 진찰을 위하여 병원에 왔다. 호소하는 증상은 없었고, 혈압은 110/70 ㎜Hg이었다. 검사 결과는 아래와 같다면 이 산모에게 가장 적절한 처치를 고르시오.

혈색소 : 11 g/dL
크레아티닌 : 0.5 ㎎/dL
소변 단백질 (+), 잠혈 (+), 아질산염 (+),
소변 백혈구 : 10~15/고배율시야
소변 균배양 검사 : 대장균 105 CFU/mL

① 경과 관찰
② 세포탁심
③ 토브라마이신
④ 시프로플록사신
⑤ 트라이메토프림/술파메톡사졸

27

32세 여자가 3일 동안 소량의 질 출혈이 있어 병원에 왔다. 신체 진찰에서 우측 하복부에 달걀 크기의 부드러운 덩이가 만져졌다. 골반 초음파 상 4 cm 크기의 다음과 같은 낭종이 발견되었다. 이 환자에게 가장 적절한 조치는 무엇인가?

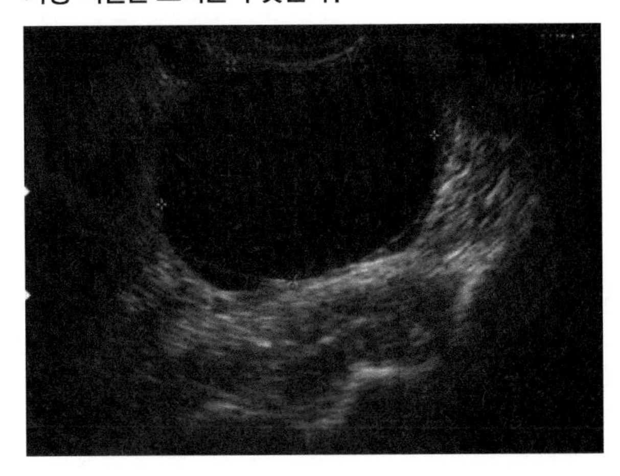

① 초음파 추적 관찰
② 초음파 유도하에 낭종 내용물 흡입
③ 복강경하 난소낭종 절제술
④ 복강경하 우측 난소난관 절제술
⑤ 시험적 개복술

28

17세 여자가 하루 전부터 시작된 하복부 통증으로 병원에 왔다. 골반 진찰 상 좌측 부속기 부위에 약 10 cm 크기의 종물이 촉지 되었고 심한 압통 및 반사통도 관찰되었다. 혈액 검사에서 백혈구가 다소 증가된 소견을 보였고 그 외 특이 소견은 보이지 않았다. 초음파에서 아래와 같은 소견을 보였고, 좌측 난소 기형종 및 꼬임(torsion)이 의심되었다. 이 환자에게 가장 적절한 치료는 무엇인가?

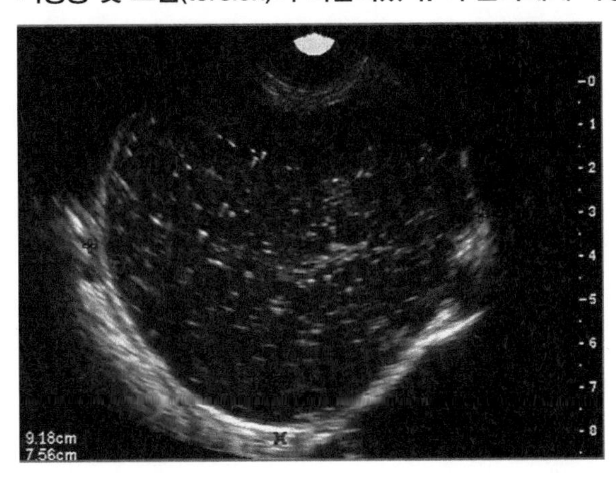

① 좌측 난소낭종 절제술
② 좌측 난소 절제술
③ 광범위 항생제
④ 마약성 진통제
⑤ 경과 관찰

29

47세 여자가 과다 생리 및 심한 월경통으로 병원에 왔다. 진통제를 복용하여도 통증이 조절되지 않았고 심한 빈혈 소견으로 자궁절제술을 하기로 결정하였다. 조직 검사 소견이 다음과 같다면 이 환자의 진단명은 무엇인가?

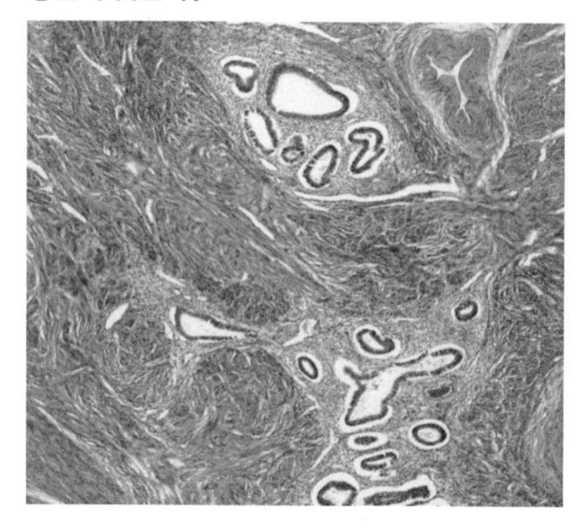

① 자궁내막 용종
② 자궁육종
③ 자궁내막암
④ 자궁내막증
⑤ 자궁선근증

30

산과력 0-0-1-0인 21세 여자가 갑작스런 복통과 질 출혈로 병원에 왔다. 생리 주기는 30일로 규칙적이었고 생리양도 정상이었다고 한다. 마지막 생리 시작일은 45일 전이었다. 혈압 120/70 mmHg, 맥박 90 회/분, 체온 37.1 ºC였다. 우선적으로 시행할 검사는 무엇인가?

① 자궁난관 조영술
② 임신 반응 검사
③ 자궁내막 생검
④ 골반 자기공명영상
⑤ 복부 컴퓨터단층촬영

31

54세 여성이 강한 요의를 느끼며 소변을 자주 보며 밤에도 소변을 보기 위해 수차례 깨어나는 증상으로 병원에 왔다. 소변 검사 결과 특이 소견은 없었으며 신체 검사에서 비정상적인 요누출은 관찰되지 않았다. 이 환자에게 가장 적절한 치료는 무엇인가?

① 버치 질걸기 수술
② 경폐쇄공 테이프술
③ 무긴장성 질테이프술
④ 에스트로겐 경구 투여
⑤ 항무스카린 제재 경구 투여

32

최근 사별한 87세 여성이 아래와 같은 소견으로 병원에 왔다. 환자는 심한 만성 폐쇄성 폐질환 및 간경화로 내과적인 치료를 하고 있었다. 가장 적절한 치료는?

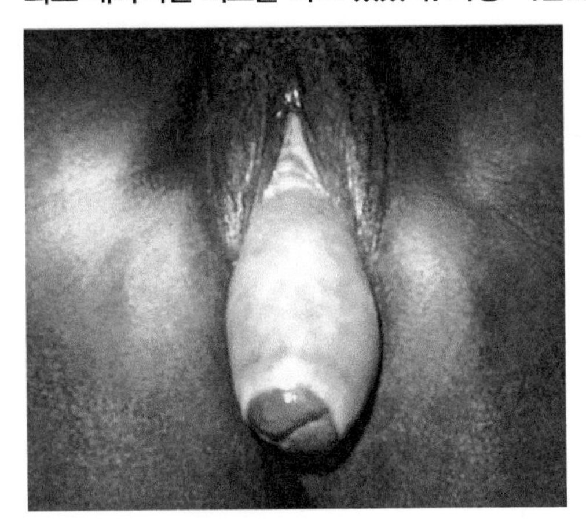

① 질방 결손 복원술
② 전질벽 협축술
③ 후질벽 협축술
④ 자궁목 절제술
⑤ 페서리

33

51세 여자가 6개월 전부터 줄넘기를 할 때 소변이 샌다고 왔다. 요 역동학 검사 소견은 다음과 같았고 화살표 부위에서 요누출이 관찰되었다. 이 환자의 가장 적절한 진단은 무엇인가?

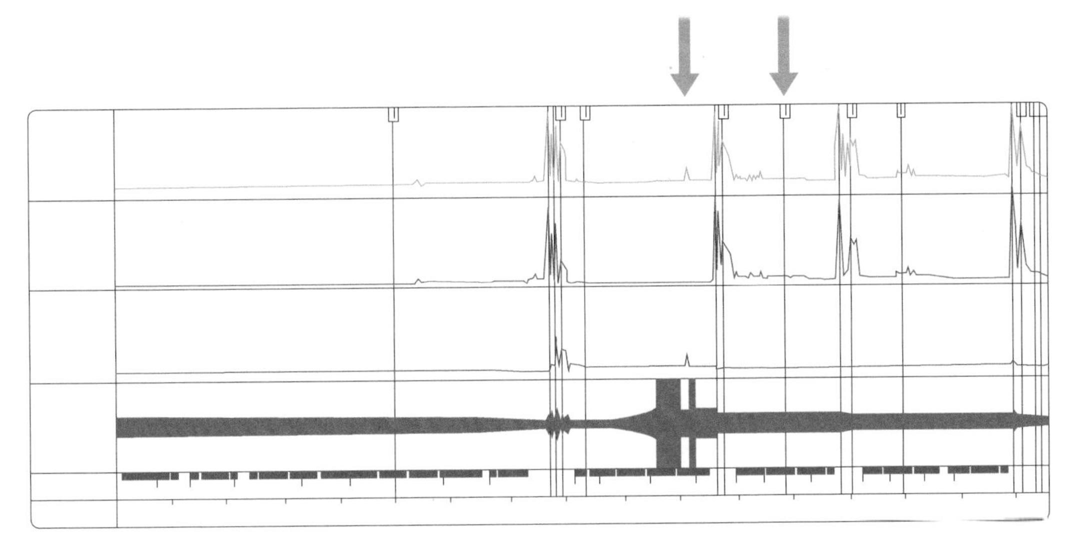

① 절박 요실금
② 복압 요실금
③ 과민성 방광
④ 범람 요실금
⑤ 요도질 샛길

34

17세 여아가 초경이 없어 병원에 왔다. 유방 및 음모 발달은 태너(Tanner) IV기였다. 골반 진찰에서 질은 약 2 cm 정도의 맹관을 형성하고 있었다. 이 여성의 진단명으로 가장 가능성이 높은 것을 고르시오.

① MRKH syndrome

② Kallmann's syndrome

③ Pure gonadal dysgenesis

④ Transverse vaginal septum

⑤ Androgen insensitivity syndrome

35

28세 여자가 불임으로 병원에 왔다. 평소 1년에 3~4회 생리를 했으며, 얼굴에 많은 여드름이 있었다. 초음파 검사 결과가 다음과 같다면 이 환자의 치료로 가장 적절한 것을 고르시오.

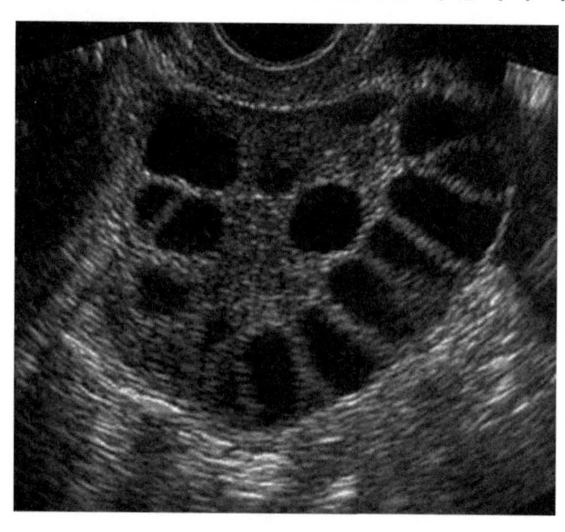

① 다나졸

② Clomiphene citrate

③ 황체 호르몬

④ GnRH agonist

⑤ GnRH antagonist

36

20세 여자가 초경이 없어 병원에 왔다. 골반 진찰에서 자궁이 작게 만져졌으며, 프로게스테론 부하 검사에서 소퇴성 출혈이 없었다. 혈액 검사 상 혈청 FSH : 57 mIU/mL 이다. 이 환자의 진단명으로 가장 가능성이 높은 것을 고르시오.

① 칼만 증후군 ② 터너 증후군 ③ 질 가로중격

④ 자궁내막 유착 ⑤ 다낭성 난소 증후군

37

28세 여자가 5년 전 결혼한 이후로 3차례의 자연 유산을 경험하여 내원하였다. 환자의 aPTT는 control에 비해 10초 이상 증가되어 있었다. VDRL 검사는 양성이었고, FTA-ABS 검사는 음성이었다. 항핵항체는 음성이었으며 혈소판 수는 75,000/mm^3였다. 진단을 위하여 반드시 필요한 검사는?

① Anti Smith(anti-Sm)

② Anti-RNP

③ Anti-ds DNA

④ Lupus anticoagulant

⑤ Antiplatelet

38

임신 33주인 33세 다분만부가 물처럼 흐르는 질 분비물이 있어서 병원에 왔다. 질경 검사에서 자궁경부는 닫혀 있었고, 물처럼 흘러나오는 것은 없었지만 질 후원개에 소량의 액체가 있었다. 이 환자에게 다음으로 시행해야 할 검사로 가장 올바른 것을 고르시오.

① 나이트라진 검사

② 양수 천자

③ 인디고카민 검사

④ 질분비물 펴바름 검사

⑤ 자궁경부질세포진 검사

39

임신 24주인 32세 미분만부가 산전 진찰을 위해 병원에 왔다. 이전까지 산전 검사에서 특이 소견은 없었고, 오늘 시행한 50 g 경구 당부하 검사 결과도 정상이었다. 다음 산전 진찰 시기는 언제인가?

① 임신 25주

② 임신 26주

③ 임신 28주

④ 임신 34주

⑤ 임신 37주

40

임신 16주인 30세 다분만부가 풍진에 걸린 아이와 접촉하고 2주 후에 상담을 위해 병원에 왔다. 혈압 120/80 mmHg, 맥박 75회/분, 호흡 20회/분, 체온 36.5℃이었다. 발진, 림프절 종창은 없었다. 혈액검사 결과가 다음과 같다면 이 산모에게 가장 적절한 처치를 고르시오.

검사 시기	IgM	IgG
임신 7주	음성	음성
오늘	음성	음성

① 치료적 유산

② 풍진 예방 접종

③ 면역글로불린 투여

④ 3주 후 혈청 풍진항체 측정

⑤ 양수 천자 후 양수내 풍진항체 측정

41

35세 다분만부가 경구 피임제 복용 중 소변 임신검사에서 양성으로 나와 병원에 왔다. 초음파검사에서 임신 4주 크기의 임신낭이 확인되었다. 이 여성에 대한 처치로 가장 적절한 것을 고르시오.

① 경과 관찰

② 양수 천자

③ 제대 천자

④ 치료적 유산

⑤ 융모막융모 생검

42

임신 28주인 33세 미분만부가 배가 아프면서 질 출혈이 있어 병원에 왔다. 혈압 160/100 mmHg, 맥박 80회/분, 호흡 20회/분, 체온 36.5℃였다. 질경 검사에서 자궁경부를 통해 소량의 출혈이 있었다. 초음파에서 두정위, 태아 심음은 없었고, 태반은 자궁 앞벽에 위치했으며, 태반과 자궁벽 사이에 8 x 4 cm의 저에코성 음영이 보였다. 양수지수는 11.6 cm 이었다. 골반 진찰에서 자궁경부는 닫혀 있었다. 1년 전에 10 cm 크기의 자궁근종이 있어 복강경하 자궁근종 절제술을 받은 기왕력이 있었다. 혈액 검사 결과는 다음과 같다면 이 산모에게 가장 적절한 처치는 무엇인가?

혈색소 : 13.5 g/dL
백혈구 : 13,000/mm^3
혈소판 : 150,000/mm^3
아스파르테이트 아미노전달효소 : 33 U/L
알라닌 아미노전달효소 : 36 U/L
알부민 : 3.3 g/dL

① 경과 관찰　② 수혈　③ 옥시토신
④ 제왕절개술　⑤ 프로스타글란딘 E2

43

무월경 8주인 41세 다분만부가 질 출혈이 있어서 병원에 왔다. 골반 초음파 검사에서 머리엉덩길이는 임신 7주 크기였고, 태아 심박동이 없었다. 이 산모에 대한 처치로 가장 적절한 것을 고르시오.

① 1주 후 초음파 검사　② 자궁 긁어냄술　③ 저용량 아스피린
④ 프로게스테론제제　⑤ 베타사람융모생식샘자극호르몬 검사

44

임신 38주인 33세 다분만부가 4,100 g의 신생아를 자연 분만 하였다. 태반이 만출된 후 대량의 질 출혈이 있었다. 혈압 70/40 mmHg, 맥박 120회/분, 호흡 28회/분, 체온 36.5℃였다. 복부 진찰에서 자궁바닥의 함몰이 있었고, 질 밖으로 주먹 크기의 적갈색 종괴가 나왔다. 이 산모에 대한 처치로 가장 올바른 것을 고르시오.

① 항생제
② 옥시토신
③ 도수정복(manual reduction)
④ 자궁 메우기(uterine packing)
⑤ 두손 자궁압박(bimual uterine compression)

45

임신 16주인 33세 다분만부가 산전 진찰을 위해 병원에 왔다. 이전 임신에서 24주에 조기 분만진통으로 조산한 경험이 있었다. 자궁 수축은 없었고, 질 초음파에서 자궁경부 길이는 35 mm이었다. 골반 검사에서 자궁경부는 닫혀 있었다. 다음중 이 산모에 대한 처치로 가장 올바른 것을 고르시오.

① 리토드린
② 세파졸린
③ 베타메타손
④ 프로게스테론
⑤ 프로스타글란딘

46

48세 여자가 하루 전부터 혈뇨가 있어 병원에 왔다. 3일 전부터 빈뇨와 잔뇨감이 있었다고 하였다. 발열이나 오한은 없었으며, 양쪽 갈비척추각에 압통도 없었다. 소변 검사 결과는 다음과 같았다. 이 여성에 대한 치료로 가장 적절한 것을 고르시오.

잠혈 1+
단백질 (–)
적혈구 : 3~10/HPF
백혈구 : 30~50/HPF

① 경과 관찰
② 방광 세척
③ 글루코코르티코이드
④ 경험적 항생제 투여
⑤ 도뇨 카테터로 항생제 주입

47

임신 36주인 29세 미분만부가 배가 아파서 병원에 왔다. 혈압 150/110 mmHg, 맥박 95회/분, 호흡 21회/분, 체온 36.5℃ 이었다. 자궁바닥의 높이는 29 cm이었으며, 비수축 검사에서 태아 심음은 150회/분, 자궁 수축은 없었다. 골반 진찰에서 자궁경부 4 cm 개대, 100% 소실되었고, 나이트라진 검사는 노란색이었다. 산모는 5년 전부터 당뇨로 인슐린 치료를 받고 있었다. 소변 검사 결과가 다음과 같다면 이 산모에 대한 처치로 가장 적절한 것을 고르시오.

포도당 (++)
단백질 (+++)
백혈구 (−)
적혈구 (−)

① 아토시반(atosiban) ② 옥시토신(oxytocin) ③ 리토드린(ritodrine)
④ 터부탈린(terbutaline) ⑤ 페노테롤(fenoterol)

48

35세 다분만부가 임신 37주에 질 분만 후 3일째부터 발열과 양측 유방 통증이 있었다. 양측 유방이 팽대되어 있었고 단단하였다. 이 산모에 대한 처치로 가장 올바른 것은 무엇인가?

① 온찜질 ② 진통제 ③ 항생제
④ 외과적 배농 ⑤ 브로모크립틴

49

33세 다분만부가 임신을 확인하기 위해 병원에 왔다. 초음파에서 태아 크기는 10주이며, 태아 심음은 정상이었다. 이전 임신에서 임신성 당뇨로 인슐린 치료를 받았으며, 출산 후 75 g 경구 당부하 검사는 정상이었다. 이번 임신에서 경구 당부하 검사의 시행 시기는 언제인가?

① 오늘 ② 임신 16주 ③ 임신 24주
④ 임신 34주 ⑤ 분만 후

50

임신 16주인 28세 미분만부에서 분만 후 다음과 같은 안면 기형이 있었다. 다음으로 시행해야 할 검사를 고르시오.

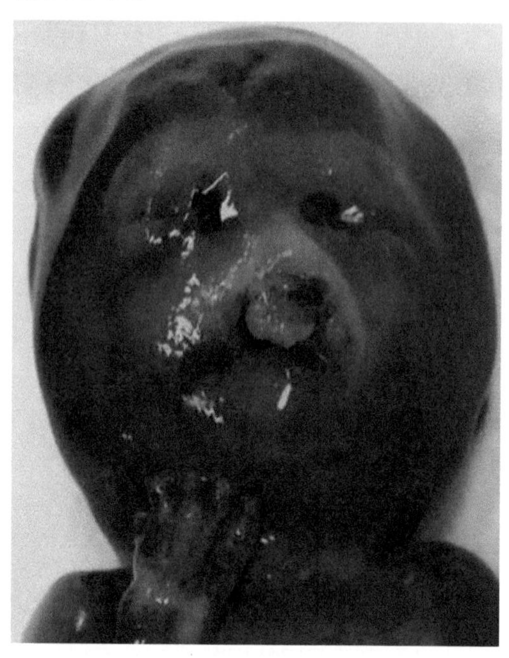

① 태반 조직검사
② 태반 배양검사
③ 태반 염색체검사
④ 혈액 배양검사
⑤ 질 분비물 배양검사

51

임신 34주인 29세 다분만부가 교통사고 후 갑작스런 심정지로 응급실에 도착한 후 심폐소생술이 시작되었다. 다음 중 이 산모에게 필요한 처치는 무엇인가?

① 상체를 낮춘다
② 상체를 높인다
③ 쇄석위 자세를 취한다
④ 왼쪽 엉덩이 아래에 쐐기를 받친다
⑤ 오른쪽 엉덩이 아래에 쐐기를 받친다

52

임신 28주인 32세 미분만부가 쌍둥이 임신(단일융모막-두양막)으로 산전 진찰을 위해 병원에 왔다. 초음파 검사 결과는 다음과 같았다. 이 산모에 대한 처치로 가장 적절한 것을 고르시오.

	EFW(g)	Deepest AF(cm)	방광	복수	제대 동맥 도플러
태아 1	1,200	10.0	관찰됨	있음	정상
태아 2	800	1.5	관찰 안됨	없음	이완기 혈류 속도 없음

① 초음파 추적 관찰
② 양수 주입술(amnioinfusion)
③ 사이막 절개술(septostomy)
④ 선택 낙태(selective feticide)
⑤ 혈관문합 태아경 레이저 절제술(fetoscopic laser ablation of vascular anastomosis)

53

임신 41주인 29세 다분만부가 산전 진찰을 위해 병원에 왔다. 골반 검사에서 태아는 두정위, 자궁경부 3 cm 확장, 80% 소실, 하강도 -3이었고, 자궁경부는 앞쪽에서 부드럽게 만져졌다. 초음파 검사에서 양수지수는 4 cm이었다. 비수축 검사는 반응성이었고, 자궁 수축은 없었다. 이 산모의 다음 처치로 가장 적절한 것을 고르시오.

① 옥시토신
② 황산마그네슘
③ 메틸에르고노빈
④ 프로스타글란딘 E2
⑤ 제왕절개술

54

임신 39주인 25세 미분만부가 분만진통 중이며 자궁 수축은 2분 간격으로 있었다. 자궁경부가 9 cm 열리고 태아 하강도는 +1에서 4시간 동안 변화가 없었다. 이 산모에 대한 다음 처치로 올바른 것을 고르시오.

① 관찰
② 옥시토신
③ 흡입 분만
④ 제왕절개술
⑤ 산모의 밀어내기(pushing)

55

심한 구토가 지속되어 저혈압과 대사성 알칼리증이 심해질 때 생리식염수를 투여하고자 한다. 대사성 알칼리증이 치료에 반응할 것인지를 예측할 수 있는 수 있는 적절한 검사는 무엇인가?

① Urine sodium
② Serum bicarbonate
③ Serum sodium
④ Urine chloride
⑤ Serum chloride

56

월경이 6주째 나오지 않는 29세의 여성이 소량의 질 출혈이 있어 산부인과 외래를 방문했다. 질경을 통한 검사에서 자궁경부는 닫혀 있으나, 자궁 내부에서 아주 소량의 출혈이 점액과 같이 섞여 나오고 있었으며, 골반 진찰에서 자궁은 약간 커져 있었다. 소변 임신반응 검사는 양성이었다. 이후에 시행할 검사 항목은?

① 진단적 복강경
② 질 초음파
③ 융모막융모 생검
④ 모체 혈청 알파태아단백
⑤ 곧창자자궁오목 천자(culdocentesis)

57

분만 과정에서 다음 그림과 같은 처치를 시행하게 될 가능성이 높은 경우는 언제인가?

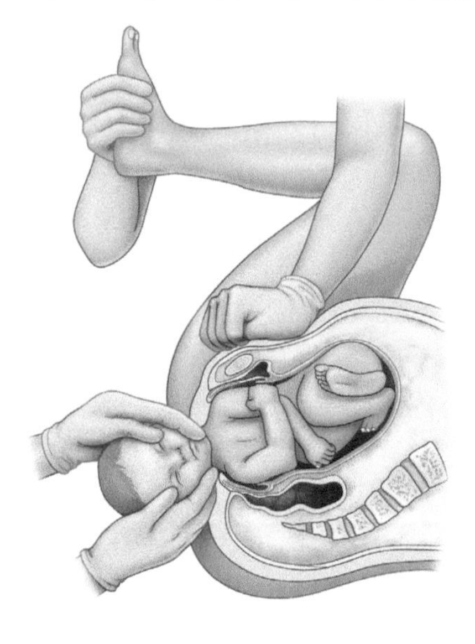

① 산모 체질량지수(BMI) 24
② 산과력 0–0–1–0
③ 임신 37주
④ 당뇨병 산모
⑤ 예상 태아 체중 2,900 g

58

다음 중 한국에서 산모 사망의 가장 많은 원인은?

① 출혈 ② 고혈압증 ③ 폐결핵
④ 임신 중 신우신염 ⑤ 임신성 당뇨

59

불규칙한 월경 주기를 가진 29세 여성이 이틀 전 흉부 X–선 검사 직후 소변에서 시행한 임신 반응검사에서 양성이라고 내원하였다. 초음파 검사 결과 임신 6주이며, 태아 심박동이 있었다. 이 산모에게 가장 적절한 처치는 무엇인가?

① 단순 추적 관찰 ② 엽산 복용 ③ 융모막 융모 생검
④ 모체 혈청 알파태아단백 측정 ⑤ 치료적 유산

60

정상 임신 초기에 질초음파에 의해 확인되는 구조의 순서로 올바른 것을 고르시오.

① 임신낭 – 심박동 – 난황 – 배아
② 임신낭 – 난황 – 배아 – 심박동
③ 배아 – 임신낭 – 난황 – 심박동
④ 난황 – 심박동 – 배아 – 임신낭
⑤ 난황 – 배아 – 심박동 – 임신낭

61

3개월 전에 풍진 예방접종을 한 29세 여자가 병원에 왔다. 초음파 검사에서 임신 8주에 해당하였고 태아 심박동은 정상이었다. 이 산모에 대한 처치로 가장 적절한 것을 고르시오.

① 면역글로블린 투여 ② 치료적 유산 ③ 항바이러스제 투여
④ 풍진백신 투여 ⑤ 임신부 안심 및 추적 관찰

62

임신력 0-0-0-0인 24세 여성이 건강 검진 상 혈색소 10.8 g/dL였다. 생리통, 과다 생리는 없었다. 최근 3개월 간 체중 조절을 위해 식이조절을 하였다고 한다. 이 여성에 대한 적절한 처치는 무엇인가?

① 철분제 복용

② 복합 경구 피임약 복용

③ GnRH agonist 주사

④ 다나졸

⑤ 비스테로이드성 소염진통제

63

폐경기 안면홍조에 대한 적절한 설명은 무엇인가?

① 대개 1시간 이상 지속된다

② 체온이 37도 이상 상승한다

③ 심한 발열감과 발한을 동반한다

④ 대개 폐경 후 10년 이상 지속된다

⑤ 지속적인 말초혈관 수축에 의해 발생한다

64

"3,000명의 흡연자와 5,000명의 비흡연자를 1년간 추적하여 어떤 질병의 발생을 조사한 결과 흡연자의 발생률은 28.0이며, 비흡연자의 발생률은 17.4로 흡연자가 비흡연자보다 1.61배 질병 발생의 위험도가 증가 한다"라고 보고하였다. 이러한 해석을 할 때 이용하는 지표는 무엇인가?

① 유병률

② 발생률

③ 교차비

④ 기여 위험도

⑤ 비교 위험도

65

평균 발생률(incidence density)을 이용하여 질병의 위험도를 분석하는 연구 방법은 무엇인가?

① 단면 연구 ② 사례 연구 ③ 코호트 연구
④ 생태학적 연구 ⑤ 환자-대조군 연구

66

만성 관절염은 증상만으로 진단해 왔으나 X-선 소견에서 이상이 있어야 한다는 새로운 진단 기준을 추가하였다. 증상만으로 진단하던 기준에 비하여 새로운 진단 기준에서는 위양성과 위음성의 변화를 고르시오.

① 위양성은 감소하고 위음성은 증가한다
② 위양성은 증가하고 위음성도 증가한다
③ 위양성은 증가하고 위음성은 감소한다
④ 위양성은 감소하고 위음성도 감소한다
⑤ 위양성과 위음성 모두 변화 없다

67

다음 중 파종성 혈관내 응고(Disseminated Intravascular Coagulopathy, DIC)에서 관찰될 수 있는 검사 소견을 모두 고르시오.(3가지)

① 혈중 fibrinogen 의 감소
② Thrombin time의 연장
③ 정상 PT/PTT level
④ Antithrombin III의 증가
⑤ Fibrinogen degradation product(FDF)의 증가
⑥ D-dimer level의 감소
⑦ Thrombocytosis
⑧ ADAMTS13 activity의 감소

68

산과력 0-0-1-0인 56세 여자가 복부에 덩이가 만져져 병원에 왔다. 골반 진찰 및 초음파 검사에서 좌측 자궁 부속기에 성인 주먹 크기의 덩이가 관찰되어 시험적 개복술을 시행하였다. 조직 검사에서 분화가 나쁜 점액성 상피성 난소암으로 진단되었다. 상피성 난소암이 생길 위험성이 적은 경우를 모두 고르시오.(2가지)

① Increased age
② Early menarche
③ Late menopause
④ Nulliparity
⑤ Family history
⑥ Multiparity
⑦ BRCA1/BRCA2 mutations
⑧ Breast feeding

69

양수가 많아질 수 있는 경우를 모두 고르시오.(2가지)

① 태아 총담관낭(choledocal cyst)
② 자궁내 태아사망
③ 전자간증
④ 전치태반
⑤ 쌍태아간 수혈증후군
⑥ 자궁근종
⑦ 태아 양측 콩팥무형성증
⑧ 부태반
⑨ 태아 샘창자폐쇄증
⑩ 조기 진통

70

50세 환자에서 실시한 자궁경부 세포진 검사 상 상피내암이 의심되었다. 질확대경하 착공생검에서 기질 침윤 깊이가 2 mm의 미세침윤암으로 진단되었다. 본 환자에서 다음으로 시행할 처치로서 가장 적절한 것을 고르시오.(1가지)

① 환상투열 원추생검
② 반복 세포진 검사
③ 냉동 치료
④ 질확대경하 조준생검
⑤ 전기 소작술
⑥ 전자궁절제술
⑦ 자궁강 내시경
⑧ 복강경 검사
⑨ 골반 초음파 검사
⑩ 자궁나팔관 조영술

71

25세 여성이 주기성을 갖지 않은(noncyclic) 3개월 이상의 만성 골반통(chronic pelvic pain)을 호소하였다. 보기 중 가장 가능성이 높은 진단명을 모두 고르시오.(3가지)

① Primary dysmenorrhea
② Pelvic adhesions
③ Endometriosis
④ Interstitial cystitis
⑤ Mittelschmerz
⑥ Ovarian remnant syndrome
⑦ Inflammatory bowel disease
⑧ Irritable bowel syndrome

72

자궁내막세포와 샘을 분비기 양상으로 변화시키며, 이 호르몬의 분비가 억제 되었을 때 내막세포의 이상 증식으로 비정상상 자궁 출혈 현상이 발생 할 수 있다. 이 호르몬을 고르시오.(1가지)

① 에스트로겐
② 프로게스테론
③ 프로락틴
④ 갑상샘자극호르몬
⑤ 테스토스테론
⑥ 생식샘자극호르몬방출호르몬(GnRH)
⑦ 난포자극호르몬
⑧ 황체형성호르몬

73

다음 중 모유 수유가 가능한 산모를 고르시오.

① 활동성 결핵 산모
② 유방염에 걸린 산모
③ 갈락토스혈증 신생아의 산모
④ HIV 감염 산모
⑤ 알코올 중독 산모

74

무월경 9주로 정상적인 월경 주기를 가진 30세 여성이 병원에 왔다. 임신 반응검사는 양성이었으며, 임신 주수를 확인하려고 하는 경우 이 시기에 초음파 검사 상 가장 적합한 지표는 무엇인가?

① 재태낭 크기(gestational sac size)
② 두정둔부 길이(crown to rump length)
③ 아두 횡경(biparietal diameter)
④ 대퇴골 길이(femur length)
⑤ 자궁의 크기

75

임신 28주인 30세 미분만부가 산전 진찰을 위해 병원에 왔다. 임신부는 Rh 음성, 남편은 Rh 양성이다. 산과력이 0-0-1-0 이고, 항체 검사에서 감작되지 않음이 확인되었다. 이 산모에 대한 처치로 가장 적절한 것을 고르시오.

① 양수 천자

② 남편의 Rh 혈액형 재검사

③ 태아 중뇌동맥 도플러 검사

④ RhoGam 투여

⑤ 태아 수혈

76

53세 여자가 얼굴이 자주 붉어지고 땀이 나며 잠을 편히 잘 수가 없어 병원에 왔다. 5년 전 자궁선근증 및 난소 자궁내막종으로 전자궁절제술과 양측 난소낭종 제거술을 받았다. 이 여성에 대한 치료로 가장 적절한 것을 고르시오.

① 칼시토닌

② 에스트로겐

③ 비스포스포네이트

④ 에스트로겐 + 프로게스테론

⑤ 성선자극호르몬분비호르몬 작용제(GnRH agonist)

77

50세 부인이 성교 후 질 출혈로 병원에 왔다. 진찰 결과 경부에 4 × 5 cm 크기 종양이 발견되었으며 질 상부를 약간 침윤한 상태이나 아직 양측 자궁방을 침범하지 않았다. 생검 상 자궁경부암으로 진단되었다. 이 환자의 임상적 병기를 설명한 내용 중 옳은 것은 무엇인가?

① 임상적 병기는 IB2이다

② 흉부 X선, 방광경, 골반 CT를 시행해야 한다

③ 치료 경과 중에 병기가 바뀔 수 있다

④ 임상적 병기는 예후를 반영하지 않는다

⑤ 마취 하에서 골반 진찰 시행

78

28세 여자가 결혼 후 2년 간 임신이 안 되어 병원에 왔다. 월경은 불규칙적이었으며 3~5개월 간격이었다. 키 160 cm, 체중 85 kg이었고 다리와 배꼽 아래 체모가 많았다. 혈액 검사 결과는 다음과 같았고, 남편의 정액 검사는 정상 이었다. 이 여성에 대한 처치로 적절한 약제는 무엇인가?

갑상샘자극호르몬 : 2.35 mIU/L (참고치 : 0.34~4.25)
프로락틴 : 18 ng/mL (참고치 : <20)
난포자극호르몬 : 6.8 mIU/mL (참고치 : 5~20)
황체형성호르몬 : 13.2 mIU/mL (참고치 : 5~20)
에스트라디올 : 42.0 pg/mL (참고치 : 10~200)
총 테스토스테론 : 70.0 ng/dL (참고치 : 15~75)

① 브로모크립틴
② 클로미펜
③ 코르티솔
④ 다나졸
⑤ 도파민 길항제

79

산과력 0-0-1-0인 25세 여자가 우측 난소 종양으로 우측 난소 절제술을 시행 받았다. 조직 검사에서 종양 표면의 파열이 있는 투명세포암으로 확인되었다. 이 여성에 대한 가장 적절한 처치는 무엇인가?

① 경과 관찰
② 고용량 프로게스테론
③ 면역요법
④ 항암화학요법
⑤ 병기 설정 수술

80

임신 18주된 산모가 피로감과 다발성 관절통으로 왔다. 이전 3차례 자연 유산(14주, 16주, 19주)을 하였고, 최근 야외 활동 시 노출된 피부에 발진이 생겼다. 환자의 혈액 검사는 다음과 같다. 성공적인 출산을 위한 치료로 가장 적절한 것을 고르시오.

백혈구 : 3,000/mm^3
혈소판 : 70,000/mm^3
aPTT : 43초
적혈구 침강 속도 : 45 mm/hr (참고치 : <20)
Lupus coagulant 검사 : 양성

① Low dose aspirin + IVIG
② Low dose aspirin + heparin
③ Low dose steroid + warfarin
④ Low dose aspirin + warfarin
⑤ Low dose steroid + plasmapheresis

81

52세 여성이 2주 전부터 갑자기 소변이 붉다며 왔다. 배뇨시에 통증은 없으며, 신체 검사 상 늑골척추각 압통은 없었다. 소변 검사 결과는 다음과 같다. 이 여성의 다음으로 시행할 검사로 가장 적절한 것은 무엇인가?

Occult blood : +2
Protein (−)
Ketone (−)
RBC : many/HPF
WBC : 10~19/HPF

① 신생검
② 역행성 요도 조영술
③ 배뇨 중 방광 조영술
④ 배설 신우요관 조영술
⑤ 1개월 후 소변 재검사

82

산과력 2-0-1-2인 39세 여자가 불규칙한 질 출혈과 객혈로 병원에 왔다. 3개월 전 둘째 아이를 분만한 후 지속적으로 불규칙한 출혈이 지속되었다고 한다. 골반 초음파 검사에서 자궁 및 자궁 부속기는 정상이었다. 흉부 X-ray 검사에서 직경이 각각 2 cm, 2.5 cm, 3 cm인 동전형 음형 양상의 전이성 병변이 관찰되었다. 두부, 복부 및 골반 전산화 단층 촬영 결과는 정상이었다. 혈청표지자 검사는 β-hCG : 150,000 mIU/mL(참고치 : <5 mIU/mL)으로 확인되었다. 이 여성에게 가장 적절한 처치는 무엇인가?

① 경과 관찰
② 단일 항암 화학 요법
③ 복합 항암 화학 요법
④ 골반 방사선 요법
⑤ 폐절제 및 자궁절제술

83

산과력 3-0-1-3인 40세 여자가 질 출혈로 병원에 왔다. 월경은 1년에 3~4회로 불규칙하였으며, 마지막 월경일은 3개월 전이었다. 골반 진찰에서 자궁이 남자 주먹 크기로 커져 있었다. 혈중 β-hCG : 132,000 mIU/mL로 확인되었다. 골반 초음파 소견이 다음과 같다면 이 여성에게 가장 적절한 처치를 고르시오.

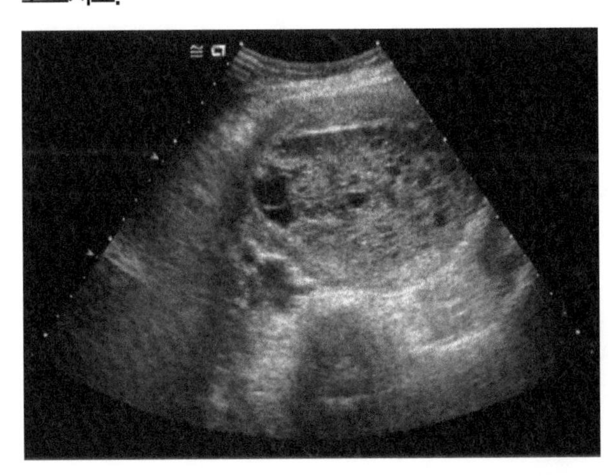

① 추적 관찰
② 흡인 소파술
③ 자궁절제술
④ 항암화학요법
⑤ 골반방사선 치료

84

20세 대학교 2학년 여학생일 6개월 전부터 월경이 없어서 병원에 왔다. 초경은 13세에 있었고 이후 매달 규칙적인 월경을 하였다. 키는 164 cm, 유방과 음모의 발달은 정상이었다. 현재 발레를 전공하고 있으며 국제대회 출전을 앞두고 훈련과 심한 스트레스로 3개월 동안 체중이 49 kg에서 42 kg으로 줄었다. 소변 임신 반응검사는 음성이며, 혈액 검사 결과는 다음과 같았다. 이 여성에게 가장 적절한 처치는 무엇인가?

갑상샘자극호르몬 : 1.56 mIU/L (참고치 : 0.34~4.25)
프로락틴 : 11.7 ng/mL (참고치 : <20)
황체형성호르몬 : 1.5 mIU/mL (참고치 : 5~20)
난포자극호르몬 : 2.0 mIU/mL (참고치 : 5~20)

① 복합 경구 피임약
② 재조합 난포자극호르몬
③ 안장 자기공명영상 촬영
④ 클로미펜
⑤ 생식샘자극호르몬방출호르몬 작용제

85

산과력 0-0-0-0인 28세 여자가 결혼 후 1년 동안 임신이 안 되어 병원에 왔다. 월경은 규칙적이었고 생리통이나 성교통은 없다고 하며 수술의 기왕력도 없었다. 남편의 정액 검사는 정상이었다. 자궁난관조영술 사진은 아래와 같았다. 이 여성에게 가장 처치는 무엇인가?

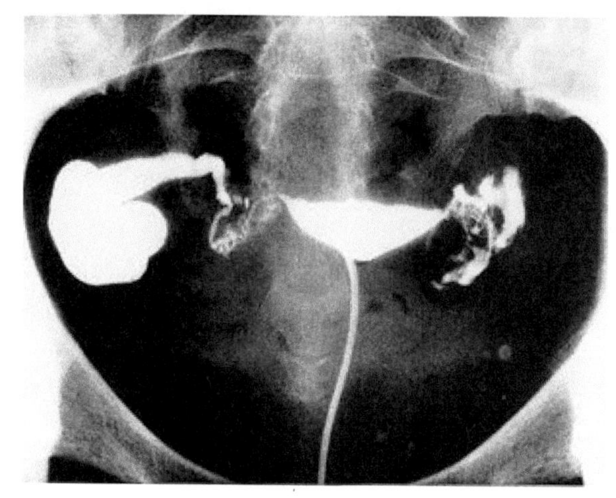

① 자궁내 정액 주입술
② 체외 수정술
③ 자궁경 수술
④ 복강경 수술
⑤ 난소 전기지짐술

86

통증을 못 느끼던 자궁근종을 갖고 있던 환자가 통증과 압통을 호소하였다. 다음 중 원인으로 가능성이 가장 적은 것은 무엇인가?

① 순환장애로 인한 국소 괴사

② 염증성 변화로 인한 유착

③ 장막하 근종염전

④ 육종성 변성

⑤ 신경절 압박

87

13세 여학생이 성폭행을 당해 응급실에 왔다. 담당 의사의 적절한 질문은 무엇인가?

① 네가 성폭행을 당했니?

② 성행위를 한 사람은 누구니?

③ 그때 성적 모욕감을 느꼈니?

④ 네가 원하지 않았는데 성기를 만진 적이 있니?

⑤ 성접촉에 대해 감추고 싶어 하므로 상세한 질문을 피한다

88

임신 18주인 30세 초산녀가 산전 진찰을 위해 병원에 왔다. 1주일 전 시행한 산모 혈액 검사에서 알파 태아단백이 2.8 MoM이었다. 다음 처치로 가장 적절한 것은 무엇인가?

① 4주 후 정기 산전 진찰

② 양수 내 태아단백 수치 검사

③ 양수 천자로 태아 염색체 검사

④ 양수 내 아세틸콜린에스테라아제 수치 검사

⑤ 초음파 검사로 임신 주수 확인

89

26세 초산부가 임신 34주에 병원에 왔다. 첫 아이를 제왕절개술로 분만한 기왕력이 있으나 자연 분만을 원했다. 임신부의 이전 수술 기왕력 중 자연 분만 시도가 가능한 경우를 고르시오.

① 이전 자궁 파열
② T형 제왕절개술
③ 하부 횡절개
④ 하부 종절개
⑤ 고전적 제왕절개술

90

출산력(parity) 기록 시 2-1-0-3의 각 숫자의 의미가 바로 된 것을 고르시오.

① 2 – 만삭 분만, 1 – 조산, 0 – 유산, 3 – 현재 생존아 수
② 2 – 만삭 분만, 1 – 유산, 0 – 조산, 3 – 현재 생존아 수
③ 2 – 조산, 1 – 만삭 분만, 0 – 유산, 3 – 현재 생존아 수
④ 2 – 현재 생존아 수, 1 – 조산, 0 – 유산, 3 – 만삭 분만
⑤ 2 – 현재 생존아 수, 1 – 조산, 0 – 만삭 분만, 3 – 유산

91

다음과 같은 태아 심박동 양상을 보일 수 있는 경우를 고르시오.

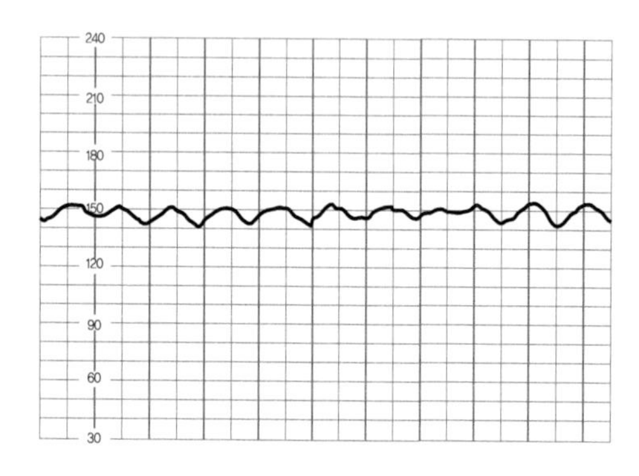

① 모체의 발열
② 태아 머리 압박
③ 전치혈관의 파열
④ 모체 갑상샘 기능항진증
⑤ 태아 발작성 심실상부 부정맥

92

정상 후두위 분만 과정의 태아 기본 운동에서 분만의사의 술기를 적용하여 도움을 줄 수 있는 단계를 고르시오.

① 하강 ② 신전 ③ 굴곡
④ 내회전 ⑤ 진입

93

임신 40주인 32세 초산부가 진통이 있어 병원에 왔다. 골반 검사에서 자궁경부 4 cm 확장, 80% 소실, 나이트라진 음성, 태아 아두 하강도 −1이었다. 자궁수축은 3분 간격으로 매우 활발하였다. 2시간 후 골반 검사에서 자궁경부 확장과 태아 아두 하강에 변화가 없었다. 전자 태아심박동–자궁수축 감시에서 특이사항은 없었다. 이 산모에 대한 처치로 가장 올바른 것을 고르시오.

① 응급 제왕절개술 ② 겸자 분만 ③ 터브탈린 투여
④ 진정제 투여 ⑤ 인공 양수 파막

94

임신 30주인 35세 미분만부가 정기 검진을 위해 병원에 왔다. 혈압 160/110 mmHg, 맥박 90회/분, 호흡 18회/분 체온 36.7℃ 이다. 임신 12주 및 16주에 혈압이 각각 120/80 mmHg, 110/70 mmHg로 측정되었고, 소변 단백질도 음성이었다. 혈액과 소변 검사 결과가 다음과 같다면 이 산모의 진단명으로 가장 가능성이 높은 것을 고르시오.

혈색소 : 9.0 g/dL
백혈구 : 7800/mm^3
혈소판 : 49,000/mm^3
아스파르테이트아미노전달효소 : 154 U/L
알라닌아미노전달효소 : 100 U/L
소변 단백질 : 300 mg/dL

① 자간증(eclampsia) ② 헬프 증후군(HELLP syndrome)
③ 만성 고혈압(chronic hypertension) ④ 임신 고혈압(gestational hypertension)
⑤ 중복 전자간증(superimposed preeclampsia)

95

54세 여성이 폐경기 안면홍조, 발한, 불면증으로 치료받기 원한다. 하지 정맥혈전증의 치료 기왕력이 있는 경우 선택할 수 있는 치료법을 고르시오.

① 알렌드로네이트

② 에스트로겐 크림

③ 복합 경구 피임약

④ 비스포스포네이트

⑤ 비스테로이드 소염제

96

자궁내막암 발생의 위험 요인이 아닌 것은 무엇인가?

① 지연 폐경

② 무배란성 월경

③ 흡연

④ 비만

⑤ 다낭성 난소 증후군

97

60세 환자가 자궁내막 조직검사에서 Grade I의 자궁내막선암으로 진단받고 개복술을 시행하였다. 종양은 1 cm 직경으로 내막에만 국한되어 있었고, 자궁경부나 부속기로의 파급은 없었다. 다음 중 이 환자에서 반드시 시행하지 않아도 되는 시술은 무엇인가?

① 복강액 세포진 검사

② 복벽 장막의 의심부위 생검

③ 전자궁 절제술

④ 양측 부속기 절제술

⑤ 골반 및 대동맥 임파절제술

98

19세 여자가 초경이 없어서 병원에 왔다. 키 165 cm, 몸무게 51 kg, 유방발달은 태너(Tanner) IV기, 음모 발달은 태너 III기였다. 골반 검사에서 외음부는 정상이었으나, 초음파 검사에서 자궁은 보이지 않았다. 혈액 검사는 다음과 같았다. 이 여성에게 가장 적절한 치료는 무엇인가?

황체형성호르몬 : 8.9 mIU/mL (참고치 : 5~20)
난포자극호르몬 : 7.5 mIU/mL (참고치 : 5~20)
에스트라디올 : 95 pg/mL (참고치 : 10~200)
염색체 핵형 : 46,XX

① 생식샘 제거술
② 탐색 개복술
③ 처녀막 십자 절개술
④ 질 확대술
⑤ 에스트로겐-프로게스테론 보충 요법

99

산과력 0-0-1-0인 35세 임신 9주 산모가 왼쪽 하복부에 불편감이 있어 병원에 왔다. 골반 내진에서 좌측 자궁 부속기에 어른 주먹 크기의 덩이가 촉진되었다. 골반 초음파에서 좌측 난소에 8 × 6 × 5 cm 크기의 유두상 돌출이 있는 고형성분의 난소덩이와 다량의 복수가 관찰되었다. 이 산모에 대한 처치로 가장 적절한 것을 고르시오.

① 임신 1삼분기 이후에 수술한다
② 만삭까지 기다렸다가 질식 분만 후 수술한다
③ 만삭까지 기다렸다가 제왕절개수술과 난소 절제술을 시행한다
④ 즉시 시험적 개복술을 시행한다
⑤ 분만 6주 이후 시험적 개복술을 시행한다

Final Exam 08

모의고사 8회

01

31세의 기혼 여성이 심한 월경통으로 인하여 병원에 왔다. 초경 이후 월경통이 없었으나 대학생 시절부터 월경통이 나타나기 시작하였고, 최근에는 성교통도 발생하였다. 3년 전 결혼하였고 별다른 피임을 하지 않았으나 임신이 되지 않았다고 한다. 내진 상 자궁은 정상 크기이나 후굴 되어 있었고, 자궁의 뒷벽이 결절성으로 만져지면서 통증을 호소하였다. 이 환자에서 확진을 위하여 가장 중요한 검사는 무엇인가?

① 복강경 검사
② CT 검사
③ MRI 검사
④ 초음파 검사
⑤ 복부 X-선 촬영

02

65세 여자 환자가 다음 그림과 같은 피부착색을 주소로 내원하였다. 환자에게서 의심할 수 있는 질환으로 가장 가능성이 낮은 것은 무엇인가?

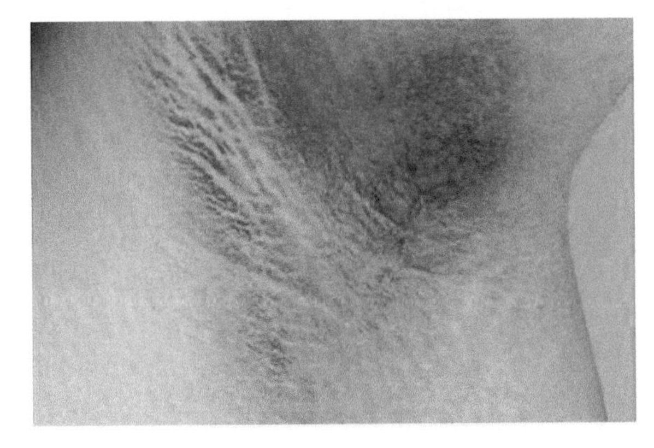

① 쿠싱 증후군
② 말단 비대증
③ 다낭성 난소 증후군
④ 이차성 부신피질기능 저하증
⑤ B형 인슐린 저항성 증후군

03

자궁경부암의 근치적 자궁절제술을 시행할 때 다치기 쉬운 신경으로 내측 대퇴부의 감각 및 대퇴부의 내전근육의 운동을 지배하는 신경은 무엇인지 그림에서 고르시오.

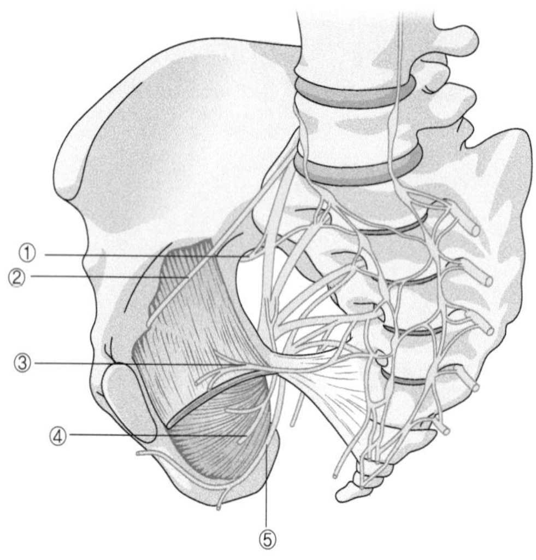

04

아래의 그래프는 정상 월경주기에 따른 호르몬치의 변화이다. 이중 난포의 성장에 관여하는 주요 호르몬과 수정란의 착상에 적합한 자궁환경을 형성하고 임신을 유지하는데 가장 중요한 역할을 하는 호르몬을 고르시오.

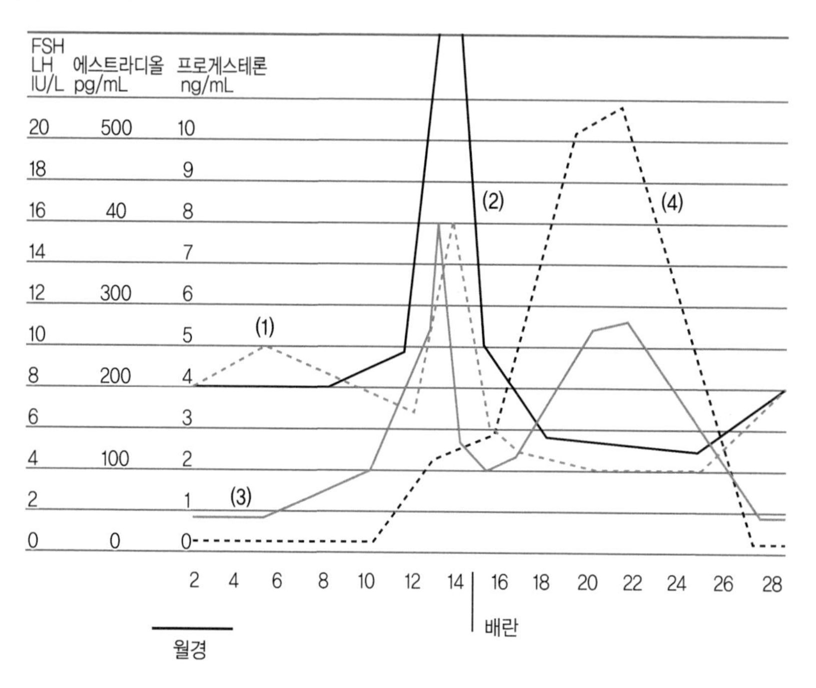

① (1), (3)
② (2), (3)
③ (1), (4)
④ (2), (4)
⑤ (3), (4)

05

평소 생리가 불규칙적이었던 여성이 임신하여 내원하였다. 초음파 상 임신 10주 정도로 추정되었다면 분만 예정일 예측에 가장 신뢰 할 수 있는 계측치는 무엇인가?

① 태아 심박동

② 태아 두전장(CRL)

③ 태아 아두 대횡경(BPD)

④ 임신낭의 최대 직경

⑤ 태아 복부 주위 길이(AC)

06

평소 생리 주기가 일정한 47세 여성이 6개월 전부터 시작된 무월경을 주소로 내원하였다. 최근 약 5 kg의 체중 증가가 있었으며, 복부 통증이나 특이 증상은 없었다. 약간 헛배가 부르는 듯한 느낌이 있으며, 다리가 약간 붓고, 배에 만져지는 뭔가가 있는 것 같다고 하였다. 마지막으로 시행하였던 자궁경부암 검사는 약 10년 전으로 그 이후에는 산부인과 진료를 시행하지 않았다고 한다. 이 환자에게 가장 먼저 시행해야 할 검사는 무엇인가?

① 경질 혹은 복부 초음파

② 복부 CT

③ 복부 MRI

④ 혈청 암표지자 검사(CA125, CEA, CA19-9)

⑤ 소변 임신 반응 검사

07

22세, GA 39주 초산모, 진통이 시작 된 후 순조롭게 진행되어 자궁경부 7 cm 개대, 90% 소실, 하강도는 0였다. 2시간 후 별 변화가 없고 자궁수축-태아심박동 전자감시 결과는 아래와 같았다. 이 시점에서 가장 적당한 처치는 무엇인가?

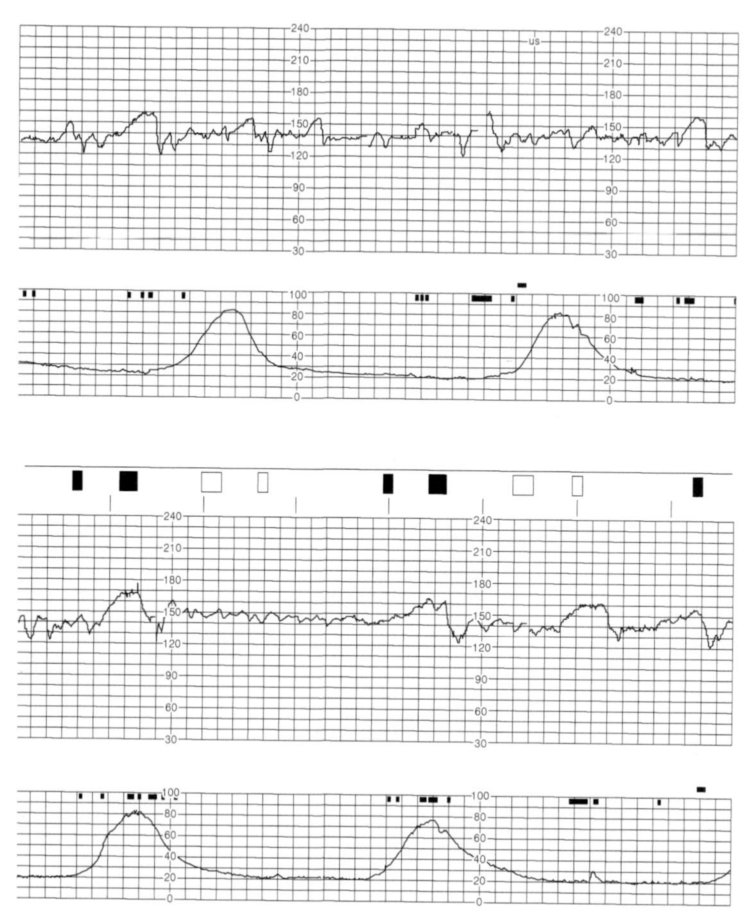

① 경과 관찰

② 산모를 걷게 하거나 앉아 있도록 한다

③ 다량의 수액을 정맥 내로 투여한다

④ 자궁 수축제를 투여한다

⑤ 응급 제왕절개술을 시행한다

08

다음과 같은 태반을 무엇이라고 하는가?

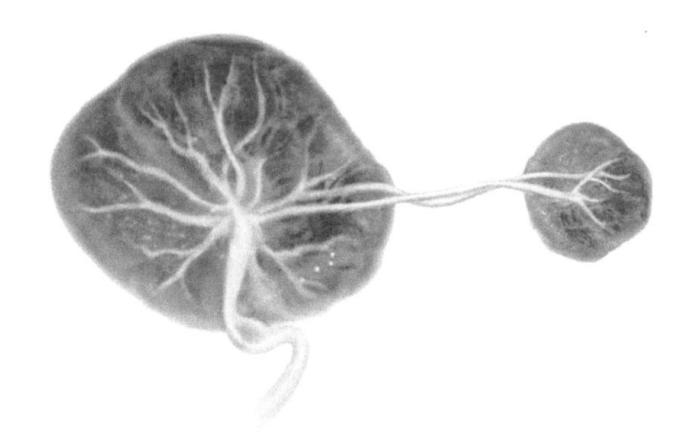

① 부채태반

② 전치혈관

③ 난막부착

④ 융모막외태반

⑤ 부태반

09

26세 여자 환자가 3개월 전부터 시작된 무월경을 주소로 내원하였다. 시행한 혈액 검사 상, prolactin 80 ng/mL (정상치 : 5~15)로 확인되었다. 이 환자에서 다음으로 시행해야 할 것을 모두 고르시오.(3가지)

① 약물 복용력 조사

② IGF-1

③ 24 hrs urine free cortisol

④ TSH

⑤ LH/FSH

10

다음 술기의 목적은 무엇인가?

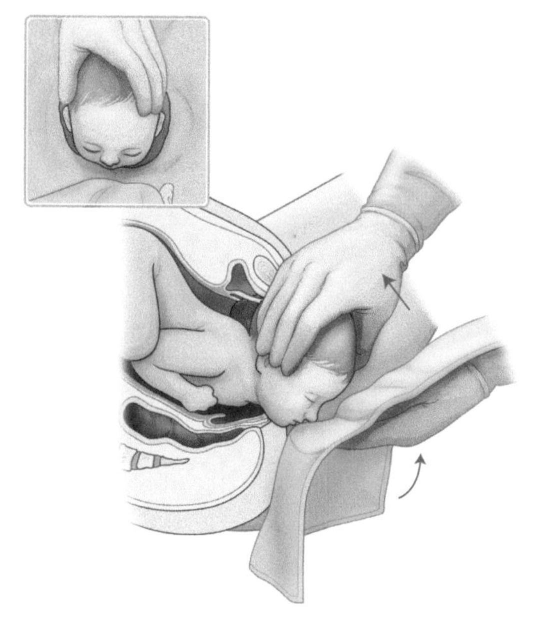

① Extension에 도움
② Internal rotation에 도움
③ External rotation에 도움
④ Engagement에 도움
⑤ Flexion에 도움

11

최종 월경일은 6주 전인 28세 여성이 2~3일 전부터 발생한 소량의 출혈과 경미한 하복부 압박감을 주소로 내원하였다. 환자는 특별한 치료없이 증상이 좋아졌다가 다시 소량의 출혈이 계속되면서 약한 하복통이 다시 동반되었다고 하였다. 내진 결과 자궁은 약간 커져 있으며 부드러워져 있고 경관은 닫혀 있으며 자궁, 질 내에 소량의 적갈색의 출혈이 관찰되었다. 이 시점에서 꼭 필요한 검사를 모두 고르시오.(2가지)

① 질 초음파
② 자궁난관 조영술
③ 소변 임신반응 검사
④ 더글라스와 천자(Culdocentesis)
⑤ 혈액형검사
⑥ 복부 X-ray
⑦ 나이트라진 테스트(Nitrazine test)
⑧ 분비물의 gram-stain과 배양

12

임신력 2-0-1-2인 32세 여성이 월경이 없다고 하여 내원 하였다. 마지막 월경은 7개월 전이었고 최근 2년간 월경 주기가 불규칙 하였다. 과거력 상 우측 난소의 기형종으로 낭종 절제술을 받은 적이 있었다. 체중은 60 kg, 키는 163 cm 였고 이학적 검사 및 골반 진찰 상 특이 소견은 없었다. 혈액검사 및 초음파 소견이 아래와 같다면 이 환자의 진단은 무엇인가?

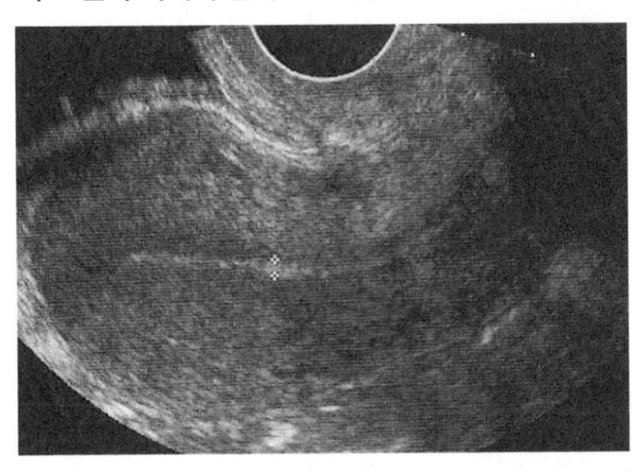

FSH : 93.38 IU/L
LH : 45.13 IU/L
TSH : 1.44 μIU/mL (정상치 : 0.25~4.0 μIU/mL)
Prolactin : 12 ng/mL (정상치 : 3.6~18.9 ng/mL)
Estradiol <10 pg/mL

① 뇌하수체 시상하부 기능이상　② 갑상선 기능저하증　③ 고프로락틴 혈증
④ 난소기능 부전　⑤ 다낭성 난소증후군

13

31세의 여성이 임신이 되지 않아 병원에 왔다. 이 여성은 약 6개월 전에 계류 유산으로 인하여 소파 수술을 받았다고 하였다. 그 이후 월경 주기는 정확하였으나, 월경양이 감소하였으며, 기간도 감소하였다고 한다. 혈중 호르몬 검사 상 난포자극 호르몬 5.8 mIU/mL, 황체화 호르몬 7.5 mIU/mL, prolactin 15.3 ng/mL이었다. 이 환자의 진단을 위하여 우선적으로 해 볼 수 있는 검사 두 가지를 고르시오.

① 복강경 검사
② 자궁경 검사
③ 골반 초음파 검사
④ 골반 CT 검사
⑤ 자궁난관 조영술
⑥ 자궁내막 소파검사
⑦ 성교 후 검사
⑧ 기초체온 검사

14

당뇨를 10년간 치료해온 54세 여성이 흰색의 질 분비물과 외음부 가려움증을 주소로 내원하였다. 질 분비물 검사에서 다음 그림 같은 소견을 보일 때 치료로 맞는 것을 3가지 고르시오.

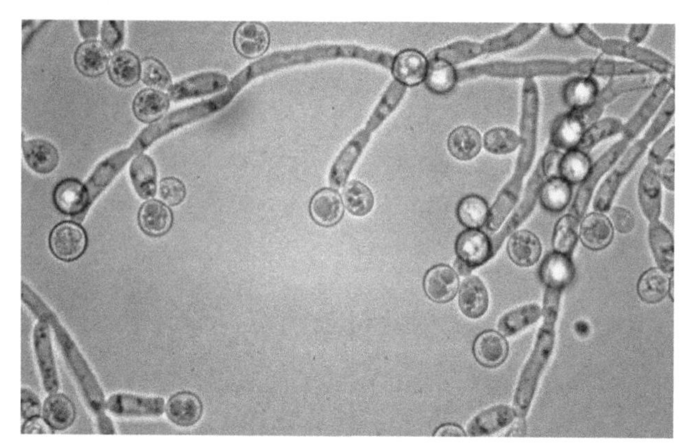

① Metronidazole
② Gentian violet
③ Nystatin
④ Clindamycin
⑤ Fluconazole
⑥ Ceftriaxone
⑦ Doxycycline
⑧ Azithromycin

15

다음 중 metronidazole로 치료 될 수 있는 여성 생식기 감염을 고르시오.(2가지)

① Candida vaginitis
② Bacterial vaginosis
③ Atrophic vaginitis
④ Gonorrheal cervicitis
⑤ Chlamydial cervicitis
⑥ Trichomonas vaginitis
⑦ Pelvic tuberculosis
⑧ HPV infection

16

임신 30주인 25세 초산모가 2주전부터 시작된 부종과 혈압 상승, 단백뇨로 전원 되어 전자간증으로 진단되었다. 이 환자에서 적당한 치료에도 불구하고 조기 분만을 고려할 기준을 모두 고르시오.(4가지)

① 빌리루빈 증가
② 시간당 소변량 100 cc
③ 태아 예측 체중 5백분위수 미만
④ 혈소판 감소증
⑤ 지속적 두통
⑥ Serum creatinine 감소
⑦ 경련

17

임신 35주의 산모가 초음파 검사를 한 결과 양수지수(amnionic fluid index)가 35 cm으로 나타났다. 이와 같은 현상을 유발하는 질환으로서 옳은 것을 모두 고르시오.(2가지)

① 식도 폐색
② 안지오텐신 전환효소 억제제(angiotensin converting enzyme inhibitor) 투여
③ 선천성 횡경막 탈장
④ 전치태반
⑤ 태아 성장 지연
⑥ Prostaglandin 합성 요소 억제제 사용
⑦ 지연 임신
⑧ 임신성 고혈압

18

다음 바이러스 중 암 발생과 연관성이 있고 백신의 예방접종으로 암 발생을 줄일 수 있는 것을 모두 고르시오.(2가지)

① Hepatitis B virus
② Hepatitis C virus
③ Human immunodeficiency virus
④ Epstein–Barr virus(EBV)
⑤ Human papilloma virus type 6
⑥ Human papilloma virus type 16
⑦ Parvo virus

19

Gravida 3, para 2인 30세 만삭 산모가 진통 초기에 입원하였다. 단태아 임신, 두위였고, 첫번째 임신은 제대 탈출로 응급 제왕절개술(자궁하부 횡절개)을 시행, 두번째 임신은 자연 분만(VBAC)을 하였다. 무통 분만을 위해 경막외 마취 시행 후 자궁 수축의 빈도가 감소하여 옥시토신을 투여하였다. 2시간 후에 갑자기 진통이 사라지면서 질 출혈이 보였고 태아전자감시는 아래와 같다면 가장 가능성이 높은 진단은 무엇인가?

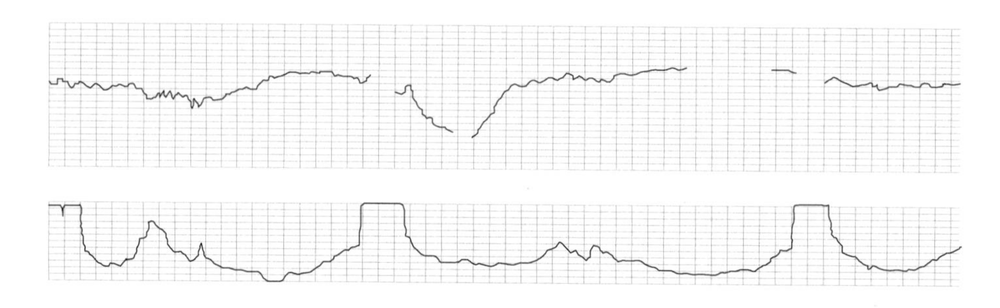

① 모체 저혈압
② 태반 조기 박리
③ 태아 아두 압박
④ 자궁태반 혈류 감소
⑤ 자궁절개 흉터의 파열

20

임신 34주 초산모가 급속한 혈압 상승과 체중 증가 및 부종을 주소로 내원하였다. 진찰 및 검사 소견이 다음과 같다면 가장 적절한 처치를 고르시오.

혈압 : 180/110 mmHg
뇨 단백 : 3+
Hb : 14.5
WBC : 15,000
Platelet : 120,000
AST/ALT : 50/45 IU/L
BUN/Cr : 19/1.7 mg/dL
태아 초음파 : 예측 체중 10 백분위지수, 양수지수 8 cm
BPP : 8/8

① 부종 제거를 위해 이뇨제를 쓴다
② 상태가 안정화되면 분만을 고려한다
③ hydralazine으로 혈압을 120/80 mmHg로 낮춘다
④ 경련 발생 시 가장 먼저 diazepam을 고려한다
⑤ 혈관 용적 증가를 위해 수액은 충분히 투여한다

21

임신 28주 산모가 혈액이 섞인 점액성 분비물과 6시간 전부터 시작된 규칙적인 하복통으로 내원하였다. 진찰 소견에서 자궁경부는 3 cm 개대, 70% 소실되었고, 나이트라진 검사는 음성이었다. 초음파 검사에서 태아 예측 체중 980 g (50 백분위수), 양수지수 12 cm, 태반 박리 소견은 없었다. 비수축검사 소견이 다음과 같다면 이 산모의 주산기 예후를 향상시키기 위해 꼭 투여할 약물은 무엇인가?

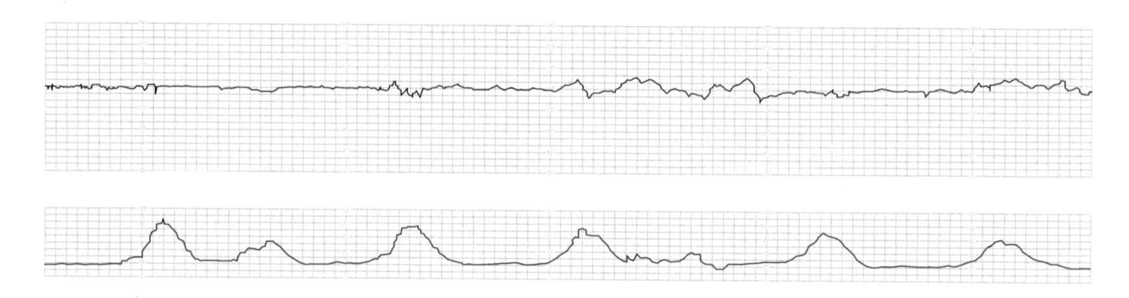

① $MgSO_4$

② β-agonist

③ Corticosteroid

④ Oxytocin antagonist

⑤ Broad spectrum antibiotics

22

질식 분만을 하던 37세 경산부가 분만이 진행되던 중 태아의 머리 만출 후 어깨가 걸렸다. 다음 중 이 상황에서 할 수 있는 수기로 옳은 것은 무엇인가?

① 프라하 수기(Prague maneuver)

② 레오폴드 수기(Leopold maneuver)

③ 모리세 수기(Mauriceau maneuver)

④ 맥로버트 수기(McRobert maneuver)

⑤ 리트겐 수기(Ritgen maneuver)

23

산과력 0-0-0-0 30세 임신 34주의 환자가 양수 감소를 주소로 전원 되었다. 내원 시 시행한 초음파 상 태아는 두위였으며 34주 크기였고 초음파 상 관찰되는 태아의 이상 소견은 없었다. 생물리학계수 측정에서 태아 긴장도 2점, 태아 호흡운동 0점, 태아 운동 0점이었고, 태아의 양수지표검사는 0, 0, 1, 0 이었다. 비수축검사상(Non-stress test)는 다음과 같았다. 이 산모의 처치로 맞는 것은 무엇인가?

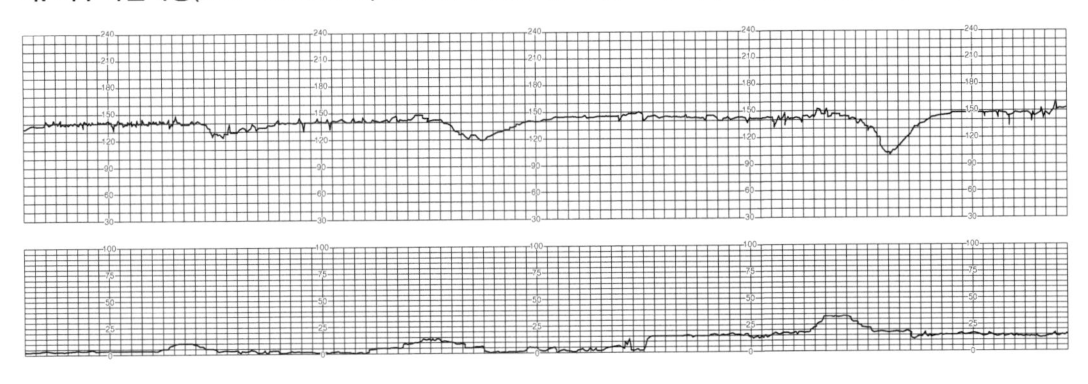

① 1주 후에 추적 관찰한다
② 즉시 분만을 시도한다
③ Betamethasone을 투여한다
④ Indomethacin을 투여한다
⑤ 수축 검사(stress test)를 시행한다

24

분만력 2-0-0-2인 42세 여성이 질 분비물이 증가하고 냄새가 난다고 하여 내원하였다. 습식 도말 검사 사진이 다음과 같다면 가장 적절한 치료는 무엇인가?

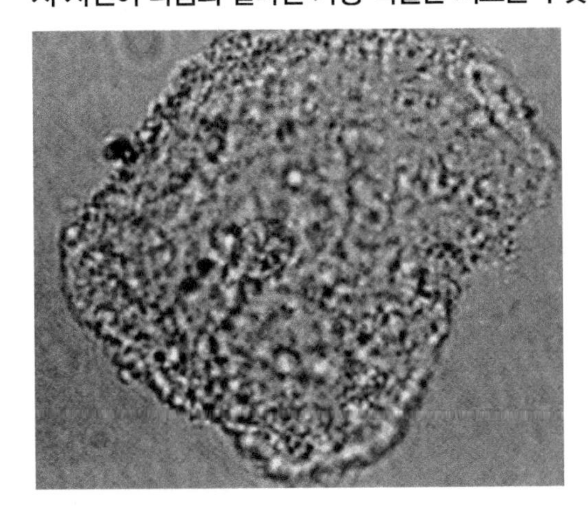

① Oral Doxycycline
② Oral Metronidazole
③ Oral Fluconazole
④ Vaginal Clotrimazole cream
⑤ Vaginal Estrogen cream

25

32세 미혼 여성이 개인 병원에서 시행한 자궁경부 조직 생검 상 이상 소견으로 내원하였다. 재판독 결과 부분적 편평상피암(focal squamous carcinoma of cervix (mainly adenocarcinoma in situ with suspicious for invasion))으로 확인되었다. 자궁경부 확대경 검사 상 6시와 9시 방향 백색상피는 관찰되었으나 종양은 관찰되지 않았다. MRI 상 종양은 보이지 않았고, PET CT 상 림프절에 의미 있는 병변은 관찰되지 않았다. 이 환자에게 가장 적절한 치료는 무엇인가?

① 자궁경부 원추절제술

② 단순 자궁적출술

③ 제 II형 자궁절제술과 골반림프절 절제술

④ 제 III형 자궁절제술과 부대동맥, 골반림프절 절제술

⑤ 동시 항암화학방사선 치료

26

26세의 기혼 여성이 불규칙한 출혈로 인하여 내원하였다. 초경은 16세에 있었으나, 월경 주기는 60일 이상으로 항상 불규칙하였다. 월경은 1년에 4~5회 정도로 불규칙하였으며 지난 1년 동안 몸무게가 약 5 kg 정도 증가하였다. 혈중 난포자극호르몬은 6.2 mIU/mL, 황체호르몬은 24.3 mIU/mL, 프로락틴은 12.4 ng/mL, DHEA-S는 정상이었다. 초음파 검사에서 난소는 다음과 같았다. 이 환자의 배란유도를 위하여 1차적으로 사용할 수 있는 것은 무엇인가?

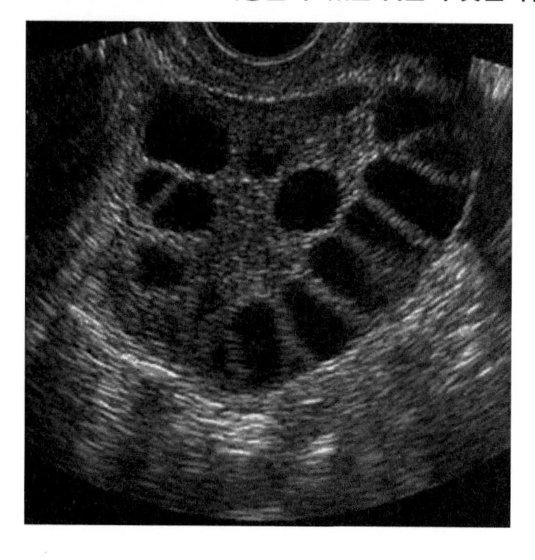

① GnRH agonist + HMG/HCG

② GnRH antagonist + HCG

③ Clomiphene citrate

④ Metformin

⑤ Bromocriptine

27

Gravida 1, 임신 26주인 27세 산모가 이틀동안 태아의 움직임이 없다고 왔다. 초음파 결과 태아 심박동이 없었다. 이 시점에서 가장 먼저 시행해야 하는 처치는 무엇인가?

① 옥시토신 정맥 투여

② 자궁절개술(hysterotomy)

③ 프로스타글란딘 질정 삽입

④ 양막 내에 생리식염수 주입

⑤ 자궁경부 개대(dilatation) 후 evacuation

28

임신 14주인 35세 여자 환자가 2개월 전부터 체중 감소, 발한, 호흡 곤란을 호소하여 내원하였다. 신체검사에서 빈맥과 갑상샘종이 있었다. 위 환자에 대한 내용으로 옳은 것은 무엇인가?

T3 : 318 ng/dL (정상치 : 80~300),
fT4 : 3.64 ng/dL (정상치 : 0.8~1.5)
TSH : 0.03 uIU/mL (정상치 : 0.4~4.0),
TSI (+)
Anti-TPO Ab (+)

① 방사선 요오드 치료법을 사용할 수 있다

② 출산 후에는 모유 수유를 할 수 있다

③ 분만 후에는 증상이 대부분 좋아진다

④ Methimazole을 최대량 사용한다

⑤ 증상이 심하면 임신 말기에 수술을 고려한다

29

산과력 0-0-0-0인 24세 여성이 3일 전부터 시작된 좌하복부의 복통과 발열, 오한을 주소로 응급실에 내원하였다. 내원 당시 혈압은 110/70 mmHg, 심박수 78회, 체온 39.2℃였다. 부인과 진찰상 자궁과 자궁부속기에 전반적인 압통이 있었으며 자궁경부 운동성 누름통증(cervical motion tenderness)소견이 있었으며 초음파 상 좌측 자궁부속기에 다음과 같은 소견이 보였다. 마지막 월경은 2주 전으로 규칙적이었으며 소변 임신반응 검사 상 음성이었다. 이 여성의 다음 처치로 가장 적절한 것을 고르시오.

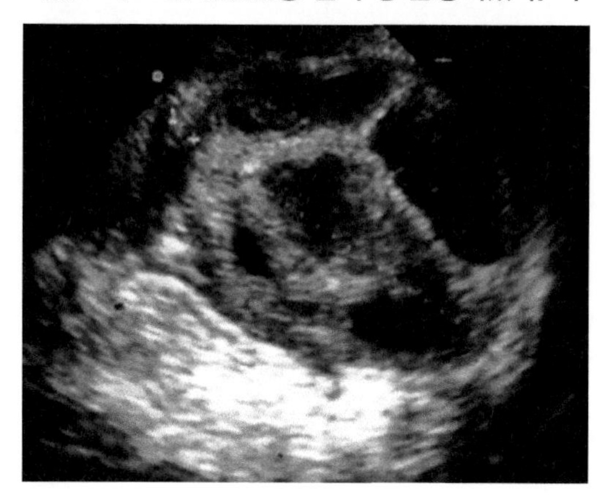

① 혈청 β-hCG 측정
② 더글라스와 천자
③ Doxycycline을 처방하고 외래 추적
④ 입원하여 항생제 치료
⑤ 즉시 수술

30

임신 38주인 27세 초산모가 하루 전 물처럼 흐르는 질 분비물을 주소로 내원하여 질식 분만을 위해 7시간 정도 진통을 하였으나 난산으로 제왕절개술을 실시하였고, 3.9 kg 남아를 분만하였다.

분만 후 3일 째 오한, 하복통, 악취나는 질 분비물을 호소하고, 체온은 38.8℃ 였다. 자궁저부는 배꼽 부위에서 촉지 되었고, 자궁에 압통이 있었다. 혈액 검사 결과가 다음과 같을 때 산욕열의 원인으로 가장 가능성이 높은 것은 무엇인가?

백혈구 : 25,000/mm^3
혈색소 : 9.6 g/dL
헤마토크릿 : 33%
혈소판 : 210,000/mm^3

① 유방염　② 호흡기 감염　③ 자궁내막염
④ 급성 신우신염　⑤ 급성 충수돌기염

31

다음 검사의 적응증으로 옳은 것은?

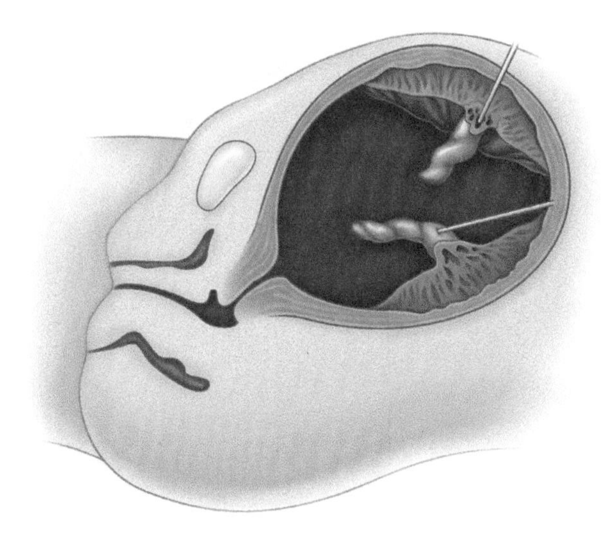

① 임신 12주, nuchal translucency 증가

② 임신 15주, serum AFP 상승

③ 임신 28주, fetal anemia 치료

④ 임신 30주, fetal gastroschisis

⑤ 임신 35주, L/S ratio 측정

32

21세 미혼 여성이 5개월 동안 월경이 없어 내원하였다. 12살 때 초경이 있었으며 최근 1년간 월경 주기는 29일로 규칙적이었다. 성경험은 있었으나 임신한 적은 없었다. 문진 상 특이소견은 없었고, 체중은 51 kg, 키는 165 cm 였으며 골반 진찰 상 이상 소견은 관찰되지 않았다. 다음은 이 여성의 혈액 검사와 자궁 초음파 소견이다. 이 여성의 검사와 치료로 가장 적절한 것은 무엇인가?

난포자극호르몬 : 2.5 IU/L
황체형성호르몬 : 3.6I U/L
갑상샘자극호르몬 : 2.1 μIU/mL (정상치 : 0.25~4.0 μIU/mL)
유즙분비호르몬 : 11.3 ng/mL (정상치 : 3.6~18.9 ng/mL)
에스트라디올 : 12.1 pg/mL

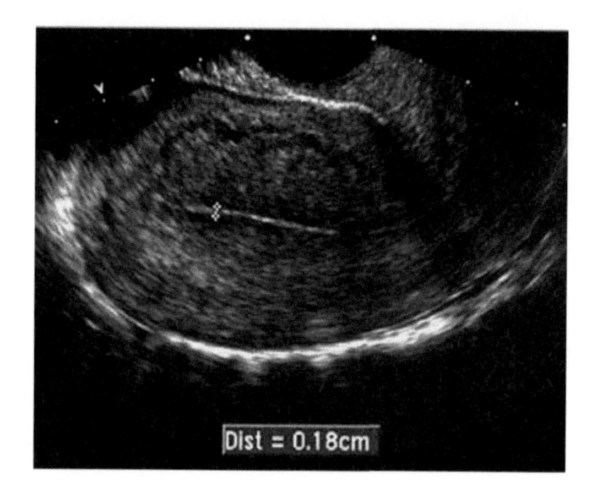

① MRI 검사가 필요하다
② Progesterone challenge test를 시행한다
③ 체중감량을 유도한다
④ Dopamine agonist를 투여한다
⑤ Thyroid hormone 투여가 필요하다

33

임신 9주인 25세 산모가 질 출혈과 복부 불편감으로 내원하였다. 자궁경부는 닫혀 있으나, 자궁으로부터 소량의 출혈이 보였다. 질 초음파 상 태아의 상태는 정상이었고, 심박동은 150회/min.이었다. 이 여성에게 가장 적절한 조치는 무엇인가?

① 초음파 추적검사
② 프로스타글란딘 투여
③ 자궁경부 확장 소파술(D&C)
④ 융모막 융모 검사
⑤ 사람융모생식샘 자극호르몬(hCG) 투여

34

28세 미혼 여성이 월경양이 많아서 내원하였다. 혈액 검사 상 이상은 없었으며 초음파 소견이 다음과 같았다. 이 여성에게 가장 적절한 치료는 무엇인가?

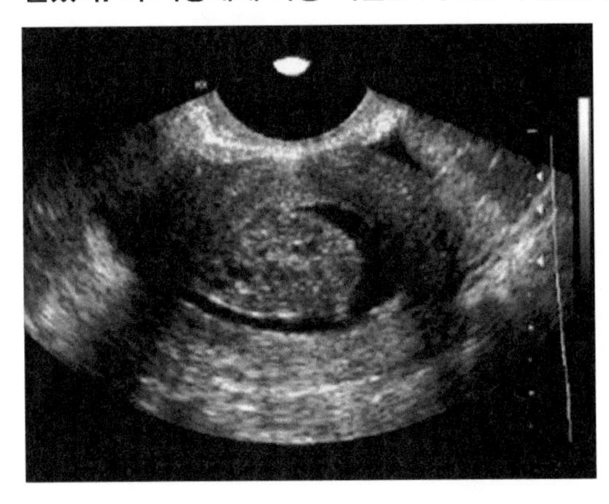

① 자궁내막 소파술
② 자궁경하 근종 절제술
③ 전자궁절제술
④ 자궁경부 원추절제술
⑤ MTX 치료

35

자궁 출혈로 내원한 다음의 여성 중 다음과 같은 기구를 이용한 검사의 적응증이 되는 경우를 고르시오.

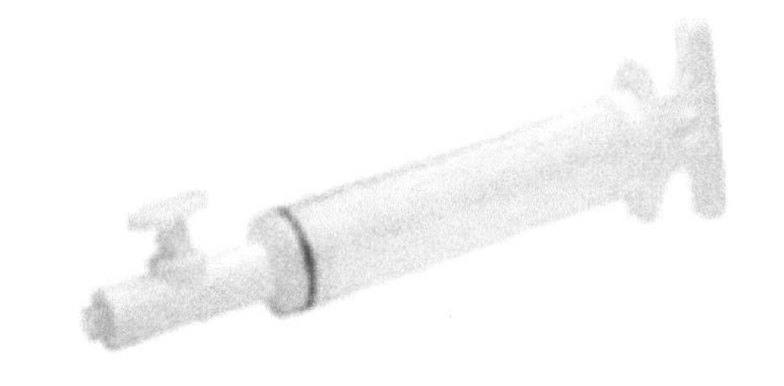

① 42세, 불규칙적인 생리를 하던 기혼 여성
② 32세, 임신 검사 상 양성이 나온 기혼 여성
③ 16세, 불규칙적인 생리를 하던 여성
④ 26세, 6개월 전 자연분만 여성
⑤ 33세, 자궁근종이 발견된 여성

36

산과력 0-0-4-0인 34세 기혼 여성이 임신 상담을 위해 내원하였다. 이전 임신은 모두 8주 이전에 자연 유산 되었고 3번째는 태아 심박동 확인 후 자연 유산 되었다. 이 여성은 다음과 같은 형태의 자궁을 가지고 있었다면 가장 적절한 치료는 무엇인가?

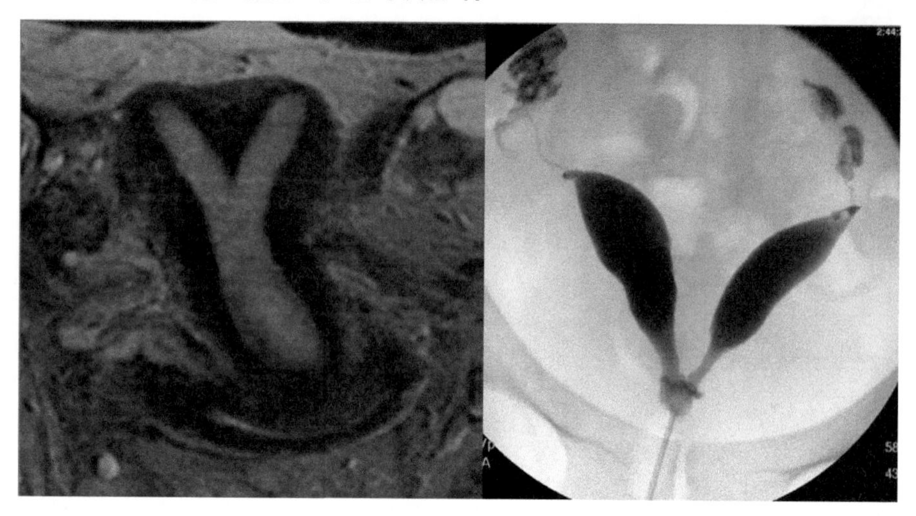

① 아스피린 복용
② 자궁경 수술
③ 자궁 성형술
④ 자궁각 절제술
⑤ 체외수정

37

21세의 여성이 원발성 무월경을 주소로 내원하였다. 진찰 소견 상 체격은 정상 여성형이며, 유방 발육은 양호하였으나 액와모와 음모는 거의 나타나지 않았다. 외음은 여성형이었고, 질은 맹관, 자궁은 없었으며, 양쪽 서혜부에 종괴가 만져졌다. 다음 중 이 환자의 진단을 위하여 가장 유용한 것은 무엇인가?

① 혈중 prolactin 측정
② 혈중 estrogen 측정
③ 혈중 ACTH 측정
④ 혈중 FSH 측정
⑤ 염색체 검사

38

산과력 2-0-0-2인 35세 기혼 여성이 우하복부 통증과 질 출혈로 내원하였다. 내원 당시 통증은 우하복부에 국한된 통증으로 NRS 3~5점이었다. 질 출혈은 일주일 전부터 간간히 있었고 하루에 패드 하나 정도 약간 묻을 정도였다. 이학적 검사 상 우하복부에 경도의 압통 있었고 반발통은 없었다. 무월경 8+2주였고, 이전 월경은 불규칙하였다. 내원 당시 시행한 검사 결과가 다음과 같다면 이 여성에게 다음으로 해야 할 검사나 처치로 가장 적절한 것은 무엇인가?

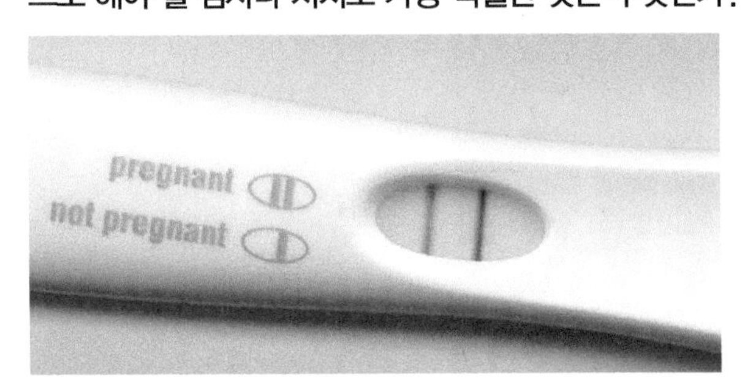

① 자궁내막 조직검사
② 자궁경부세포검사
③ 골반 초음파
④ 컴퓨터단층촬영술
⑤ 응급 복강경 수술

39

35세 여성이 건강 검진에서 ASCUS로 진단되어 내원하였다. 검진 상 같이 시행한 검사에서 HPV가 16번이 양성이었다. 내원 시 시행한 colposcopy 소견은 다음과 같았다. 향후 치료로 가장 적절한 것은 무엇인가?

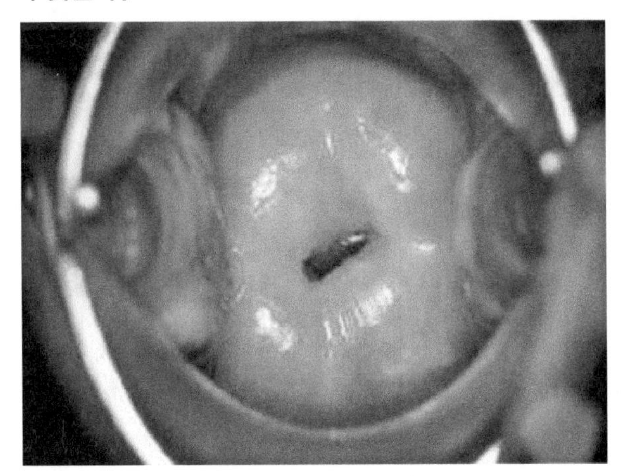

① 원추절제술을 시행한다
② 6개월뒤에 다시 세포진 검사를 시행한다
③ 자궁내막 소파술을 시행한다
④ 전자궁절제술을 시행한다
⑤ 3시 6시 9시 12시 방향에서 조직 검사를 시행한다

40

임신 35주인 37세 산모가 태아가 임신 주수보다 작다고 왔다. 초음파 검사에서 태아 예측체중이 해당 주수의 5백분위수이다. 초음파 상 다음에서 검사하는 혈관은 무엇인가?

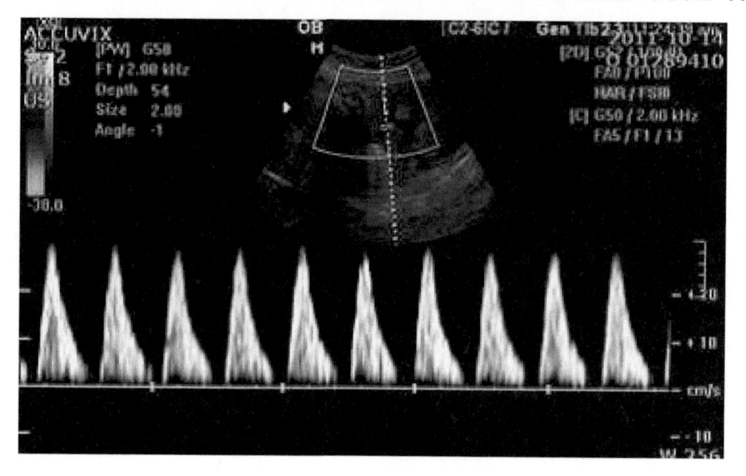

① 동맥관
② 중뇌동맥
③ 자궁동맥
④ 제대동맥
⑤ 궁상동맥

41

39세의 여자 환자가 6개월간의 불규칙한 출혈을 주소로 병원에 내원하였다. 시행한 질 초음파상 자궁 내막이 두꺼운 소견이 관찰되어 endometrial biopsy를 시행하였다. Biopsy 결과 Endometrioid adenocarcinoma가 관찰되었다. 상기 질환을 감소시킬 수 요인으로 작용할 수 있는 것은 무엇인가?

① Estrogen replacement therapy

② obesity

③ anovulatory cycles

④ progesterone contained IUD insertion

⑤ estrogen secreting tumors

42

매달 생리를 규칙적으로 하던 16세의 여고생 3개월간 월경을 하지 않아 외래로 왔다. 그 이전에는 생리가 28~30일 간격으로 규칙적이었고, 현재 하복부 통증이나 기타 특이한 증상은 없었다. 진찰 소견 상 자궁이 정상보다 커져 있었고 난관과 난소는 정상이었다. 다음 중 이 환자에게 가장 먼저 실시해야 하는 검사는 무엇인가?

① 프로게스테론 소퇴성 검사 ② 자궁내막 소파검사 ③ 복강경 검사
④ 자궁경 검사 ⑤ 소변 임신반응 검사

43

임신 18주의 경산부가 피가 섞인 질 분비물을 주소로 내원하였다. 자궁경부는 1 cm 열려 있었고, 자궁경부 밖으로 양막이 노출되어 보였다. 자궁수축 검사에서 자궁수축은 관찰되지 않았다. 이전에 임신 4개월에 인공 임신 중절수술을 한 후, 임신 16주, 18주에 각각 비슷한 증상과 함께 유산한 경험이 있다고 하였다. 다음 중 이 산모에게 가장 올바른 처치는 무엇인가?

① 입원해서 절대 안정하면서 지켜본다
② 임신 중절 수술을 실시한다
③ 자궁경부 봉출술을 시행한다
④ 자궁수축 억제제를 투여한다
⑤ 베타메타손을 투여한다

44

성교 후 질 출혈로 45세 여성이 내원하였다. 조직 검사에서 편평세포암으로 진단되었다. 추가로 병기 설정을 위해 시행해야 할 필수 검사는 무엇인가?

① MRI ② CT ③ PET CT
④ 초음파검사 ⑤ 촉진

45

배란 직전의 자궁경관 점액의 변화와 기능에 대한 설명으로 옳은 것은 무엇인가?

① 점액 내 세포의 수가 감소한다

② 점액의 점도가 증가하여 정자를 보호한다

③ 점액의 견사성(spinnbarkeit)이 감소한다

④ 점액의 양이 증가하고 혼탁해져 정자의 보존을 돕는다

⑤ 주로 황체호르몬 영향으로 나타난다

46

산과력 0-0-0-0인 21세 여자가 월경양이 많아서 왔다. 초경은 15세에 있었으며, 초경 이후 월경 주기는 불규칙하였다고 했다. 혈압 110/70 mmHg, 맥박 80회/min., 키 162 cm, 몸무게 55 kg이었다. 골반 초음파 검사에서 자궁 및 난소는 정상이었다. 혈액 검사 결과가 다음과 같을 때 가장 적절한 치료는 무엇인가?

혈색소 : 9.8 mg/dL
백혈구 : 8,600/mm^3
혈소판 : 189,000/mm^3
프로트롬빈시간 : 14.5 초 (참고치 : 12.7~15.4)
갑상샘자극호르몬 : 2.6 mIU/L (참고치 : 0.34~4.25)
프로락틴 : 13 ng/mL (참고치 : <25)

① 자궁수축제 투여

② 주기적 난포호르몬 투여

③ 지속적 난포호르몬 투여

④ 지속적 황체호르몬 투여

⑤ 주기적 경구 피임약 투여

47

산과력 0-0-3-0인 32세 여자가 불규칙한 질 출혈과 경미한 하복부 통증으로 왔다. 3일 전부터 약간의 질 출혈이 있었으나 저절로 멎었으며, 평소 월경주기는 불규칙 하였다. 혈압 100/60 mmHg, 맥박 92회/min., 호흡 18회/min, 체온 37.2℃, 키 166 cm, 몸무게 52 kg이었다. 다음으로 시행할 검사로 가장 적절한 것은 무엇인가?

① 골반 초음파 검사
② 자궁내막 조직검사
③ 혈청 갑상선자극호르몬(TSH) 검사
④ 소변 사람 융모성 성선자극호르몬(hCG)검사
⑤ 자궁난관 조영술 검사

48

52세 여자가 질 출혈을 주소로 내원하였다. 작년까지 생리 주기가 규칙적이었으나 최근 들어 주기가 불규칙해지면서 부정 질 출혈을 보였다고 하였다. 가장 가능성이 높은 출혈의 원인은 무엇인가?

① 폐경에 의한 질 위축
② 에스트로겐 소퇴성 출혈
③ 폐경에 의한 질염
④ 프로게스테론 소퇴성 출혈
⑤ 무배란

49

임신 38주인 30세 미분만부가 3일 전 양막 파수로 내원하였다. 선진부는 두위, 자궁경부는 닫혀 있었다. 유도 분만을 시행하였으며 분만 진통 중 15시간 만에 질식 분만을 하였다. 분만 후 3일째부터 오한, 하복통, 악취 나는 질 분비물을 호소하고 혈압120/80 mmHg, 맥박 88회/분, 호흡수 22회/분, 체온 39.0℃이었다. 자궁저고는 배꼽 부위에서 촉지되고 압통이 있었다. 혈액 검사 결과가 다음과 같다면 가장 가능성이 높은 진단명은 무엇인가?

혈색소 : 8.0 g/dL
백혈구 : 20,000/mm³ (중성구 87%)
혈소판 : 350×103/mm³

① 유방염
② 급성 충수돌기염
③ 자궁내막염
④ 호흡기 감염
⑤ 급성 신우신염

50

임신 13주 미분만부가 심한 하복부 통증이 있어서 내원하였다. 초음파 검사 상 아래와 같은 5 cm 크기의 낭종이 관찰되었을 때 이 산모에게 가장 적절한 다음 처치는 무엇인가?

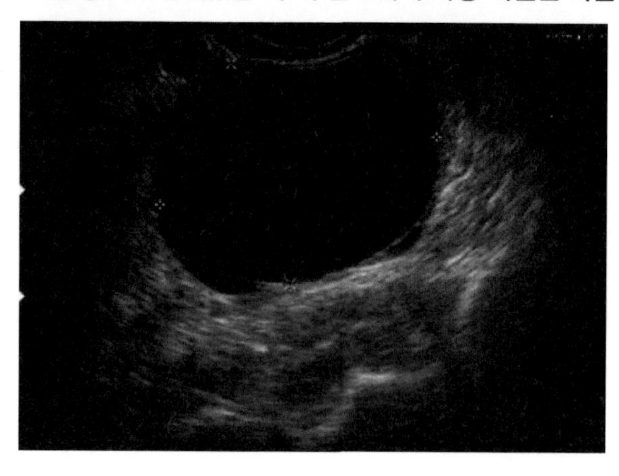

① 경과 관찰
② 임신 종결
③ 임신 종결 후 종양 절제술
④ 종양 절제술
⑤ 항암화학요법

51

임신 15주인 32세 초산모가 심한 하복부 통증이 있어서 내원하였다. 초음파 검사 상 다음과 같은 소견이 보였다면 이 산모에게 가장 적절한 치료는 무엇인가?

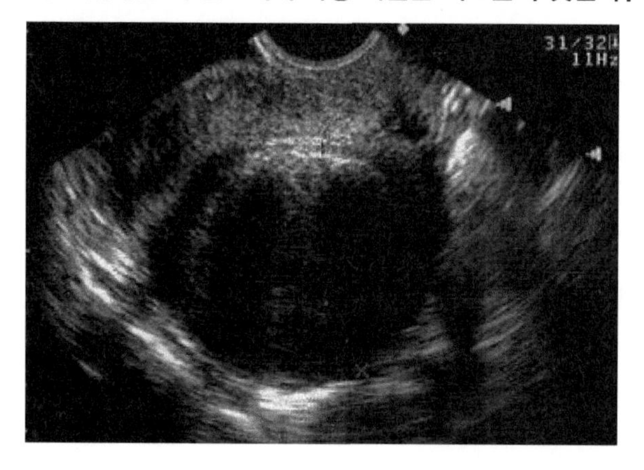

① 관찰
② 비스테이로이드성 진통제
③ 임신종결
④ 종괴절제술
⑤ 자궁절제술

52

분만력 0-0-0-0인 30세 여자가 3개월간 월경이 없어서 내원하였다. 결혼은 2년 전에 하였으며 평소 월경은 불규칙하였다. 피임을 하지 않았으나 임신이 되지 않았다. 혈압 120/80 mmHg, 맥박 70회/분, 키 158 cm, 몸무게 68 kg 이었다. 소변 임신 검사는 음성이며, 골반 초음파에서 자궁과 주변 부속기는 정상이었다. 혈액 검사 결과가 다음과 같다면 가장 적절한 치료는 무엇인가?

난포자극호르몬 : 6.2 IU/L(참고치 : 5~20)
황체형성호르몬 : 9.0 IU/L(참고치 : 5~20)
갑상샘자극호르몬 : 4.0 mIU/L (참고치 : 0.34~4.25)
프로락틴 : 76 ng/mL (참고치 : <25)

① 클로미펜 투여
② 도파민작용제 투여
③ 황체호르몬 투여
④ 성선자극호르몬(hMG) 투여
⑤ 성선자극호르몬 분비호르몬(GnRH) 투여

53

태아 사망과 생후 1주 이내의 신생아 사망을 포함하고 있는 것은 무엇인가?

① 모성 사망비
② 영아사망률
③ 신생아 사망률
④ 주산기 사망률
⑤ 후기 신생아 사망률

54~55 다음의 각 문항에 대한 적절한 답을 답 가지에서 고르시오.

① 체질적 성장 지연	② 터너 증후군
③ 칼만 증후군	④ 아셔만(Asherman) 증후군
⑤ 시한(Sheehan) 증후군	⑥ 다낭성 난소 증후군
⑦ 뮐러관 발육부전(MRKH syndrome)	⑧ 안드로겐 무감응
⑨ 처녀막 막힘증	⑩ 조기 난소 부전
⑪ 생식샘 발생장애(gonadal dysgenesis)	⑫ 뇌하수체 샘종

54

18세 여자가 초경이 없어 내원하였다. 신체 검진에서 유방과 음모의 발달은 Tanner stage III 이었다. 외부 생식기는 정상이었으나 질이 2 cm로 짧게 막혀 있었다. 가장 가능성이 높은 진단명을 고르시오. (1가지)

55

17세 여자가 초경이 없어 내원하였다. 신체 검진에서 유방과 음모발달은 Tanner stage I 이었다. 호르몬 검사 결과가 다음과 같다면 가장 가능성이 높은 진단명을 고르시오.(2가지)

갑상샘자극호르몬 : 3.4 mIU/L (참고치 : 0.34~4.24)
프로락틴 : 15.6 ng/mL (참고치 : < 25)
난포자극호르몬 : 61.5 IU/L (참고치 : 5~20)
황체형성호르몬 : 40.0 IU/L (참고치 : 5~20)
에스트라디올 : <10 pg/mL (참고치 : 10~200)

56~57 다음의 각 문항에 대한 적절한 답을 답 가지에서 고르시오.

① 정액 검사	② 진단적 복강경 검사
③ 갑상선호르몬 검사	④ 황체호르몬 검사
⑤ 자궁경 검사	⑥ 항정자 항체 검사
⑦ 자궁경부 점액 검사	⑧ 호르몬 기초 검사
⑨ 자궁내막 조직 검사	⑩ 자궁난관 조영술 검사
⑪ 프로락틴 검사	⑫ 성교 후 검사

56

산과력 0-0-0-0인 35세 여자가 불임으로 왔다. 평소 월경은 규칙적이었으며 월경 주기 3일째 내원하였다. 현재 가능한 검사를 모두 고르시오.(3가지)

57

산과력 0-0-3-0인 35세 여자가 2년간 임신이 안 되어 왔다. 평소 월경은 28일 주기로 규칙적이었으며, 월경통은 없었다. 마지막 월경 시작일은 14일 전이었다. 현재 가능한 검사를 모두 고르시오.(2가지)

58~59 다음의 각 문항에 대한 적절한 답을 답 가지에서 고르시오.

① 성폭력	② 이물질
③ 임균성 요도염	④ 비임균성 요도염
⑤ 생리적 백색 질분비물(백대하)	⑥ 편모충 질염
⑦ 세균성 질염	⑧ 칸디다 질염

58

25세 여자가 악취가 나는 질 분비물로 병원에 왔다. 묽은 회백색의 질 분비물이 보였으나 자궁경부에는 분비물이 보이지 않았다. 부속기 압통 또는 자궁경부를 움직였을 때의 압통은 없었다. 나머지 검사는 정상이었다. 질액의 산도는 pH 5.0 이었으며 KOH 검사에서 비린 냄새가 났다. 젖은 표본 고정에서 박테리아가 붙은 상피세포가 많이 관찰되었고 다핵형 세포는 없었다. 가장 가능성이 높은 진단명을 고르시오.(1가지)

59

17세 여자가 질 분비물로 왔다. 지난 6개월 동안 성관계를 가졌으며 에스트로겐과 프로게스테론이 함유된 경구 피임약을 복용했다. 2차 성징은 정상이었다. 외음부에 홍반 또는 부종이 없었으며 냄새가 없는 많은 양의 백색 점액성 질 분비물을 보였다. 현미경적 관찰에서 편평 세포가 우세했으며 다형핵 백혈구는 거의 없었다. 가장 가능성이 높은 진단명을 고르시오.(1가지)

60~61 다음의 각 문항에 대한 적절한 답을 답 가지에서 고르시오.

① 자궁외임신	② 조기 진통
③ 자궁내막증	④ 자궁경부 무력증
⑤ 유산	⑥ 양수색전증
⑦ 조기 양막파수	⑧ 잔류 태반
⑨ 자궁근종	⑩ 전치태반
⑪ 자궁 파열	⑫ 태반 조기박리

60

임신 초반기 질 출혈의 흔한 원인을 모두 고르시오.(2가지)

61

임신 후반기 질 출혈의 흔한 원인을 모두 고르시오.(2가지)

62

6세 여아가 유방 발달로 왔다. 키 132 cm(>97백분위수), 체중 27 kg(95백분위수)이었다. 지난 1년 성장 속도는 8 cm, 골 연령은 9세였다. 혈액 검사 결과가 다음과 같다면 가장 가능성이 높은 진단명은 무엇인가?

LHRH 자극 검사
황체형성호르몬 : 7.8 mIU/mL
난포자극호르몬 : 12 mIU/mL,
에스트라디올 : 24 ng/dL

① 에스트로겐 복용 ② 선천 부신피질 과형성 ③ 난소 낭종
④ 유방 조기 발육증 ⑤ 진성 성 조숙증

63

14세 여자가 키가 작고 늦은 사춘기 발현을 주소로 내원하였다. 키 135 cm(<3백분위수), 체중 45 kg(25백분위수)이었다. 출생 체중 2.8 kg이었고 손발의 부종이 심했으며, 커가면서 자주 중이염을 앓았고, 키가 계속 작은 편이었다. 진찰에서 키가 작으나 건강해 보였으며, 낮은 후두 모발선과 외반주가 관찰되었다. 유방과 음모는 성 성숙 1단계였다. 사춘기 발현이 늦은 이유를 알기 위해 필요한 검사는?

① 성장 호르몬 유발 검사 ② 골 연령 검사 ③ 갑상샘 기능 검사
④ 두부 자기공명영상 검사 ⑤ 염색체 검사

64

51세 여자가 1주일 전부터 소변이 새서 왔다. 최근 소변을 참기 힘들며, 자주 화장실에 갔다고 하였다. 배뇨 시 요도 끝에 찌릿찌릿한 통증이 있었다. 골반 검사에서 자궁 및 방광 탈출은 없었다. 다음 검사로 가장 적절한 것은 무엇인가?

① 소변 검사 ② 요도방광 내시경 검사 ③ 방광 조영술
④ 정맥깔때기 조영술 ⑤ 요 역동학 검사

65

선천 기형의 발생 기전 중에서 정상 발달을 하고 있던 태아에 기계적 힘이 가해져서 발생되는 것은 다음 중 무엇인가?

① 심실 중격 결손 ② 연골 무형성증 ③ 팔다리 짧은증(phocomelia)
④ 비후성 유문 협착증 ⑤ 만곡족(club foot)

66

21세 여자가 30분 전 성폭행을 당해 응급실에 왔다. 임신 예방을 위한 치료로 가장 적절한 것은 무엇인가?

① 질 세척 ② 사후 피임제
③ 프로게스테론 피막 자궁내 장치 ④ 자궁소파술(D&C) ⑤ 이식 피임제

67

38세 여자가 주기적인 하복통을 주소로 내원하였다. 3년 전부터 시작된 월경통이 최근 들어 점점 심해지고 월경양이 증가하였다. 분만력은 2-0-1-2 이며, 최근 프로스타글란딘 합성 억제제를 복용하였으나 월경통이 좋아지지 않았다. 혈압 110/70 mmHg, 맥박 70회/분, 키 155 cm, 몸무게 65 kg 이었다. 혈액 검사 결과와 골반 자기공명영상 사진이 다음과 같다면 가장 적절한 치료는 무엇인가?

혈색소 : 9.8 mg/dL
백혈구 : 8,600/mm^3
혈소판 : 209,000/mm^3
프로트롬빈시간 : 13.5초(참고치 : 12.7~15.4)
갑상샘자극호르몬 : 3.6 mIU/L (참고치 : 0.34~4.25)
프로락틴 : 23 ng/mL (참고치 <25)

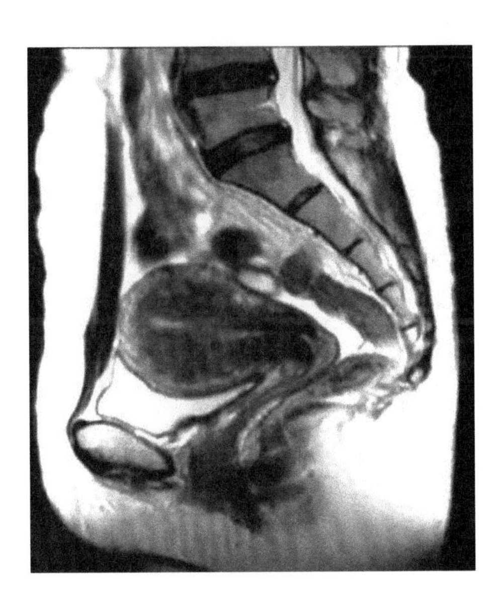

① 자궁 수축제 투여
② 자궁내막 조직 검사
③ 난포호르몬 투여
④ 클로미펜
⑤ 레보노게스트렐(Levonorgestrel) 분비 자궁내 장치 삽입

68

45세 여자가 월경과다와 빈뇨로 왔다. 최근 3개월 전부터 하복부에 덩이가 만져지고 빈뇨가 발생하였다. 분만력은 3-0-1-3 이며, 매년 부인과 검진을 받아왔으나 정상이었다. 혈압 100/60 mmHg, 맥박 88회/분, 키 158 cm, 몸무게 55 kg 이었다. 혈액검사 결과와 골반 초음파 사진이 다음과 같다면 가장 적절한 치료는 무엇인가?

혈색소 : 8.8 mg/dL
백혈구 : 9,600/mm^3
혈소판 : 209,000/mm^3
프로트롬빈시간 : 13.5초 (참고치 : 12.7~15.4)
갑상샘자극호르몬 : 1.6 mIU/L (참고치 : 0.34~4.25)
프로락틴 : 13 ng/mL (참고치 <25)

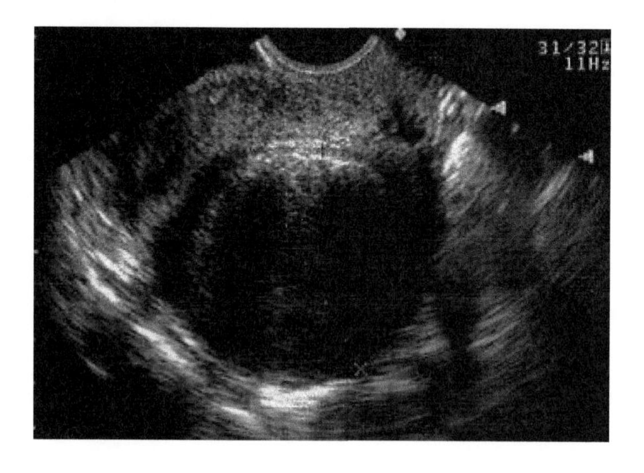

① 수혈 후 주기적 관찰
② 자궁내막 조직 검사
③ 전자궁절제술
④ 주기적 황체호르몬 투여
⑤ 레보노게스트렐(Levonorgestrel) 분비 자궁내 장치 삽입

69

분만력 2-0-0-2인 36세 여자가 월경이 없어 왔다. 평소 월경은 2~3개월에 한 번씩 있었으나, 최근 6개월 이상 월경이 없었다. 소변임신 검사는 음성이었고, 혈액 검사 결과가 다음과 같다면 가장 적절한 치료를 고르시오.

난포자극호르몬 : 75.2 IU/L (참고치 : 5~20)
황체형성호르몬 : 32.0 IU/L (참고치 : 5~20)
갑상샘자극호르몬 : 3.0 mIU/L (참고치 : 0.34~4.25)
프로락틴 : 16 ng/mL (참고치 <25)

① 클로미펜 투여
② 도파민 작용제 투여
③ 에스트로겐 + 프로게스테론 제제 투여
④ 주기적 황체호르몬 투여
⑤ 성선자극호르몬 분비호르몬(GnRH) 투여

70

30세 여자가 골반통으로 왔다. 평소 월경통이 심하여 진통제를 복용하였으나 통증이 호전되지 않았으며, 성교통이 발생하였다. 피임은 하지 않고 있으나 2년간 임신은 되지 않았다. 분만력은 0-0-0-0 이다. 초음파와 복강경 사진이 다음과 같다면 가장 가능성이 높은 진단은 무엇인가?

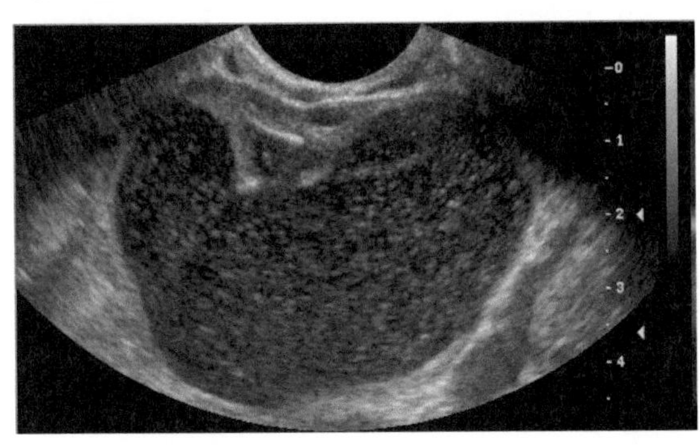

① 자궁근종(uterine myoma)
② 자궁샘근육증(adenomyosis)
③ 자궁내막종(endometrioma)
④ 자궁내막 용종(endometrial polyp)
⑤ 다낭성 난소(polycystic ovary)

71

7개월 전부터 생리가 없다고 35세 여자가 내원하였다. 분만력은 0-0-0-0이었고, 소변임신 검사는 음성이었다. 혈액 검사 결과가 다음과 같고, 환자는 임신을 원할 때 가장 적절한 배란 유도제는 무엇인가?

갑상샘자극호르몬 : 2.6 mIU/L (참고치 : 0.34~4.24)
프로락틴 : 13.2 ng/mL (참고치 < 25)
난포자극호르몬 : 3.5 IU/L (참고치 : 5~20)
황체형성호르몬 : 4.0 IU/L (참고치 : 5~20)
에스트라디올 : 5.2 pg/mL (참고치 : 10~200)

① 클로미펜
② 도파민 작용제
③ 난포자극호르몬
④ 성선자극호르몬(hMG)
⑤ 성선자극호르몬 분비호르몬(GnRH)

72

20세 여자가 일차성 무월경을 주소로 내원하였다. 유방 발달은 Tanner IV, 음모 발달은 Tanner I 이었다. 외부 생식기의 모양은 정상이었으나, 골반 검사에서 질은 3 cm 길이의 막힌 관으로 보였고, 초음파 검사에서 자궁은 관찰되지 않았다. 가장 가능성이 높은 진단은 무엇인가?

① 뮐러관 무발생
② 안드로겐 무감응 증후군
③ 아셔만 증후군
④ 터너 증후군
⑤ 생식샘 발생장애(gonodal dysgenesis)

73

32세 여자가 임신이 되지 않아 왔다. 평소 월경이 불규칙 하였으며, 결혼 후 2년 간 임신이 되지 않았다. 지난 2년 간 몸무게가 12 kg 증가하고, 여드름 및 다모증 소견을 보였다. 분만력은 0-0-0-0이다. 혈압 100/60 mmHg, 맥박 88회/분, 키 158 cm, 몸무게 70 kg이었다. 혈액 검사 결과가 다음과 같다면 이 환자에게 가장 적절한 치료는 무엇인가?

갑상샘자극호르몬 : 3.6 mIU/L (참고치, 0.34~4.24)
프로락틴 : 18.0 ng/mL (참고치, < 25)
난포자극호르몬 : 7.5 IU/L (참고치, 5~20)
황체형성호르몬 : 16.0 IU/L (참고치, 5~20)
에스트라디올 : 17.2 pg/mL (참고치, 10~200)

① 클로미펜
② 프로게스테론
③ 도파민 작용제
④ 성선자극호르몬(hMG)
⑤ 성선자극호르몬 분비호르몬(GnRH)

74

37세 여자가 4~6개월 간 대량의 무통성 질 출혈이 있어 왔다. 최근 피임에 관심이 있었다. 자궁경부 검사 및 자궁경부 세포검사(pap smear) 모두 음성이었다. 다음 처치로 가장 적절한 것은 무엇인가?

① 자궁내막 조직검사(Endometrial biopsy)
② 편측 난소-난관 절제술(Unilateral salpingo-oophorectomy)
③ 자궁경부 원추 생검(Conization of cervix)
④ 경구 피임약(Cyclic oral contraceptive agent)
⑤ 자궁경부의 레이저 증기요법(Laser vaporization of cervix)

75

외음부(vulvar)암의 예후에 가장 중요한 요소를 고르시오.

① 종양 크기
② 종양의 분화도
③ 림프결절 양성 수
④ 종양의 종류
⑤ 환자의 나이

76

아동기에 가장 흔히 발생하는 난소 종양은 무엇인가?

① 난소생식 세포종(Dysgerminoma)
② 성숙 기형종(Mature teratoma)
③ 육아종성 세포종양(Granulosa cell tumor)
④ 내배엽동 종양(Endodermal sinus tumor)
⑤ 혼합 생식 세포종양(Mixed germ cell tumor)

77

폐경 후 출혈을 하는 51세 여자에서 자궁내막 조직검사를 시행하였다. 자궁의 깊이는 7 cm 이었고 조직 검사에서 분화도가 좋은 선암이 확인되었으며, 자궁 내경부는 소파술에서는 음성 소견 보였다. 전이를 평가하기 위한 검사에서 음성 소견을 보였다. 향후 치료로 가장 적절한 것을 고르시오.

① 복식 전자궁 적출술과 양측 난소나팔관 적출술
② 근치적 전자궁적출술
③ 골반 모두제거술
④ 방사선 치료
⑤ 항암 치료

78

자궁경부에 육안적 병변을 보이는 여자가 근접한 질의 일부분에도 침범 소견을 보이고 있다. 병변 조직검사에서 침윤성 편평세포암으로 밝혀졌다. 골반 검사에서 우측 자궁방이 두꺼워져 있었으나 골반벽은 특이 소견 보이지 않았다. 이 환자의 병기를 고르시오.

① Stage IA
② Stage IB
③ Stage IIA
④ Stage IIB
⑤ Stage III

79

39세 여자가 부부관계 후 발생한 질 출혈을 주소로 내원하였다. Pap에서 고등급 편평상피내병변으로 진단되어 자궁경부 원추 절제술을 시행한 결과 8 mm의 침윤성 자궁경부암으로 발견되었다. 다음 조치로 가장 적절한 것은 무엇인가?

① 레이저원뿔절제
② 전자궁 적출술과 양측 난소나팔관 적출술
③ Radical hysterectomy with pelvic lymphadenectomy
④ 화학요법
⑤ 방사선 치료

80

21세 여자가 4일 전부터 생선 냄새가 나는 질 분비물이 나온다고 병원에 왔다. 질 분비물은 회색이며 펴바른표본 검사에서 다수의 클루(clue) 세포가 관찰되었다. 이 질환에 대한 내용으로 옳은 것은 무엇인가?

① 질내 산도는 낮다
② 락토박실러스(lactobacillus)가 충분히 보인다
③ 원충이보일 수 있다
④ 소양증이 매우 심하다
⑤ 성 파트너도 치료해야 한다

81

급성 골반 염증성 질환 중 자궁내막의 세균 검사에서 임균과 같이 중복 감염이 되는 가장 흔한 균은 무엇인가?

① 질편모충

② 대장균

③ 미코플라스마(Mycoplasma)

④ 클라미디아트라코마티스(Chlamydia trachomatis)

⑤ 칸디다

82

산과력 0-0-0-0인 24세 미혼 여자가 피임 상담을 위해 왔다. 과거력, 신체검사 모두 정상이었다. 가장 적절한 피임법은 무엇인가?

① 자궁내 장치
② 프로게스테론 피막 자궁내 장치
③ 콘돔
④ 주기법(rhythm method)
⑤ 경구 피임약

83

산과력 0-0-0-0인 30세의 산모가 임신 35주에 고혈압과 부종, 두통 및 시력 감소 등의 증상으로 왔다. 혈압은 160/110 mmHg이었고, 초음파 검사에서 두정위 였으며 태아의 발육 상태는 5 백분율 미만, 양수지수가 3 cm 이었다. 검사실 결과가 다음과 같다면 가장 적절한 처치를 고르시오.

알부민 : 2.3 gm/dL
혈소판 : 100,000/mm^3
소변 단백 : 3+

① 알부민을 공급해 준다

② 폐부종 예방을 위해 이뇨제를 사용한다

③ 제왕절개 분만을 시도한다

④ 절대 안정을 취하면서 관찰한다

⑤ 질식 분만을 시도한다

84

산과력 0-0-0-0인 36세의 산모가 임신 41주에 병원에 왔다. 평소 규칙적인 월경 주기를 보였으며 임신 초기부터 산전 관리를 충실히 받았다. 초음파에서 태아의 발육은 정상이었으며, 양수지수는 8 cm 이었다. 비수축 검사에서 반응성을 보였고, 자궁경부는 개대되지 않았다. 다음 조치로 가장 적절한 것은 무엇인가?

① 즉시 제왕절개분만을 시행한다

② 즉시 유도분만을 시행한다

③ 질정을 삽입하여 자궁경부를 숙화(cervix ripening)시킨다

④ 1 주간 관찰한다

⑤ 양막을 파열시킨다

85

산과력 1-0-0-1인 29세의 산모가 임신 35주에 질 출혈로 왔다. 전자자궁 심박 감시에서 경미한 자궁수축이 간헐적으로 나타났으며, 산모는 하복부 불편감을 호소하였다. 초음파 검사에서 양수지수는 12 cm 이었으며, 태반은 자궁저부에 위치하고 있었다. 다음 중 이 산모에 대한 내용으로 옳은 것은 무엇인가?

① 초음파검사로 확진이 가능하다.

② 가장 흔한 원인으로는 자궁근종이 있다.

③ 임신성당뇨와 관련이 있다.

④ 제왕절개분만을 해야 한다.

⑤ 쇼크와 범발성응고장애의 원인이 된다.

86

산과력 3-0-0-3인 36세의 산모가 임신 33주에 갑작스러운 무통성 질 출혈로 왔다. 산과력에서 특이 소견은 없었고 전자태아감시에서 자궁 수축은 없었다. 초음파 검사에서 태아는 둔위였으며 양수지수는 15 cm 이었다. 산모의 혈색소는 7.5 gm/dL, 혈압은 80/60 mmHg, 태아 심박수는 128회/min. 이었다. 다음 처치로 가장 적절한 것은 무엇인가?

① 일주 후 제왕절개 분만을 시행한다

② 일주 후 유도분만을 시행한다

③ 즉시 제왕절개 분만한다

④ 즉시 유도분만을 시행한다

⑤ 37주까지 관찰한다

87

산과력 0-0-0-0인 25세의 산모가 임신 40주 3일에 분만 진통을 호소하면서 병원에 왔다. 약 10 시간의 진통 끝에 3.2 kg의 건강한 남아를 분만하였으나, 태반 만출 후 다량의 출혈로 혈압 70/40 mmHg, 혈색소 7.0 gm/dL 을 보였다. 다음 중 이 산모에 대한 내용으로 옳은 것을 고르시오.

① 가장 흔한 원인은 자궁파열이다

② 즉시 개복수술을 요한다

③ 산도 열상을 우선적으로 고려해야 한다

④ 헤파린의 투여가 효과적이다

⑤ 자궁 마사지를 시행한다

88

산과력 0-0-0-0인 27세의 산모가 임신 17주에 하복부 통증으로 왔다. 초음파 검사 결과 태아의 발육은 정상 범위였으며, 양수지표는 8 cm 이었다. 태아 건강상태는 양호하였으며 약 6 x 8 cm 크기의 자궁근종이 확인되었다. 전자자궁태아감시에서 약 5분 간격으로 경미한 자궁 수축이 있었다. 이 산모에 대한 내용으로 옳은 것을 고르시오.

① 자궁근종은 조기 진통을 유발 할 수 있다
② 자궁의 석회화 변성이 통증의 원인이다
③ $MgSO_4$를 투여하여 진통을 억제한다
④ 무통성 자궁경부 개대가 동반된다
⑤ 감염이 가장 흔한 원인이다

89

산과력 0-0-0-0인 34세의 산모가 임신 18주에 병원에 왔다. 산모의 혈압은 150/100 mmHg 였으며 태아의 건강상태는 양호하였다. 다음 중 이 산모에 대한 내용으로 옳은 것을 고르시오.

① 임신 전자간증이다
② 만성 고혈압이다
③ 임신 20주 이후에 치료하는 것이 좋다
④ 단백뇨가 없으면 관찰한다
⑤ 경구용 항고혈압제는 임신 중 금기이다

90

산과력 3-0-0-3인 35세의 산모가 임신 38주에 3.6 kg의 건강한 여아를 분만한 후 발생한 과다 출혈로 전원 되었다. 혈압 90/60 mmHg, 혈색소 7.0 gm/dL 이었다. 자궁은 치골 상방에서 단단하게 촉지 되었으며 산도의 열상은 없었다. 다음 중 이 산모에 대한 내용으로 옳은 것을 고르시오.

① 자궁 무력증이 가장 의심된다
② 자궁외번증이 의심된다
③ 잔류 태반을 의심해야 한다
④ 범발성 혈액응고 장애를 의심한다
⑤ 자궁 파열을 의심한다

91

산과력 1-0-0-1인 35세의 산모가 임신 13주에 병원에 왔다. 당뇨의 가족력이 있으며, 첫 번째 임신에서 4.3 kg의 남자 아이를 분만했다. 이 산모에 대한 내용으로 옳은 것은 무엇인가?

① 임신 24주에 50 g OGTT를 시행한다

② 즉시 100 g OGTT를 시행한다

③ 임신성 당뇨이므로 인슐린을 투여한다

④ 50 g OGTT를 시행한다

⑤ 선천성 기형의 위험이 높다

92

32세 여자가 골반 초음파에서 임신낭, 태극(fetal pole) 및 태아 심장박동이 확인되었다. 질경 검사에서 자궁경부에 자궁 내 피임장치의 실이 보였다. 다음 조치로 가장 적절한 것을 고르시오.

① 한 달 후 골반초음파 재확인

② 분만까지 자궁 내 피임장치 유지

③ 즉시 실을 이용하여 자궁 내 피임장치 제거

④ 자궁수축 억제제 투여

⑤ 치료적 유산

93

30세 초산모가 가려움증이 있어 병원에 왔다. 피부 사진이 다음과 같다면 가장 가능성이 높은 진단은 무엇인가?

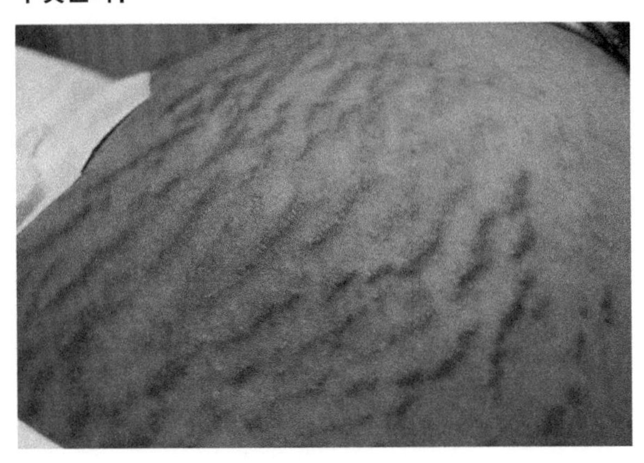

① 임신선(Striae gravidarum)

② 임신소양성두드러기성구진판(Pruritic urticarial papules and plaques of pregnancy, PUPPP)

③ 헤르페스모양 고름딱지증(Impetigo herfetiformis)

④ 임신 헤르페스

⑤ 임신 가려움증

94

31세 39주 초산모가 진통이 있어 병원에 왔다. 자궁경부는 9 cm 열려 있고, 소실은 90%, 하강은 −1, 30초 동안의 태아심음 감시장치기록 사진이 다음과 같다면 다음 조치로 가장 적절한 것을 고르시오.

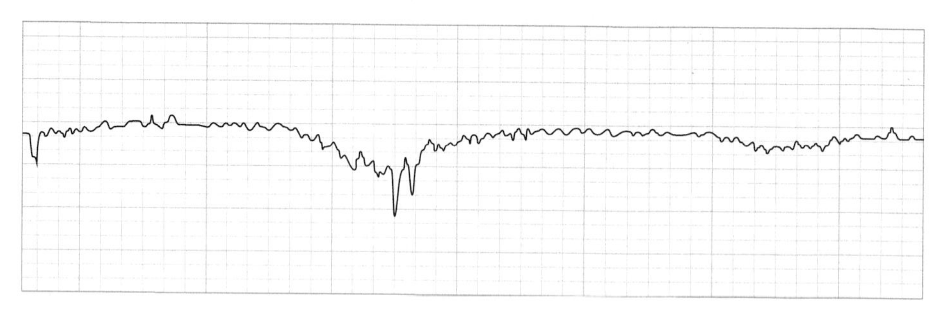

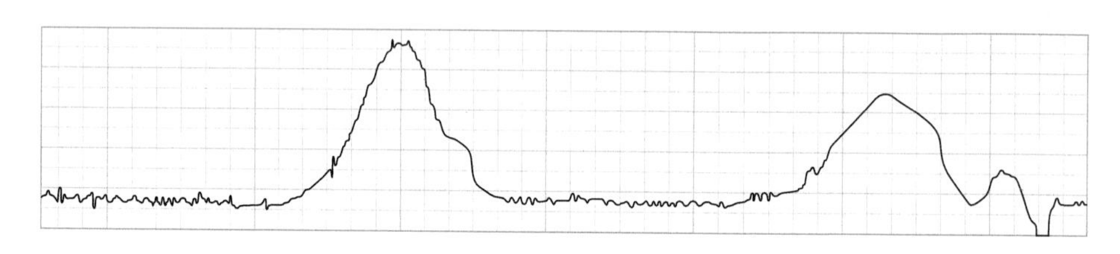

① 관찰 ② 리토드린 투여 ③ 옥시토신 투여
④ 흡입 분만 ⑤ 제왕절개 분만

95

임신 42주 30세 미분만부가 진통이 없어 병원에 왔다. 옥시토신을 주면서 유도 분만을 시작하였다. 20분이 지나자 10분에 8회, 강도는 60 mmHg로 진통이 왔다. 다음 조치로 가장 적절한 것을 고르시오.

① 경과 관찰 ② 자궁목 자극 ③ 옥시토신투여 중지
④ 리토드린 투여 ⑤ 제왕절개분만

96

당뇨가 있는 산모가 임신했을 경우 임신 결과와 가장 관계가 있는 지표는 무엇인가?

① 공복 시 혈당치 ② 식후 1시간 혈당치 ③ 식후 2시간 혈당치
④ 식후 3시간 혈당치 ⑤ HbA1C

정 답

모의고사 1회

산부인과 Final Exam

01. ⑤	02. ④	03. ③	04. ②	05. ⑤
06. ④	07. ③	08. ⑤	09. ③	10. ②
11. ⑤	12. ③	13. ③	14. ②	15. ③
16. ②	17. ②	18. ④	19. ⑤	20. ⑤
21. ②	22. ②	23. ①	24. ⑤	25. ③
26. ②	27. ①	28. ⑤	29. ③	30. ⑤
31. ④	32. ④	33. ③, ④, ⑥, ⑩	34. ②	35. ①
36. ⑤	37. ④	38. ④	39. ①	40. ③
41. ②	42. ③	43. ⑦	44. ②	45. ④
46. ②	47. ④	48. ②	49. ①	50. ①
51. ③	52. ②	53. ④	54. ①	55. ④
56. ⑤	57. ④	58. ①	59. ②	60. ⑤
61. ④	62. ①, ②, ③	63. ⑤	64. ①	65. ③
66. ①	67. ④, ⑥	68. ⑤, ⑥	69. ①, ⑥	70. ②, ⑥
71. ④	72. ②	73. ⑤	74. ①	75. ⑤
76. ③	77. ⑤	78. ⑤	79. ③	80. ④

모의고사 2회

산부인과 Final Exam

01. ①	02. ③	03. ④	04. ④	05. ②
06. ①	07. ③	08. ①, ③, ⑦	09. ②	10. ④
11. ①	12. ⑤	13. ②	14. ②	15. ⑤
16. ④	17. ①	18. ①	19. ④	20. ④
21. ⑤	22. ②	23. ③	24. ④	25. ⑤
26. ⑤	27. ①	28. ②	29. ④	30. ①
31. ④	32. ③	33. ③	34. ②	35. ①
36. ⑤	37. ③	38. ③	39. ④	40. ④
41. ②	42. ①	43. ③	44. ⑤	45. ②
46. ⑤	47. ①	48. ⑤	49. ②	50. ⑤
51. ⑤	52. ④	53. ④	54. ②, ③	55. ④
56. ①	57. ④, ⑦	58. ②	59. ③	60. ⑤
61. ⑤	62. ②	63. ④	64. ①	65. ③
66. ①	67. ②, ④, ⑪	68. ⑩	69. ②	70. ⑩
71. ④	72. ②	73. ③	74. ②	75. ④
76. ⑨	77. ③, ④	78. ①, ⑧, ⑨	79. ⑤	80. ①
81. ③	82. ⑤	83. ④	84. ④	85. ②
86. ①	87. ③	88. ①	89. ①	90. ①
91. ②	92. ④	93. ③	94. ⑤	95. ④
96. ②	97. ①	98. ③	99. ⑤	100. ②
101. ②	102. ②	103. ②	104. ④	105. ④
106. ①	107. ⑤			

모의고사 3회

산부인과 Final Exam

01. ②	02. ④	03. ③	04. ⑤	05. ①
06. ⑤	07. ⑤	08. ①	09. ③	10. ③
11. ②	12. ④	13. ②	14. ③	15. ②
16. ①	17. ②	18. ⑤	19. ③	20. ③
21. ④	22. ④	23. ④	24. ④	25. ⑤
26. ⑤	27. ①	28. ④	29. ②	30. ①
31. ①	32. ④	33. ③	34. ④	35. ④
36. ②	37. ①	38. ③	39. ⑤	40. ④
41. ④	42. ②	43. ④	44. ①	45. ⑤
46. ①	47. ①	48. ④	49. ④	50. ③
51. ③	52. ⑤	53. ④	54. ⑤	55.
56. ③	57. ②	58. ②	59. ③	60. ③
61. ①	62. ⑤	63. ⑤	64. ④	65. ⑤
66. ③	67. ①	68. ②	69. ③	70. ①, ⑧
71. ③, ④, ⑤	72. ⑥	73. ①	74. ①, ②, ③, ⑤	75. ③, ⑤
76. ①, ③, ④	77. ①, ③, ⑥	78. ①, ②, ④, ⑦	79. ②, ⑧	80. ⑦

모의고사 4회

산부인과 Final Exam

01. ③	02. ④	03. ①	04. ③	05. ⑤
06. ③	07. ③	08. ④	09. ②	10. ④
11. ⑤	12. ③	13. ③, ④, ⑤	14. ⑥, ⑧	15. ②, ③
16. ①	17. ⑤	18. ⑤	19. ④	20. ②
21. ①	22. ③	23. ①	24. ②	25. ②
26. ④	27. ④	28. ①	29. ⑤	30. ①
31. ⑤	32. ③	33. ③	34. ④	35. ⑤
36. ④	37. ④	38. ②	39. ③	40. ③
41. ①	42. ④	43. ②	44. ⑤	45. ④
46. ⑤	47. ①	48. ③	49. ①	50. ③
51. ①	52. ⑤	53. ②, ⑧	54. ④, ⑦	55. ④, ⑧
56. ⑥, ⑧	57. ⑤	58. ②	59. ②	60. ①
61. ⑤	62. ②	63. ①	64. ①	65. ④
66. ②	67. ②	68. ②	69. ①	70. ③
71. ④	72. ④	73. ①	74. ③	75. ③
76. ①	77. ②	78. ①	79. ④	80. ①
81. ④	82. ①	83. ④	84. ②	85. ②
86. ①	87. ③	88. ③	89. ⑤	90. ④
91. ④				

정 답

모의고사 5회

산부인과 Final Exam

01. ③ 02. ③ 03. ④ 04. ② 05. ⑤
06. ③ 07. ③ 08. ⑥ 09. ④, ⑫ 10. ①, ⑤, ⑦
11. ⑤, ⑧ 12. ⑤, ⑦ 13. ⑧, ⑩, ⑫ 14. ⑦ 15. ⑤, ⑦, ⑧
16. ④ 17. ① 18. ② 19. ③ 20. ①
21. ④ 22. ③ 23. ③ 24. ⑤ 25. ④
26. ⑤ 27. ③ 28. ④ 29. ⑤ 30. ③
31. ⑤ 32. ② 33. ② 34. ② 35. ②
36. ② 37. ④ 38. ④ 39. ③ 40. ⑤
41. ③ 42. ⑤ 43. ① 44. ① 45. ②
46. ① 47. ⑤ 48. ② 49. ②, ⑤, ⑨ 50. ②, ④
51. ⑨ 52. ③, ⑧ 53. ①, ② 54. ① 55. ⑤
56. ⑤, ⑥, ⑦ 57. ② 58. ③ 59. ② 60. ④
61. ④ 62. ⑤ 63. ① 64. ② 65. ②
66. ① 67. ⑤ 68. ② 69. ① 70. ⑤
71. ② 72. ① 73. ① 74. ② 75. ②
76. ⑤ 77. ④ 78. ③ 79. ⑤ 80. ②
81. ② 82. ② 83. ③ 84. ⑤ 85. ③
86. ③ 87. ① 88. ① 89. ⑤ 90. ④
91. ② 92. ④ 93. ② 94. ② 95. ④
96. ⑤ 97. ③ 98. ① 99. ④

모의고사 6회

산부인과 Final Exam

01. ② 02. ④ 03. ① 04. ④ 05. ④
06. ⑤ 07. ③ 08. ④ 09. ⑤ 10. ①
11. ②, ⑦ 12. ④, ⑤ 13. ①, ⑤, ⑥ 14. ②, ⑤ 15. ①, ③
16. ⑤ 17. ② 18. ① 19. ① 20. ④
21. ① 22. ⑤ 23. ① 24. ② 25. ②
26. ④ 27. ④ 28. ④ 29. ② 30. ⑤
31. ④ 32. ② 33. ④ 34. ③ 35. ②
36. ③ 37. ⑤ 38. ① 39. ④ 40. ⑤
41. ② 42. ③ 43. ④ 44. ③ 45. ⑤
46. ⑤ 47. ④ 48. ② 49. ② 50. ③
51. ④ 52. ④ 53. ① 54. ⑤ 55. ②
56. ③ 57. ③ 58. ② 59. ③ 60. ⑤, ⑦
61. ①, ②, ④ 62. ②, ③, ⑥ 63. ②, ③, ⑤ 64. ②, ③ 65. ③, ⑧
66. ⑥ 67. ⑩ 68. ②, ③, ⑧ 69. ③ 70. ⑤
71. ① 72. ④ 73. ④ 74. ③ 75. ⑤
76. ① 77. ② 78. ④ 79. ⑤ 80. ④
81. ① 82. ① 83. ① 84. ⑤ 85. ③
86. ⑤ 87. ② 88. ② 89. ③ 90. ⑤

모의고사 7회

01. ② 02. ③ 03. ③ 04. ② 05. ①
06. ④ 07. ② 08. ②, ③, ⑥ 09. ③ 10. ④, ⑥
11. ⑥, ⑦ 12. ⑤ 13. ⑦ 14. ③, ④ 15. ③, ⑦
16. ⑤ 17. ⑤ 18. ② 19. ② 20. ④
21. ② 22. ① 23. ① 24. ⑤ 25. ③
26. ② 27. ① 28. ① 29. ⑤ 30. ②
31. ⑤ 32. ⑤ 33. ② 34. ① 35. ②
36. ② 37. ④ 38. ① 39. ③ 40. ④
41. ① 42. ④ 43. ② 44. ③ 45. ④
46. ④ 47. ② 48. ② 49. ① 50. ③
51. ⑤ 52. ⑤ 53. ① 54. ④ 55. ④
56. ② 57. ④ 58. ① 59. ① 60. ②
61. ⑤ 62. ① 63. ③ 64. ⑤ 65. ③
66. ① 67. ①, ②, ⑤ 68. ⑥, ⑧ 69. ⑤, ⑨ 70. ①
71. ②, ④, ⑦ 72. ② 73. ② 74. ② 75. ④
76. ④ 77. ⑤ 78. ② 79. ⑤ 80. ②
81. ④ 82. ③ 83. ② 84. ① 85. ④
86. ④ 87. ④ 88. ⑤ 89. ③ 90. ①
91. ③ 92. ② 93. ⑤ 94. ② 95. ②
96. ③ 97. ⑤ 98. ④ 99. ④

모의고사 8회

01. ① 02. ④ 03. ② 04. ③ 05. ②
06. ⑤ 07. ④ 08. ⑤ 09. ①, ②, ④ 10. ①
11. ①, ③ 12. ④ 13. ②, ⑤ 14. ②, ③, ⑤ 15. ②, ⑥
16. ③, ④, ⑤, ⑦ 17. ①, ③ 18. ①, ⑥ 19. ⑤ 20. ②
21. ③ 22. ④ 23. ② 24. ② 25. ①
26. ③ 27. ③ 28. ② 29. ④ 30. ③
31. ③ 32. ① 33. ① 34. ② 35. ①
36. ② 37. ⑤ 38. ③ 39. ② 40. ④
41. ④ 42. ⑤ 43. ③ 44. ⑤ 45. ①
46. ⑤ 47. ④ 48. ⑤ 49. ③ 50. ①
51. ② 52. ② 53. ④ 54. ⑦ 55. ②, ⑪
56. ③, ⑧, ⑪ 57. ⑦, ⑫ 58. ⑦ 59. ⑤ 60. ①, ⑤
61. ⑩, ⑫ 62. ⑤ 63. ⑤ 64. ① 65. ⑤
66. ② 67. ⑤ 68. ③ 69. ③ 70. ③
71. ④ 72. ② 73. ① 74. ② 75. ③
76. ② 77. ① 78. ④ 79. ③ 80. ①
81. ④ 82. ④ 83. ⑤ 84. ④ 85. ⑤
86. ③ 87. ⑤ 88. ① 89. ② 90. ⑤
91. ④ 92. ③ 93. ② 94. ⑤ 95. ③
96. ⑤